P9-CKX-358

WALTER RICHTER

Orchideen

PFLEGEN
VERMEHREN
ZÜCHTEN

Walter Richter

ORCHIDEEN

pflegen · vermehren · züchten

Methodische
und graphische Gestaltung der Bildtafeln
von Hans Preusse

Verlag J. Neumann-Neudamm
Melsungen · Basel · Wien

1. Auflage · 1969

3. Auflage · 1974

Lizenzausgabe des Verlages J. Neumann-Neudamm KG, Melsungen
aus dem © 1970 Neumann Verlag, DDR-8122 Radebeul 1, Dr.-Schmincke-Allee 19 · Lizenz Nr. 151 · 310/35/69
Die Graphiker Hans Preuße und Hellmuth Tschörtner gestalteten den Schutzumschlag. Hellmuth Tschörtner übernahm darüber hinaus die Einbandgestaltung. Typographie Heinz Rzepka · Druck: H. Silber, Niestetal-H. · Printed in Germany · ISBN 3-7888-0135-2

INHALTSÜBERSICHT

EINFÜHRUNG

Vor einigen Jahren schrieb ich das Buch „... die schönsten aber sind *Orchideen*“. Es war der Versuch, einen möglichst abgerundeten Überblick über den Gesamtkomplex Orchideen zu geben, die Menschen mit diesen besonderen Schöpfungen der Natur vertraut zu machen. Mehr sollte es zunächst nicht sein. Die Zeit für detaillierte Anweisungen war noch nicht gegeben. Jetzt ist sie da. Daher soll die vorliegende Arbeit alle notwendigen Maßnahmen für die erfolgreiche Pflege erläutern und das erste Buch ergänzen. Ich habe mich bemüht, das Wichtigste klar herauszuarbeiten. Die Sorgen und Nöte von Orchideenfreunden gaben mir die Gewißheit, daß auch die einfachsten Dinge zur Sprache gebracht werden müssen, daß eigentlich nichts selbstverständlich ist.

Es existieren eine Reihe von Anleitungen in deutscher Sprache für die Orchideenpflege. Ich habe sie geprüft und war bemüht, das, was sie nicht oder unvollkommen bringen, zu ergänzen. Dieses Buch soll den Orchideenfreund ansprechen und dem Berufsgärtner ein Wegweiser sein, denn beide müssen die Ansprüche ihrer Pfleglinge erfüllen. Meist ist es jedoch wesentlich leichter, eine große Menge Pflanzen erfolgreich zu pflegen als einige wenige.

Die eingefügten Zeichnungen sollen den Text optisch ergänzen, denn eine bildliche Darstellung ist oft einprägsamer als viele Worte.

Für die Auswahl der Schwarz-Weiß- und Farbfotos war nicht allein der Wunsch maßgeblich, häufig gepflegte und für den Orchideenfreund verhältnismäßig leicht erreichbare Gattungen und Arten abzubilden. Es wurden auch seltene und wertvolle Orchideen ausgewählt, um die Vielgestaltigkeit der gesamten Familie zu zeigen. Der Beschauer der Bilder soll ermessen, wie rätselvoll uns oft ein Blütenantlitz anmuten kann.

Der Anfänger, welcher sich mit Orchideen befassen will, muß sich auf Mißerfolge vorbereiten. Auch die beste Anleitung bietet keinen völligen Schutz vor Fehlschlägen. Die meisten Fehler werden wohl aus gutgemeinter Absicht gemacht, aus dem Bestreben heraus, die kostbaren Pflanzen zu erhalten, ihre Entwicklung zu fördern. Verluste sind das Kriterium für den Orchideenfreund. Läßt er sich davon entmutigen und wendet sein Interesse anderen Dingen zu, dann war die Liebe zu Orchideen nur Strohfeuer – eine vorübergehende Laune. Der wahre Orchideenfreund läßt sich nicht leicht entmutigen. Im Gegenteil, bei ihm steigern Mißerfolge den Enthusiasmus. Er sucht nach den Ursachen und lernt aus den Fehlern. Wenn sich Erfolge zeigen, tut sich eine wunderbare Welt auf. Eine intimere Berührung mit pflanzlichem Leben ist kaum denkbar. Ein Menschenleben reicht nicht aus, um nur das Wichtigste zu erkennen. Gewiß setzen räumliche Verhältnisse und finanzielle Erwägungen Grenzen. Aber schon in einer kleinen, bescheidenen Sammlung sind die Möglichkeiten der Betrachtung von Zweckmäßigkeit und Schönheit in den Lebensäußerungen der Orchideen gegeben.

Beginnen wir mit den Wurzeln. Sie sind bei Pflanzen üblicher Art in der Erde verborgen. Nur gelegentlich können wir sie betrachten, sonst wissen wir sie umgeben von Erde in Gefäßen oder im Freien allenthalben, wo Pflanzenwuchs möglich ist, unter unseren Füßen. Ihren Funktionen mutet damit etwas Geheimnisvolles an. Wenn wir im Walde einen Windbruch sehen, wo gestürzte Kiefern oder Fichten den flachen Wurzelkranz in die Luft ragen lassen, so berührt uns dies fast schmerzlich. Die Wurzeln epiphytisch wachsender Orchideen entbehren des Schutzes durch das Erdreich. Nackt und bloß bieten sie sich dem Blick dar und sind darauf eingerichtet, auch mit geringen Gaben an Nahrung und Feuchtigkeit auszukommen. Daher entwickeln die Pflanzen am heimatlichen Standort sehr viele Wurzeln, die auf der Rinde des besiedelten Baumes zu einem dichten Geflecht werden, in dessen Nischen sich Laub ansammelt sowie Moose und Farne ansiedeln. Damit wird Feuchtigkeit bis zu einem gewissen Grad gehalten und steht höher entwickelten Epiphyten zur Verfügung.

Allein schon das Studium der Wurzeln und ihres Verhaltens kann eine reizvolle Angelegenheit sein, weil es in dieser Form bei anderen Pflanzen, welche ihre Wurzeln in die Erde versenken, nicht möglich ist. Voller Freude sehen wir zu Beginn der neuen Vegetationsperiode dem Erscheinen der ersten neuen Wurzeln entgegen. Diese Freude verwandelt sich leicht in Trauer, wenn über Nacht die zarten Spitzen von Kellerasseln oder Schnecken abgefressen wurden. Die Schädlinge zerstörten damit den Vegetationspunkt der Wurzel, aus dem heraus sie sich nur weiterentwickeln kann. Ihr Längenwachstum ist damit beendet. Geschieht dies mit allen Wurzeln, so stockt das Wachstum, und die Existenz der Pflanze ist gefährdet. Ältere, stabile Wurzeln vermögen sich zu regenerieren. Unterhalb einer Fraß- oder Bruchstelle bilden sich Nebenwurzeln. Sie erscheinen zunächst als zarte grüne Punkte, die sich bald vergrößern, Gestalt annehmen und funktionsfähig werden. Allein schon das Sichtbarwerden einer ungeheuren Lebenskraft, des Willens, sich zu behaupten, kann Anlaß sein, sich mit diesen Pflanzen zu befassen, zu befreunden. Vielfach begegnen wir dieser Energie der Wurzeln. Dort ist ein schon alter, blätter-

loser Trieb einer Dendrobium phalaenopsis-Pflanze geknickt. Ausgeschlossen, daß in ihm noch Leben steckt. Aber eines Tages erscheint oberhalb der Bruchstelle an einem bestimmten Punkte ein ganzer Kranz von Wurzelspitzen. Sie verlängern sich, und aus ihrer Mitte erwächst der neue Sproß, durch die Vielzahl der Wurzeln wohlgerüstet für die Sicherung der Existenz, für künftiges Blühen und Fruchten. Viele ähnliche Beispiele ließen sich anführen.
Die Beschaffenheit der Wurzeln ist der Maßstab für die weitere Existenz der ganzen Pflanze. Je mehr kräftige und gesunde Wurzeln sie aufzuweisen hat, desto größere Blühleistungen können wir von ihr erwarten. Die Nährstoffaufnahme durch die Blätter ist unumstritten. Sie reicht jedoch allein nicht aus, um die Pflanze zu dem zu befähigen, was wir von ihr erwarten: sicherem und reichem Blühen. So sieht derjenige Orchideenfreund, welcher es versteht, in der Beschaffenheit der Wurzeln künftige Freude an der Schönheit der Blüten voraus – oder auch nicht, wenn die Pflanze infolge fragwürdiger Bewurzelung zu großen Leistungen nicht befähigt ist.
Die Paphiopedilum – mit der deutschen Bezeichnung Frauenschuh – haben große Bedeutung auch für den Orchideenliebhaber. Sie sind erdbewohnend, entwickeln z. T. wenige, aber verhältnismäßig kräftige Wurzeln, die mit einem dichten Pelz von Wurzelhaaren besetzt sind. Bei Verpflanzarbeiten wird man oftmals mit Erstaunen feststellen, mit wie wenig Wurzeln die Pflanze noch existenzfähig sein kann.
Der flachen, bandförmigen Wurzeln mancher Phalaenopsis muß ich noch gedenken. Auch aus ihrer Beschaffenheit kann man Rückschlüsse auf den Gesundheitszustand der Pflanze ziehen. Unlösbar fest sind sie der Außenwandung des Gefäßes verbunden. Silbern schimmert das Velamen – eine Schicht leerer Zellen – über dem grünen Untergrund, dem Teil der Wurzel, der assimilationsfähig ist. Dort, wo sie frei in der Luft hängen, sind sie weniger flach, meist etwas gewunden. Man hat das Empfinden, als suchten sie beständig nach einem Halt, nach einer Unterlage, der sie sich anheften können, die Pflanze sicher verankern zu helfen.
Das Äußere der Orchideen ist fast ausnahmslos unscheinbar. Nur wenige Arten haben farbige Blätter, sonst herrscht das Grün vor. Man vermißt in ihnen die Buntheit, welche in der Belaubung vielen tropischen Pflanzen eigen ist, oft mit samtig schimmerndem Glanz oder anderen Effekten das Auge betörend. Manchmal hat man den Eindruck, daß die Orchideen alles aufsparen, um dann mit der Schönheit der Blüten alles in den Schatten zu stellen. Wir kennen farbige Blätter bei Phalaenopsis schilleriana, Paphiopedilum callosum, P. sukhakulii, Macodes petola, Haemaria discolor u.a. Aber es sind wenige im Verhältnis zur großen Vielzahl der Arten. Pseudobulben und Blätter sind vorwiegend grün; gelegentlich bringt starke Belichtung, wenn sie überhaupt vertragen wird, einen rötlichen Anflug. Trotz dieser Einförmigkeit liegt in der Beobachtung nichtblühender Pflanzen schon ein gewisser Reiz. Nach der Überwindung anfänglicher Schwierigkeiten kann der Orchideen-

freund bald den richtigen Zustand der Pflanzen beurteilen. Unverkennbar liegt in der Entwicklung der Wurzeln, des Neutriebes und seiner Ausbildung die Aussicht auf künftiges Blühen begründet. Aber allein schon das Wachsen gibt Befriedigung, denn es bestätigt, daß richtig gehandelt wurde. Wer nur nach dem Blühen trachtet, wird die lange Entwicklungszeit nicht abwarten können. Ich kenne viele Orchideenfreunde, welche nicht nur aus finanziellen Erwägungen kleinere oder kleine Pflanzen kaufen, sondern aus dem Wunsch heraus, ihre Entwicklung selbst erleben zu können. Durch das Bemühen um die Wachstumsförderung, durch alle Sorgen und Nöte werden es „ihre" ureigensten Geschöpfe, an denen das Herz hängt.

Die Blüten der Orchideen haben eine verhältnismäßig eng begrenzte Grundform. In fast unübersehbaren Variationen ist sie abgewandelt, kaum vermag Menschengeist Gleiches zu ersinnen. Aus einem langen Leben mit und um Orchideen kann ich sagen, daß mich immer wieder neue Blütenformen überraschen, wenn ich Arten sehe, die mir bisher unbekannt waren. Nur mit Ehrfurcht kann man dieser schöpferischen Gestaltungskraft der Natur gegenüber stehen – nichts ist hier selbstverständlich oder muß so sein.

Welche Erwartung und Freude liegt darin, wenn wir erstmalig feststellen, daß sich eine Pflanze zum Blühen anschickt! Selbst wenn wir die Phasen der Entwicklung schon oft erlebt haben – sie sind immer wieder neu und erregend. Die Tatsache, daß die meisten Orchideen in der Regel nur einmal im Jahre blühen, gibt dieser Entwicklung stetig neuen Glanz und beflügelt die Erwartung. Ich bekenne, daß ich auf den abendlichen oder nächtlichen Kontrollgängen durch den Betrieb vor dem Schlafengehen die Pflanzen nochmals aufsuche, die im Stadium der Knospenentwicklung sind. Das Prüfen und Wägen um den Fortgang und Endeffekt in der Stille der nächtlichen Stunde ist konzentrierter, tiefergehend als in der Hast des Tagesgeschehens. Nicht nur die Pflanze selbst steht im Blickpunkt des Interesses – auch ihre Herkunft, Heimat, Geschichte oder bei Züchtungen die Abstammung, die Auswirkungen oft gegensätzlicher Erbanlagen. Ist es die erste Pflanze einer eigenen Kreuzung, so wird die Erwartung besonders hochgespannt. Jahre zurück schweifen die Gedanken – zu dem Tag, wo die beiden Partner vereint wurden. Eine lange Zeit liegt dazwischen, in der sich die eigene Mentalität unter dem Einfluß des Zeitgeschehens wandelte. Ein Zeitraum, in dem auch anderweitig züchterisch gearbeitet wurde – in gleicher Richtung oder mit einem der Partner extrem anders. Wir stehen gerade jetzt an einem Wendepunkt züchterischer Entwicklung. Die rein empirische Arbeitsweise wird abgelöst durch die wissenschaftlich begründete und gezielte Züchtungsarbeit. Dem Suchen nach geeigneten Partnern steht die fast absolute Sicherheit des Gelingens einer Kreuzung auf der Grundlage von Kenntnissen der genetischen Verhältnisse gegenüber. Trotzdem wird auch jetzt erst das Ergebnis die Bestätigung absolut richtiger Kombinationen erbringen.

Orchideenblüten sind außerordentlich mannigfaltig in Form- und Farbgebung. Sie sollen die Erhaltung der Art unter allen Umständen sichern. Die Meinung, daß mit geringerem Aufwand ein gleicher Effekt ebenso oder mit größerer Sicherheit zu erzielen ist, mag durchaus berechtigt sein. Wir dürfen jedoch nicht das Überdimensionale tropischen Wachstums vergessen und damit das Ringen jeder Pflanze um ihre Existenz.

Müßig, darüber zu streiten, welcher der beiden augenfälligsten Eigenschaften – Form oder Farbe – der Vorzug zu geben ist. Darüber mag jeder selbst entscheiden. Die Form der Blüten ist bei Orchideen das Unkonventionelle, Unberechenbare. Nehmen wir Blüten von Phalaenopsis an, sie können in ihrer Form vollendet schön sein, edel und vollkommen. Sie gleichen darin anderen, üblicheren Blüten, denen wir solche Prädikate aus Überlieferung oder zeitlosem Maßstab allgemein zusprechen. Völlig anders ist es bei einer unübersehbaren Zahl von Orchideenarten, deren Blütenformen gänzlich abweichen vom Üblichen, uns Geläufigen. Die Übergänge vom ästhetisch Schönen zum uns fast abwegig Erscheinenden sind im Pflanzenreich innerhalb einer Familie einmalig. Eine ganze Begriffsskala ist erforderlich und unser Sprachschatz dürfte kaum ausreichen, die Eigenschaften treffend zu charakterisieren. Ein Beispiel nannte ich bereits: Phalaenopsis, schön, edel, ätherisch leicht. Cattleya wirken anmutig, heiter, beschwingt. Paphiopedilum sprechen uns dagegen mit vornehmer Reserviertheit an, kühl und gelassen stehen sie auf ihren Stielen. Gleiches gilt für Cymbidium, nur mischt sich hier Heiteres herein durch die Vielzahl der Blüten an einem Stiel. Wie ganz anders ist es mit den fast tierhaften Erscheinungsformen der Blüten von Stanhopea, Catasetum, Coryanthes und anderen. Sahen Sie schon einmal die Blüten von Catasetum gnomus? Wie verschüchterte Vögelchen hocken sie auf dem tragenden Blütenschaft, ohne Beispiel in ihrer Eigenart. Auch religiöse Gefühle werden angesprochen. Nur ein Beispiel: Peristera alata, die Blume des „Heiligen Geistes". Ein über 1 m hoher Blütenstand entwickelt eine Vielzahl milchweißer, duftender Blüten. Jede von ihnen trägt in ihrer Mitte, symbolisch für ihren Namen, eine winzige Taube, gebildet aus der dreiteiligen Lippe und der geschnäbelten Säule. In der reizvollen Schönheit der Pflanze liegt ihr tragisches Geschick begründet. Sie ist fast ausgerottet durch die Habgier der Menschen. Eingeborene brachten sie in ihrer Heimat tausendweise auf den Markt, um sie den Fremden zum Kauf anzubieten.

In manchen Dörfern und Ortschaften süd- und mittelamerikanischer Länder pflanzen die Bewohner seltene Albino-Formen von Cattleya, Lycaste und anderen Orchideen auf den Dächern der Kirchen an. Dort sind sie vor den Zugriffen profitgieriger Menschen einigermaßen sicher.

Wenn ich – wie jetzt – die Erscheinungsformen mir bekannter Orchideenblüten im Geiste Revue passieren lasse oder in Werken der klassischen oder modernen Orchideenliteratur blättere, so erscheint es mir unmöglich, aller Schönheit in Worten gerecht zu werden. Bilder vermögen es schon eher, in vollem Umfang genießt man die Schönheit jedoch allein durch das eigene Schauen und Erleben der Blüten in dem Wissen um ihr Werden und Vergehen.

Aus diesem Vergehen der Schönheit ensteht die Frucht. Dieses Stadium wird dem Orchideenfreund selten ersichtlich. Gelegentliche Bestäubungen durch Insekten sind möglich, jedoch unerwünscht. Eine Bestäubung durchzuführen, nur um den Versuch zu machen, Samenansatz zu erzielen, ist nicht ratsam. Meist ist bei den Pflanzen durch die lange Entwicklungszeit der Früchte und die sehr umfangreiche Samenproduktion eine mehr oder minder große Schwächung festzustellen, welche die Existenz der Mutterpflanze in Frage stellt. Verweilen aber möchte ich bei den Samen. Wie die Orchideen in so vielen Eigenschaften von anderen Pflanzen abweichen, so auch hier. Zunächst ist die Menge der produzierten Samen je Frucht gegenüber anderen Gewächsen überdimensional. Sie schwankt zwischen einigen Zehntausend bis zu einigen Millionen, wie es z. B. bei Cattleya der Fall ist. Infolgedessen sind sie winzig klein, ohne jedes Nährgewebe, wie es fast alle anderen Samen besitzen. Vorhanden ist nur der Embryo, umgeben von einer zarten Hülle, der Testa. Mir selbst ist es beinahe unfaßbar, daß in solcher Winzigkeit alle Eigenschaften der daraus entstehenden Pflanze, ihr Wuchs, die Schönheit und Eigenart der Blüten, ihre Form, Farbe, Größe und vieles andere noch verborgen liegen und weitergetragen werden im ewigen Rhythmus des Lebens. Unser Geist muß sich beugen vor solcher Größe im Naturgeschehen – nichts ist hier in gesetzmäßiger Selbstverständlichkeit für uns selbstverständlich oder sollte es wenigstens nicht sein.

Unsichtbar für das bloße menschliche Auge vollzieht sich bei der Keimung am natürlichen Standort die Vereinigung des Samens mit den Geburtshelfer spielenden Wurzelpilzen. Ihre Hyphen – Einzelfäden des Pilzmyzels – wachsen durch besondere Einlaßzellen in den Samen ein und versorgen durch die bestehende Verbindung der Hyphenkette nach außen den Embryo mit Feuchtigkeit und Nahrung. Sie sind für ihn die Amme. Erst jetzt beginnt die Keimung und damit das Leben der zukünftigen Pflanze. In ihren Wurzeln finden später die keimungsauslösenden Pilze eine Heimstatt, die Sicherung ihrer Existenz gegenüber den Unbilden der Umwelt.

Die Nachahmung dieser Vorgänge, die Symbiose zwischen Orchidee und Wurzelpilz, ist äußerst kompliziert. Man wendet sie bei der Aufzucht kaum noch an. Die Anwesenheit des Pilzes ist nicht mehr erforderlich; seine Funktionen werden in einer Synthese, welche die Wissenschaft schuf, chemisch gesteuert. Auf keimfreien Nährböden werden die Samen steril ausgelegt; isoliert von einer verderbenbringenden Umwelt beginnt das grüne Leben. Diese Art Lebenswerdung beginnt mit einer Intimität, die beispiellos ist. Bei der üblichen Form der Aussaat übergeben wir den Samen der schützenden Erde, er wird damit meist unsichtbar – bis der Keim die

Erde durchstößt und damit augenfällig wird. Bei Orchideen ist es ganz anders; durch das dünne Glas der Reagenzgläser oder Erlenmeyerkolben sind wir den Vorgängen so nahe, wie es unmittelbarer nicht sein kann.

In den innerhalb der Gattungen verschieden langen Zeiträumen von Tagen oder Wochen beginnt die Keimung; der Embryo schwillt an, dann reißt die Samenhülle auf, der Keimling erreicht das Kreiselstadium, es erscheint das Keimblatt und die Rhizoiden werden gebildet. Es sind unendlich zarte, haarähnliche Gebilde, welche die selbständige Wasser- und Nahrungsaufnahme einleiten. Sie werden in ihrer Funktion abgelöst durch beginnende Wurzelbildung, Blätter bilden sich, und in einem Zeitraum von etwa einem Jahr ist aus der Winzigkeit des staubfeinen Samens eine Pflanze von 2 oder 3 cm Größe geworden.

Nach 12, 15 oder 18 Monaten umsorgter und umhüteter Entwicklung in den gläsernen Wiegen beginnt die Überleitung in die freie Atmosphäre des Glashauses. Die intime Verbindung zu den überaus zarten Pflanzen bleibt weiterhin bestehen. Sie sind zunächst sehr anfällig gegen die Gefahren der Umwelt. Feinde in Form pilzlicher oder tierischer Schädiger bedrohen ihre Existenz ebenso wie zu hohe oder zu geringe Feuchtigkeit, zuviel oder zuwenig Wärme. Eine individuelle Pflege muß sie beschützen, muß fördernd allgegenwärtig sein. Nur voller persönlicher Einsatz führt zum Erfolg. Er ist erforderlich von Beginn der Aussaat und den dazu nötigen Vorbereitungen an bis zu dem Zeitpunkt, wo die jungen Pflanzen so weit gefestigt erscheinen, daß sie normal weiterwachsen. Wie lange diese Zeit währt, ist je nach Gattung, Art oder Züchtung verschieden, unterliegt den Einflüssen der Umwelt wie denen des Betreuers.

Einer anderen Seite dieses Entwicklungsvorganges muß ich noch gedenken. In der Natur kommt von den großen Mengen des produzierten Samens nur ein relativ sehr kleiner Teil zur Keimung, der andere findet keine zusagenden Keimbedingungen, vergeht in dem mörderischen Kampf ums Dasein der tropischen Vegetation oder verweht infolge seiner Leichtigkeit in die Atmosphäre.

Alle diese Einflüsse entfallen bei der Aufzucht durch Menschenhand und Menschenwille. Die asymbiotische Entwicklung erfordert völlige Sterilität; diese ist bei exakter Arbeitsweise unschwer zu erreichen. Gewiß sind gelegentliche Ausfälle durch Infektion bei der Übertragung des Samens oder von Pflanzen auf Nährboden möglich, aber sie fallen nicht ins Gewicht. In der Keimung von Orchideensamen innerhalb der vor den Gefahren der Umwelt schützenden Glasgefäße liegt eine ungeheuere Dynamik. Kürzlich erhielt ich Cattleyasamen aus Brasilien, ein Kreuzungsprodukt zweier schwachwachsender Arten, infolgedessen feinster Samen. Ich mißtraute ihm und beschickte die Reagenzgläser der Probeaussaat sehr dicht mit Samen. Das Ergebnis war überwältigend, denn er war 100prozentig keimfähig. Die kleinen grünen Kügelchen quollen immer mehr, überhäuften sich in vielen Schichten und waren von einer ungeheueren Vitalität. Im Verlauf solcher Entwicklung steigert sich aus kleinsten Anfängen der Platzbedarf langsam, aber stetig und in unerbittlicher Konsequenz. Darauf muß man von Beginn an Rücksicht nehmen, es ist jedoch nicht immer leicht. Kommt man in den Besitz wertvollen Samens, so ist die Verlockung groß, ihn restlos auszusäen. Andrerseits ist es ein schwer definierbares, jedenfalls aber reizvolles Gefühl, Leben auf diese Weise erzeugen zu können, nahe den ewigen Quellen der Natur zu sein. Aber es liegt auch Gefahr darin. Wenn man – wie es in dem angeführten Beispiel der Fall war – in einem Reagenzglas auf wenigen Quadratzentimetern Fläche schätzungsweise 5000 oder mehr zukünftige Pflanzen in der Hand hat, so ist dies innerhalb des Pflanzenreiches gewiß beispiellos. Man muß sich nur vergegenwärtigen, wie aus kleinster Quelle ein sich stetig verbreiternder grüner Strom wird, muß sich überlegen, welchen Platzbedarf diese Pflanzen in erwachsenem Zustand haben würden. Darin liegt die Dynamik dieses Geschehens; es ist an und für sich ein Vorgang, wie er sich in der Natur ständig wiederholt, hier jedoch in besonderer Art abgewandelt, verfeinert, komplizierter gestaltet.

Die Entwicklung der Pflanzen von der Keimung bis zur ersten Blüte erfordert viele Jahre. Erst jetzt, wo in den Zentren der Gestaltungskraft tropischer Natur in hohem Maße Orchideen gezüchtet werden, ersieht man die Unterschiede der erforderlichen Zeiträume für diese Entwicklung. Aus Singapor wurde kürzlich berichtet, daß Dendrobium phalaenopsis im Alter von 1½ Jahren blühfähig werden. Selbst unter optimalen Bedingungen ist hierfür in Europa die doppelte Zeit – also mindestens 3 Jahre – erforderlich.

Über die Stadien der Entwicklung ist alles Wissenswerte im entsprechenden Abschnitt dieses Buches und in der gesamten Orchideenliteratur eingehend besprochen. Weniger oder nichts liest man über die psychologische Seite dieser Angelegenheit. Menschen, die sofortige Erfolge lieben, die ohne Geduld sind, eignen sich kaum als Orchideenpfleger. Beständigkeit in dieser Beschäftigung kann als Bestätigung einer besonderen Charaktereigenschaft – großer Geduld – gelten. Damit sollte sich jeder vertraut machen, der mit Orchideen beginnt, sollte sich selbst zuvor prüfen, ob er den moralischen Belastungen oft jahrelangen Wartens standhalten kann. Dies ist schon eingangs erwähnt, muß aber im Laufe allgemeiner Betrachtungen immer wiederkehren.

Dieses Buch soll nicht allein eine detaillierte Beschreibung der Orchideenpflege sein. Seine Ziele sind weitergesteckt. Es sollen auch Randgebiete des Wissens um diese Pflanzen erwähnt werden, um den Blick zu vertiefen. Bei der weltweiten Verbreitung der Orchideenfamilie spielt die Geographie eine große Rolle. Gleiches gilt in diesem Zusammenhang für die Klimakunde der jeweils von den Gattungen und Arten besiedelten Gebiete. Von Interesse ist auch die Ökologie, die Lehre vom Einfluß der äußeren Wachstumsfaktoren auf Gestalt, Entwicklung und Gedeihen der Pflanze am natürlichen Standort. Solchem Wissen ist in den einzelnen Abschnitten dieses Buches breitester Raum vorbehalten als Grundlage für die Erkenntnis, warum, weshalb und zu welchem Zeitpunkt die Maßnahmen zu bester Entwicklung der Pflanzen erforderlich sind. Für den Pflanzenfreund ist auch Allgemeines über die Lebensgemeinschaften wissenswert, über das Einfügen der Orchideen in die Gesamtvegetation ihrer Heimat.

Neben diesen Dingen, welche die Pflanzen selbst betreffen, ist auch vieles andere wissenswert, was sich mit ihnen beschäftigt: Literatur, Malerei, Grafik. Die bildliche Darstellung der Orchideen reicht weit zurück. Dies beweisen die Abbildungen in alten, kostbaren Orchideenwerken. Spezielle Fachliteratur gibt es in vielen Sprachen, mehr oder weniger umfangreich, streng wissenschaftlich, allgemeinverständlich und zu einem kleinen, bescheidenen Teile auch schöngeistig. Ihre Aufzählung würde viele Seiten füllen.

Ein Sonderzweig des Wissens um Orchideen ist die Philatelie. Es gibt viele Sammler, die sich dieses Gebiet – die Darstellung von Orchideen auf Briefmarken – speziell ausgewählt haben. Länder aller Erdteile geben solche Wertzeichen aus, auf denen bevorzugt heimische Orchideen mehr oder weniger gut abgebildet sind.

Unerwähnt blieb bisher die Fotografie. Sie ist zweifellos der bedeutendste Mittler in der bildlichen Wiedergabe der Pflanze in allen ihren Teilen und Entwicklungsstadien. War dies schon bei der Schwarz-Weiß-Fotografie der Fall, so jetzt in noch viel höherem Maße in der zur Vollkommenheit entwickelten farbigen Wiedergabe. Die Möglichkeit, alle die faszinierenden, aber so vergänglichen Blütenschönheiten für dauernd im Bild festzuhalten, ist so verlockend, daß man ihr nicht widerstehen kann. Es gibt viele Menschen, die sich damit befassen, ohne selbst Pflanzen zu pflegen – sie sind ebenso Orchideenliebhaber, nur in abgewandelter Form.

Aus allen diesen Ausführungen geht hervor, wie groß und umfassend das Wissen um Orchideen sein kann, welchen Platz sich diese Pflanzen in unserer Begriffswelt erobert haben. Von der unmittelbaren Berührung mit der Natur werden viele Menschen immer mehr entfremdet. Rationalisierung, Mechanisierung, Automation, die Technik in ihrer Gesamtheit beherrschen in ständig zunehmendem Maße unser Leben. Ihrer stürmischen Entwicklung setzen wir ein Gegengewicht durch das Wissen um die Gesetzmäßigkeiten allen Naturgeschehens, um die Gestaltungskräfte, denen unser Leben unterliegt.

Ein winzig kleiner Teil davon ist in den folgenden Ausführungen aufgezeigt. Es war mein Bemühen, nicht nur Pflegemaßnahmen zu geben, sondern möglichst viele Menschen heranzuführen an vielfältiges Naturgeschehen, sie teilhaben zu lassen an der Schau des Weltgartens, aus dessen grünem und farbenfrohem Teppich hier eine Pflanzenfamilie herausgehoben ist als Kleinod der allgewaltigen Natur, die

Orchideen. –

Eria pannea

1 Pleione humilis; **2** Pleione hookeriana; **3** Dendrobium gibsonii; **4** Dendrobium devonianum; **5** Pleurothallis species; **6** Keffersteiniana mystacina

WAS SIND ORCHIDEEN?

Obgleich dieses Buch im wesentlichen eine Anleitung zur erfolgreichen Orchideenpflege im eigenen Heim sein soll, ist das Wissen um die wichtigsten botanischen Begriffe unerläßlich. Es ist in manchen Dingen sogar notwendige Voraussetzung für den Erfolg. Im Pflanzensystem nehmen die Orchideen folgende Stellung ein: Abteilung: Angiospermae, Bedecktsamer; 1. Klasse: Monocotyledonae, Einkeimblättrige; 11. Reihe: Microspermae; 2. Unterreihe: Gynandrae; Familie: Orchidaceae.

Die Familie der Orchideen umfaßt 15000–20000 Arten, nach einer neueren Version bis 35000, wobei diese Zahlen in bezug auf ihre Richtigkeit eine wissenschaftliche Streitfrage geworden sind. Die sehr bedeutende Differenz erklärt sich aus mancherlei Ursachen, die hier nicht erörtert werden sollen. Insgesamt läßt sich eine genaue Festlegung nicht ermöglichen; eine Tatsache, woran sich auch in Zukunft nicht viel ändern wird, weil ständig noch neue Arten entdeckt und beschrieben werden. Maßgeblich bestimmend für die Eingliederung von Pflanzen in das System ist die Gestalt der Blüten, Früchte und Samen.

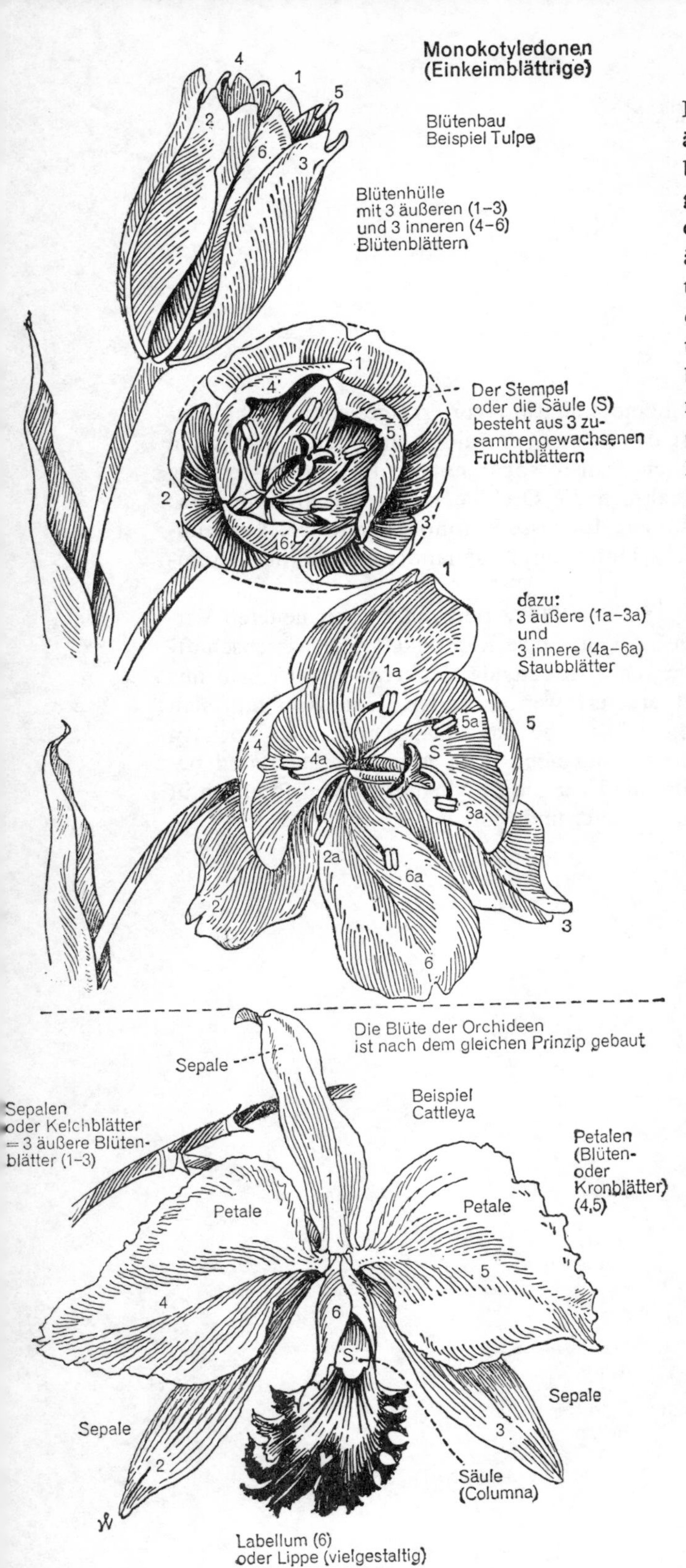

Der Aufbau aller Orchideenblüten ähnelt dem vieler anderer einkeimblättriger Pflanzen, hier als Beispiel angenommen die Tulpe. Bei ihr umschließt eine Blütenhülle – bestehend aus drei äußeren und drei inneren Blütenblättern – die übrigen Organe. Dies sind drei äußere und drei innere Staubblätter und der wiederum aus drei Fruchtblättern bestehende Fruchtknoten. Das nebenstehende Diagramm verdeutlicht den Aufbau im Schema. Dieser Grundplan ist bei den Orchideenblüten typisch in einer Form verändert, wie sie bei anderen Pflanzenfamilien nicht vorkommt. Die drei äußeren Blätter der Blütenhülle – als Sepalen oder Kelchblätter bezeichnet – unterscheiden sich meist in der Form, oft auch in der Farbe von den inneren. Von diesen sind die zwei seitlichen einander gleich, man bezeichnet sie als Petalen oder Blüten- bzw. Kronblätter. Das dritte weicht fast stets in Größe, Gestalt und Färbung ab und trägt die Bezeichnung Labellum oder Lippe. Dieses Labellum ist in der Regel auffallend und vielgestaltig ausgebildet – wie z.B. bei Cattleya; es kann aber auch unscheinbar und klein sein, ohne besondere Farbwirkung. Weitgehend sind gegenüber anderen Blüten die inneren Organe verändert. Meist sind fünf Staubblätter völlig verkümmert bzw. nicht ausgebildet, nur ein einziges des äußeren Kreises ist voll entwickelt und trägt den Blütenstaub. Gegenüber der üblichen Art steht es nicht frei, sondern ist mit den Griffeln zu einem einheitlichen Ganzen, der Säule, verwachsen. Auf dieser Säule oder Columna sitzt oben der Staubbeutel. Er wird durch einen sterilen Narbenlappen von der darunterliegenden Narbe getrennt.

Bei der Unterfamilie der Cypripedioideae, den Frauenschuh-Arten, ist eine

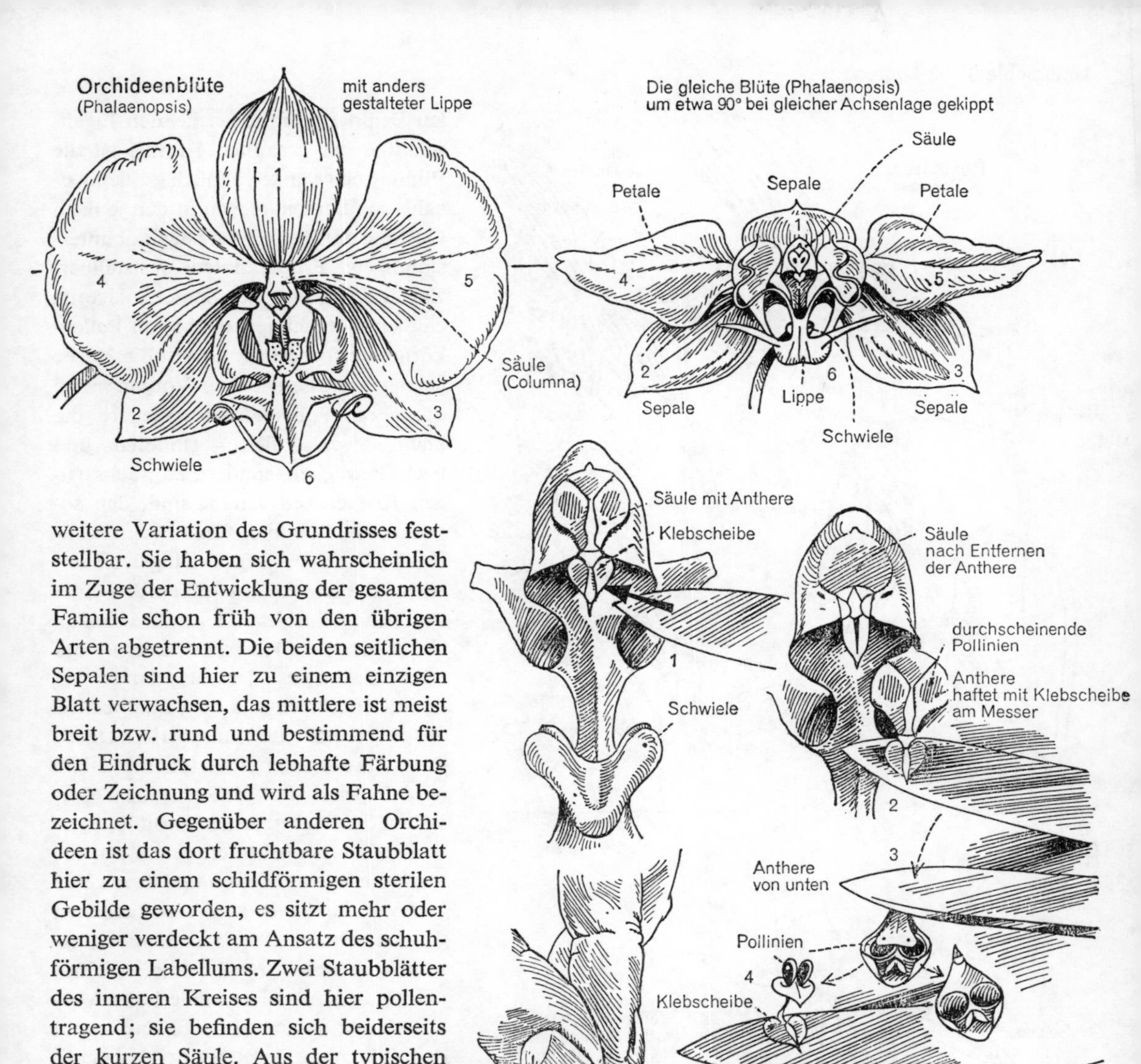

weitere Variation des Grundrisses feststellbar. Sie haben sich wahrscheinlich im Zuge der Entwicklung der gesamten Familie schon früh von den übrigen Arten abgetrennt. Die beiden seitlichen Sepalen sind hier zu einem einzigen Blatt verwachsen, das mittlere ist meist breit bzw. rund und bestimmend für den Eindruck durch lebhafte Färbung oder Zeichnung und wird als Fahne bezeichnet. Gegenüber anderen Orchideen ist das dort fruchtbare Staubblatt hier zu einem schildförmigen sterilen Gebilde geworden, es sitzt mehr oder weniger verdeckt am Ansatz des schuhförmigen Labellums. Zwei Staubblätter des inneren Kreises sind hier pollentragend; sie befinden sich beiderseits der kurzen Säule. Aus der typischen Form des Labellums entstand die deutsche Bezeichnung Frauenschuh.

Die bei manchen Orchideenblüten stark ausgebildete Säule ist von unterschiedlicher Gestalt. Sie kann kurz und dick sein, aber auch lang und schön gebogen, manchmal auch farblich abweichend von den anderen Blütenteilen.

Die Bestäubung fast aller Orchideen erfolgt durch Insekten. Nur bei einigen Dendrobium- und Epipactis-Arten wird als Ausnahme Selbstbestäubung beobachtet. Als eine der vielen von norma-

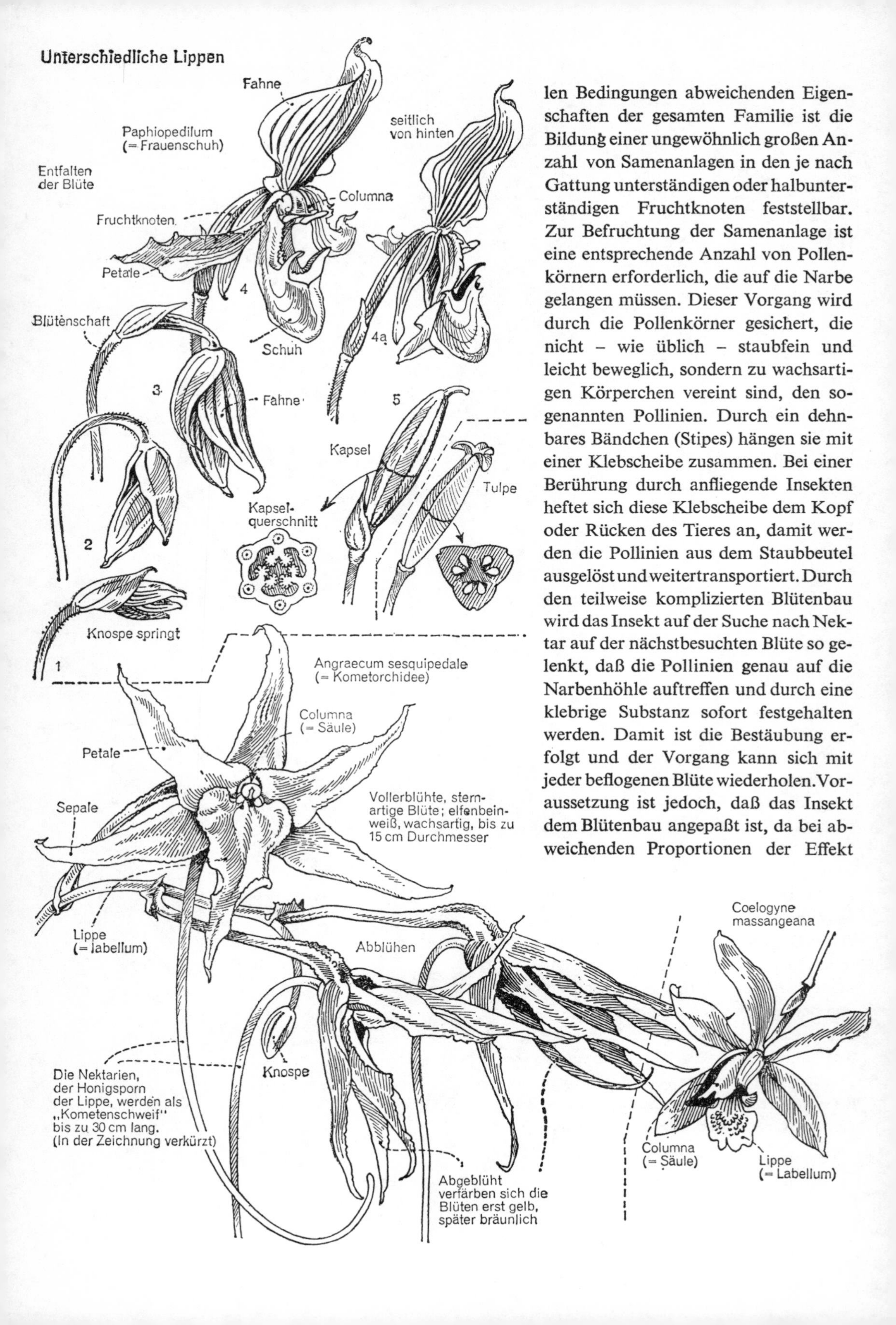

len Bedingungen abweichenden Eigenschaften der gesamten Familie ist die Bildung einer ungewöhnlich großen Anzahl von Samenanlagen in den je nach Gattung unterständigen oder halbunterständigen Fruchtknoten feststellbar. Zur Befruchtung der Samenanlage ist eine entsprechende Anzahl von Pollenkörnern erforderlich, die auf die Narbe gelangen müssen. Dieser Vorgang wird durch die Pollenkörner gesichert, die nicht – wie üblich – staubfein und leicht beweglich, sondern zu wachsartigen Körperchen vereint sind, den sogenannten Pollinien. Durch ein dehnbares Bändchen (Stipes) hängen sie mit einer Klebscheibe zusammen. Bei einer Berührung durch anfliegende Insekten heftet sich diese Klebscheibe dem Kopf oder Rücken des Tieres an, damit werden die Pollinien aus dem Staubbeutel ausgelöst und weitertransportiert. Durch den teilweise komplizierten Blütenbau wird das Insekt auf der Suche nach Nektar auf der nächstbesuchten Blüte so gelenkt, daß die Pollinien genau auf die Narbenhöhle auftreffen und durch eine klebrige Substanz sofort festgehalten werden. Damit ist die Bestäubung erfolgt und der Vorgang kann sich mit jeder beflogenen Blüte wiederholen. Voraussetzung ist jedoch, daß das Insekt dem Blütenbau angepaßt ist, da bei abweichenden Proportionen der Effekt nicht ausgelöst werden kann. Der Bestäubung von Orchideen sind sehr umfangreiche Studien gewidmet worden; schon Darwin befaßte sich eingehend damit.

Die Insekten werden durch verschiedene Mittel angelockt. Neben Nektar wird ihnen Nährgewebe anderer Art geboten. Ferner dienen der oft überstarke Duft dazu und natürlich ganz besonders die meist sehr auffallenden Farben der Blüten oder einzelner Teile derselben. Eines dieser genannten Lockmittel ist auf jeden Fall vertreten und wirksam. Duftausscheidungen der Blüten sind abgestimmt auf die Flugzeit des bestäubenden Insektes. Die beispielsweise bei manchen Oncidium-Arten gegenüber den übrigen Blütenteilen übergroße, meist sattgelbe Lippe ist als leuchtendes Signal für Insektenaugen unverkennbar deutlich gestaltet. Viele weitere Beispiele ließen sich anführen, um die oft raffiniert erscheinende Ausstattung der Pflanze zu dokumentieren, durch welche die zur Erhaltung der Art unbedingt erforderliche Bestäubung und nachfolgende Befruchtung gesichert werden soll. Dabei drängt sich die Frage auf, ob nicht ein geringerer Aufwand von Mitteln zum gleichen Ergebnis führen könnte, wie es bei Blüten üblicher Art der Fall ist. Ob durch den komplizierten Blütenbau eine Selbstbestäubung verhindert oder die Nachkommenschaft in gewissem Umfang beschränkt werden soll, mag dahingestellt sein.

In der geöffneten Blüte ist der Fruchtknoten zunächst nicht sichtbar, wie es bei der Tulpe als schon erwähntes Beispiel der Fall ist. Bei der Orchideenblüte ist er im Stiel vorgebildet, zunächst allerdings ohne Samenanlagen, die sich erst nach erfolgter Bestäubung entwickeln. Dann wachsen die Pollen-

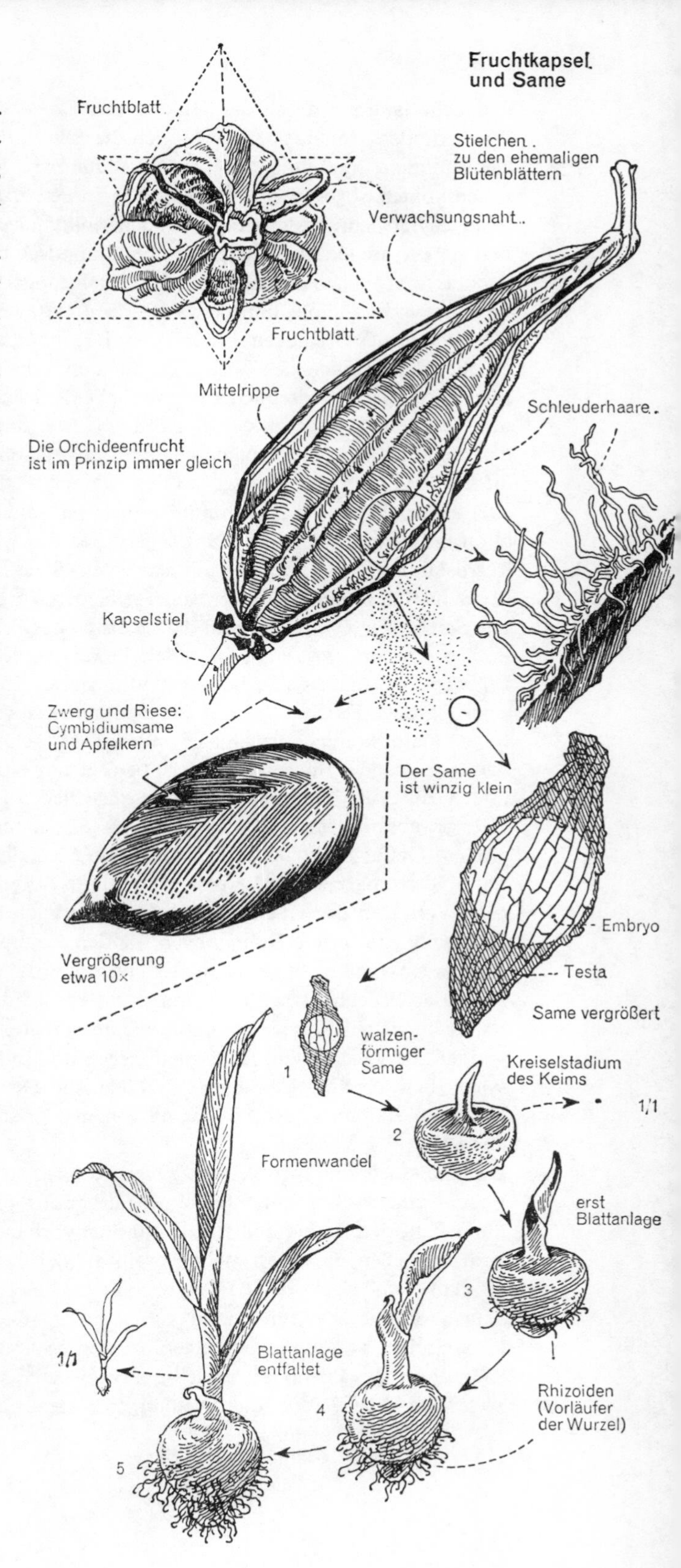

schläuche langsam durch die Säule in den Fruchtknoten ein. Die Befruchtung erfolgt um Wochen oder Monate später, obgleich die Blüte oft schon Stunden oder wenige Tage nach der erfolgten Bestäubung welkt. Die Blütenhülle wird aber erst nach längerer Zeit vom Fruchtknoten abgestoßen oder verbleibt an der Frucht bis zu ihrer Reife. Infolge des langfristigen Befruchtungsvorganges brauchen Orchideenfrüchte allein schon eine relativ lange Zeit zum Ausreifen. Abgesehen von der klimatisch bedingten kurzen Reifezeit einheimischer Orchideen brauchen Dendrobium und Phalaenopsis die kürzeste Zeit von etwa 4 Monaten, Cattleya und Paphiopedilum etwa 10–12 Monate und Vanda 15 Monate.

Die Früchte der Orchideen sind in ihrem Bau innerhalb der großen Zahl der Arten im Prinzip gleich, unterscheiden sich wesentlich nur durch die Größe.

Ihre Gestalt ist eine dreifächerige rundliche oder längliche Kapsel, ihre Kanten entsprechen den Verwachsungsnähten der drei Fruchtblätter oder ihrer Mittelrippen. Mit der beginnenden Reife nehmen die Früchte eine zunächst gelbliche, später bräunliche Färbung an. Sie öffnen sich durch drei oder sechs Längsspalten, wodurch ebensoviele Klappen entstehen, die aber anfänglich durch Fasern miteinander verbunden bleiben und die Samen nur langsam – auf Tage verteilt – entlassen. Im Innern der Kapsel befinden sich Schleuderhaare; sie sind hygroskopisch, reagieren also auf den Wechsel der Luftfeuchtigkeit. Sie dienen zur Streuung der Samen und damit zu ihrer weitergehenden Verbreitung.

Die Samen der Orchideen sind die kleinsten des Pflanzenreiches. Sie werden in sehr großer Zahl produziert, was einige Beispiele beweisen. Festgestellt wurden bei der einheimischen Epipactis maculata 6200, bei Cymbidium etwa 1500000, Maxillaria 1700000; der Inhalt einer Cattleya-Frucht wird auf 3–5 Millionen geschätzt. Da eine Pflanze mehrere Früchte tragen kann, kommen gegenüber anderen Gewächsen unwahrscheinlich große Mengen von Samen zustande. Ihr Einzelgewicht beträgt nur einige millionstel Gramm und variiert mit ihrer Größe, die innerhalb der Arten verschieden ist. Allen ist jedoch das Fehlen jeglichen Nährgewebes eigentümlich, welches die Samen anderer Pflanzen in mehr oder weniger großem Umfang besitzen. Der Embryo wird lediglich von einer netzartigen Samenhülle, der Testa, lose umgeben. Ihr kommen bestimmte Aufgaben zu, so z.B. die Steuerung des Fluges nach Verlassen der Kapsel, möglicherweise auch eine Regulierung der Keimung auf den Zeitpunkt günstigster Bedingungen für den Keimprozeß. Die Keimfähigkeit ist gegenüber den Samen anderer Pflanzen relativ eng begrenzt; sie erlischt etwa sechs Monate nach der Reife der Früchte. Die Form und das Gewicht der Samen sind auf die vorwiegend epiphytische Lebensweise der Orchideen ausgerichtet. Die horizontal gelagerten, wenig bewegten Luftschichten im tropischen Regenwald mit hoher Feuchte ermöglichen einen langsamen Schwebeflug der Samen. Er bietet die Gewähr, daß mindestens ein Teil geeignete Plätze auf Stämmen oder Ästen von Bäumen oder auf moosbewachsenen Felsen zur Keimung findet.

Da die Samen kein Nährgewebe haben, können sie nicht allein keimen. Deshalb besteht eine Lebensgemeinschaft oder Symbiose mit mikroskopisch kleinen Wurzelpilzen. Ihr Myzel durchzieht den Boden und ist überall dort vorhanden, wo Orchideen wachsen. Die Samen besitzen Zellen, in denen mehr Eiweiß als bei denen anderer vorhanden ist. Durch diese „Einlaßzellen" wachsen die Pilzhyphen in das Innere des durch Wasseraufnahme gequollenen Samenkornes. Sie vermitteln die Aufnahme organischer Stoffe, die durch die Gesamtheit des Pilzgeflechtes von außen herbeigeführt werden und dienen damit zur ersten Ernährung des Keimlings. Das Pilzmyzel verbleibt auch mit zunehmender Entwicklung in der Pflanze, und zwar stets in der Rinde funktionsfähiger Wurzelspitzen, wo es sich zu Klumpen zusammen-

ballt und verdaut wird. Stets finden jedoch Hyphen den Weg nach außen, wo sich dann Vermehrungsorgane bilden, die den ewigen Kreislauf des Vorganges beginnen oder vollenden. Die Symbiose der Orchideen mit den Wurzelpilzen wurde von dem französischen Botaniker Noel Bernard zu Beginn unseres Jahrhunderts entdeckt, und seine Erkenntnisse veröffentlichte er erstmalig im Jahre 1904.
Die Keimung erfolgt innerhalb der Gattungen differenziert in einem Zeitraum von 5–20 Tagen. Die meist walzenförmigen Embryonen verändern sich im Verlauf von 2–4 Wochen zu kreiselförmigen Gebilden. Nachdem bereits Grünfärbung die einsetzende Chlorophyllbildung anzeigt, entstehen die Rhizoiden in Form zarter Fäden ähnlich den Wurzelhaaren. Einige Wochen später entwickeln sich die ersten Blattanlagen, danach die Wurzeln. Das Wachstum der jungen Pflanzen setzt sich nun in Zeiträumen von mehreren Jahren unbeirrbar langsam fort. Ermittlungen genauester Art im tropischen Klima über die Dauer der Entwicklung bis zur ersten Blüte liegen noch nicht vor. Die Entwicklungszeit erstreckt sich über einen Zeitraum von Jahren, innerhalb der Gattungen in weiten Grenzen unterschiedlich.

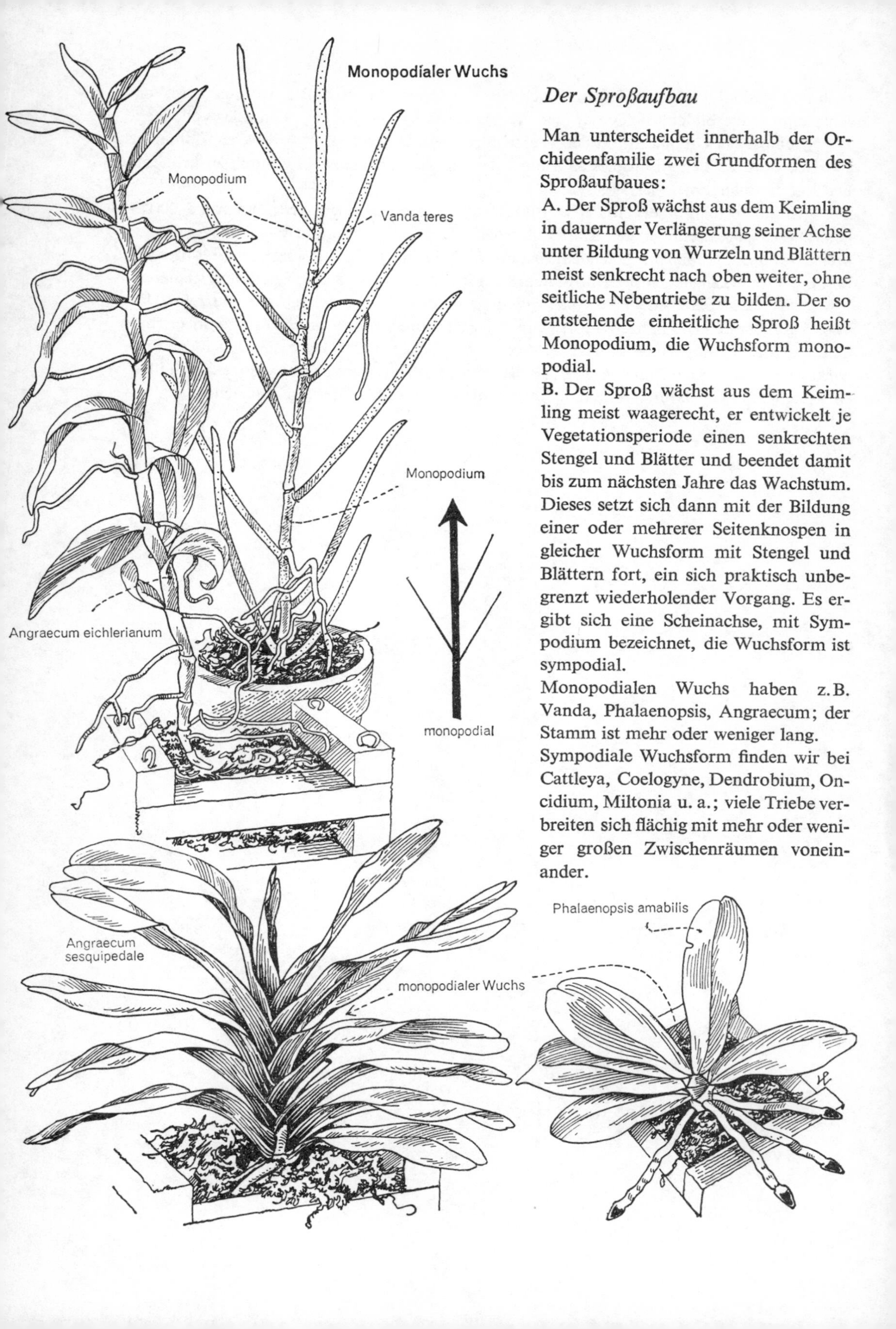

Der Sproßaufbau

Man unterscheidet innerhalb der Orchideenfamilie zwei Grundformen des Sproßaufbaues:

A. Der Sproß wächst aus dem Keimling in dauernder Verlängerung seiner Achse unter Bildung von Wurzeln und Blättern meist senkrecht nach oben weiter, ohne seitliche Nebentriebe zu bilden. Der so entstehende einheitliche Sproß heißt Monopodium, die Wuchsform monopodial.

B. Der Sproß wächst aus dem Keimling meist waagerecht, er entwickelt je Vegetationsperiode einen senkrechten Stengel und Blätter und beendet damit bis zum nächsten Jahre das Wachstum. Dieses setzt sich dann mit der Bildung einer oder mehrerer Seitenknospen in gleicher Wuchsform mit Stengel und Blättern fort, ein sich praktisch unbegrenzt wiederholender Vorgang. Es ergibt sich eine Scheinachse, mit Sympodium bezeichnet, die Wuchsform ist sympodial.

Monopodialen Wuchs haben z.B. Vanda, Phalaenopsis, Angraecum; der Stamm ist mehr oder weniger lang.

Sympodiale Wuchsform finden wir bei Cattleya, Coelogyne, Dendrobium, Oncidium, Miltonia u. a.; viele Triebe verbreiten sich flächig mit mehr oder weniger großen Zwischenräumen voneinander.

Die Stämme oder Triebe werden in der Fachsprache als Bulben – richtiger allerdings Pseudobulben – bezeichnet. Sie sind von unterschiedlicher Form und Größe und kugel-, keulen- oder spindelförmig verdickt. Die Blätter sind meist dickfleischig oder lederig, schmucklos und meist grün. Beide Vegetationsorgane haben die Aufgabe einer Speicherung von Wasser und Nahrung zur Überbrückung der Trockenperioden. Monopodiale Pflanzen entwickeln stets nur seitlich aus dem Sproß Blütenstände.

Sympodiale Pflanzen bilden Blütenstände in zwei Formen aus:

akranthe, als Beispiel Cattleya, haben endständige Blütenstände.

pleuranthe entwickeln sie seitlich, wie es bei Cymbidium der Fall ist.

Die Wurzeln

Alle Wurzeln nehmen Wasser und Nahrung auf. Die Wurzeln der Orchideen sind jedoch – sofern es sich um Epiphyten handelt – noch in besonderem Maße Haftorgane. Sie müssen die Pflanze an ihrem luftigen Sitz am Stamm, an Ästen von Bäumen oder auf Felsen verankern. Beide Funktionen sind in gleicher Weise wichtig und schwierig, so daß epiphytisch wachsende Orchideen meist sehr umfangreich Wurzeln bilden. Diese sind brüchig und spröde und heften sich der Rinde des besiedelten Baumes fast unlösbar an oder hängen frei in der Luft.

Neben der üblichen runden Form von sehr unterschiedlicher Stärke gibt es auch bandförmige Wurzeln, z.B. bei Phalaenopsis. Sie können zonenweise Chlorophyll aufweisen, sind also assimilationsfähig; eine Eigenschaft, die auch bei anderen Gattungen vorhanden

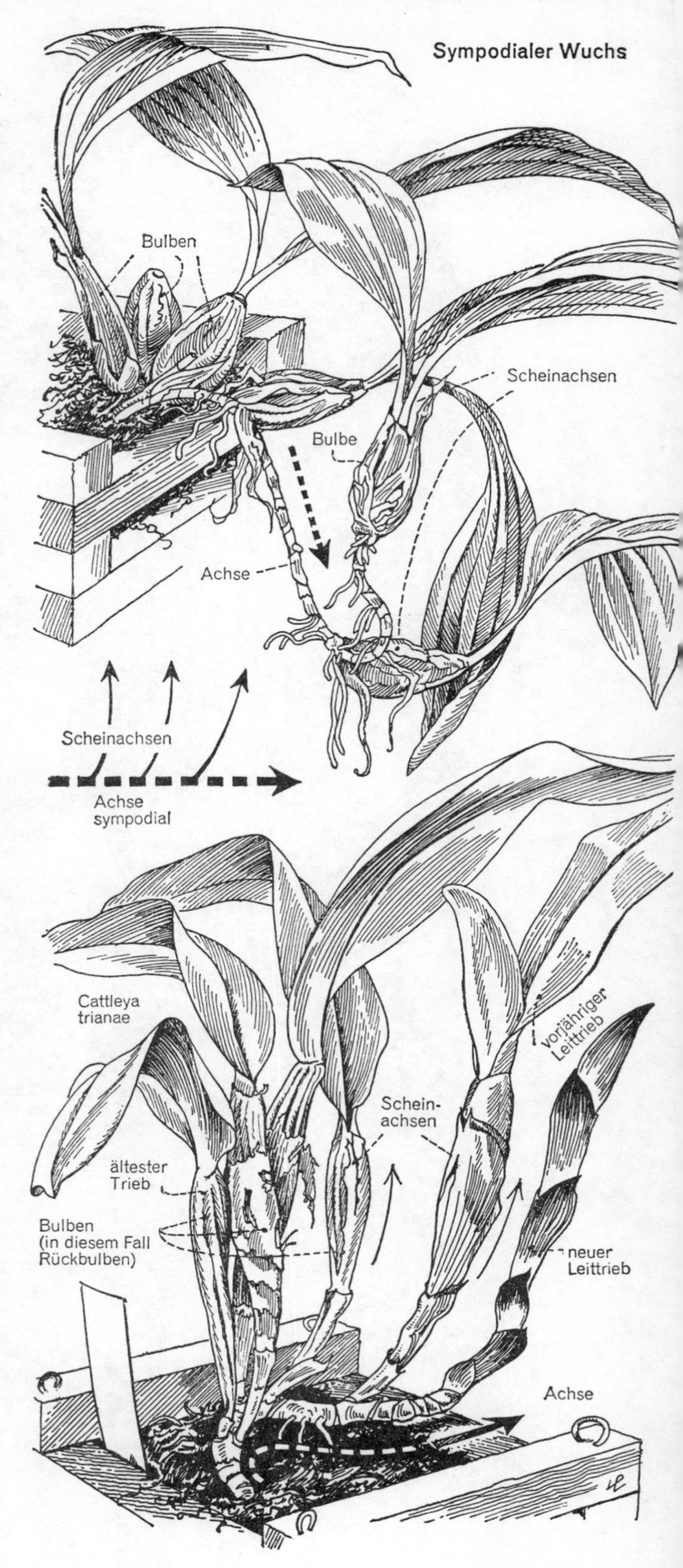

Blütenstände bei sympodialem Wuchs:
Bulbe
endständige Blüten:
(akranth)
Cattleya
trianae
seitlich sich ent-
wickelnde Blüten:
(pleuranth)
Coelogyne
massangeana
Bulbe
Gongora
galeata
Bulbe
sich entwickelnder
Blütenstand
Blütenstand
Blütenknospen
Knospe

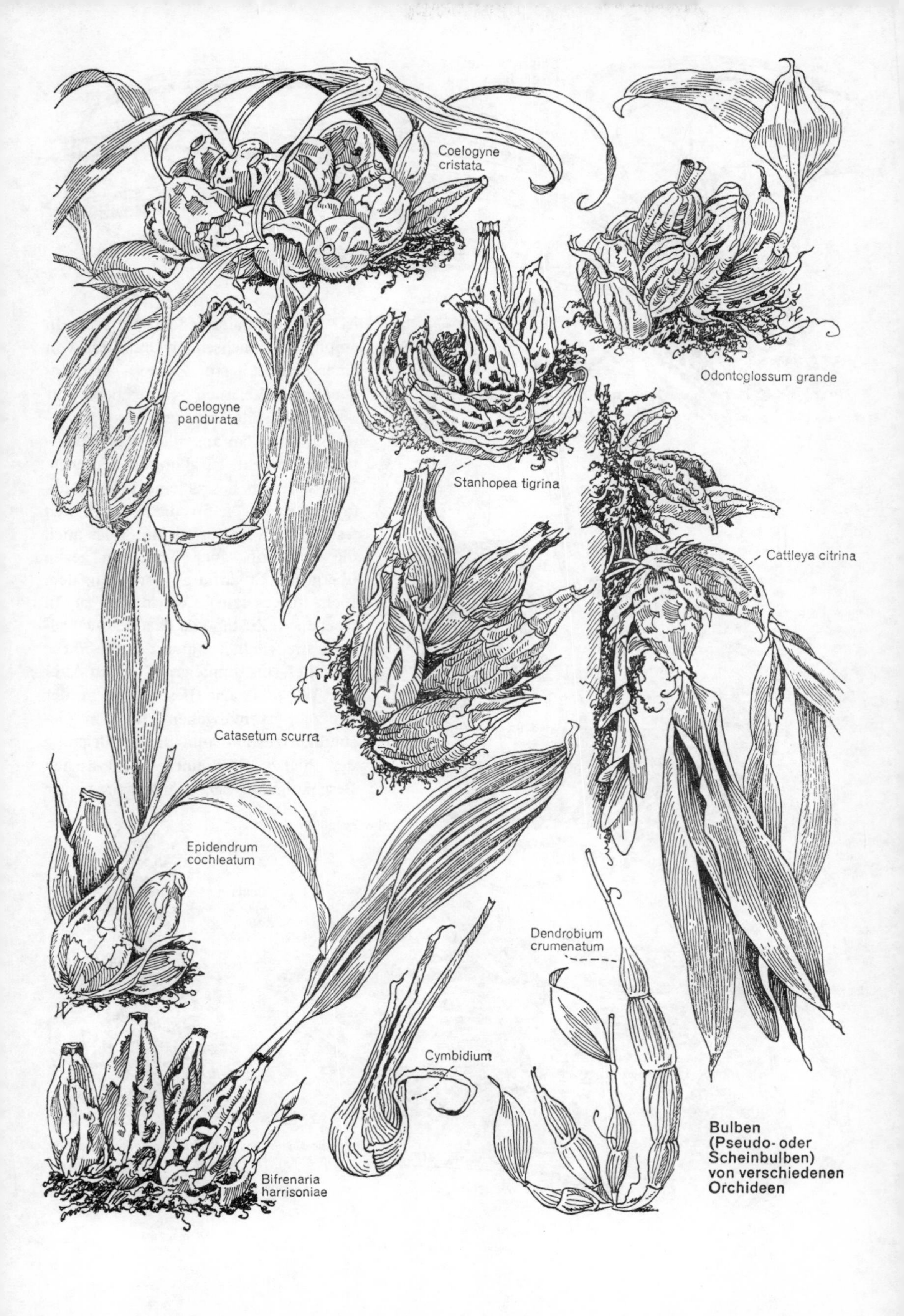

Bulben (Pseudo- oder Scheinbulben) von verschiedenen Orchideen

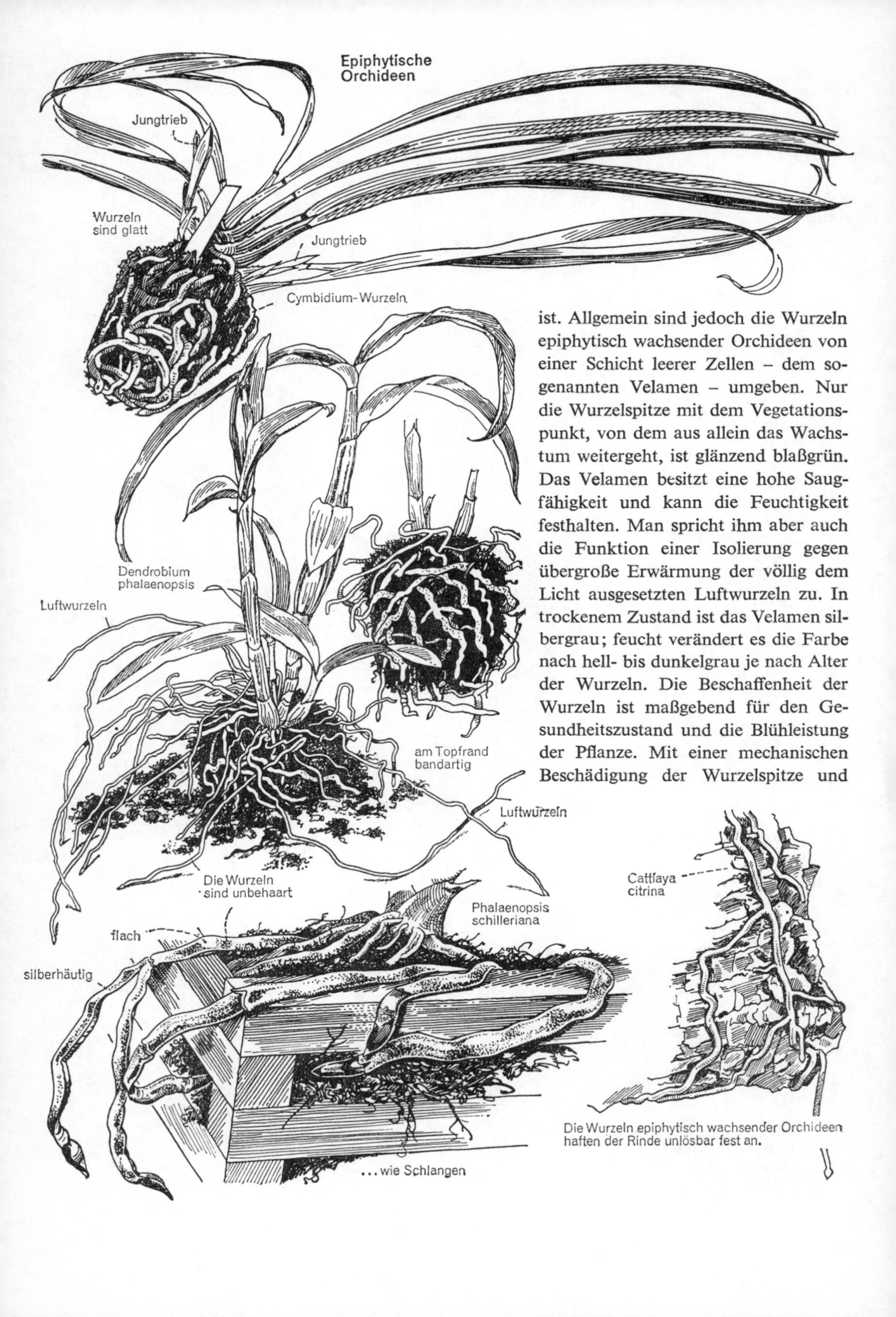

ist. Allgemein sind jedoch die Wurzeln epiphytisch wachsender Orchideen von einer Schicht leerer Zellen – dem sogenannten Velamen – umgeben. Nur die Wurzelspitze mit dem Vegetationspunkt, von dem aus allein das Wachstum weitergeht, ist glänzend blaßgrün. Das Velamen besitzt eine hohe Saugfähigkeit und kann die Feuchtigkeit festhalten. Man spricht ihm aber auch die Funktion einer Isolierung gegen übergroße Erwärmung der völlig dem Licht ausgesetzten Luftwurzeln zu. In trockenem Zustand ist das Velamen silbergrau; feucht verändert es die Farbe nach hell- bis dunkelgrau je nach Alter der Wurzeln. Die Beschaffenheit der Wurzeln ist maßgebend für den Gesundheitszustand und die Blühleistung der Pflanze. Mit einer mechanischen Beschädigung der Wurzelspitze und

Die Wurzeln epiphytisch wachsender Orchideen haften der Rinde unlösbar fest an.

damit ihres Vegetationspunktes wird sie funktionsunfähig, wächst nicht weiter und stirbt ab, wenn sich nicht Nebenwurzeln bilden. Es können aber auch Kalkablagerungen von stark kalkhaltigem Gießwasser das Velamen so verkrusten, daß die Wurzel funktionsunfähig wird.

Erdbewohnende Orchideen – wie z. B. Paphiopedilum – haben verhältnismäßig wenige, aber starke Wurzeln, die mit einem dichten Pelz von Wurzelhaaren umgeben sind; nur die Wurzelspitze ist glatt. Andere terrestrisch wachsende Gattungen entwickeln Wurzeln in der üblichen Form. Dazu gehören auch die in den gemäßigten Zonen der Erde lebenden Orchideen, damit auch die einheimischen. Sie sind den Auswirkungen des Klimawechsels unterworfen, infolgedessen wie die meisten Gewächse unserer Flora nicht wintergrün. Durch Bildung von meist kriechenden Rhizomen oder Knollen sichern sie den Fortbestand des Einzelindividuums auf lange Zeiträume. Die oberirdischen Organe – Stengel und Blätter – werden z. T. schon frühzeitig nach der Fruchtreife eingezogen. Die Knollen vermögen im Erdboden ruhend ein oder mehrere Jahre ohne Austrieb zu verharren. Dann wachsen und blühen

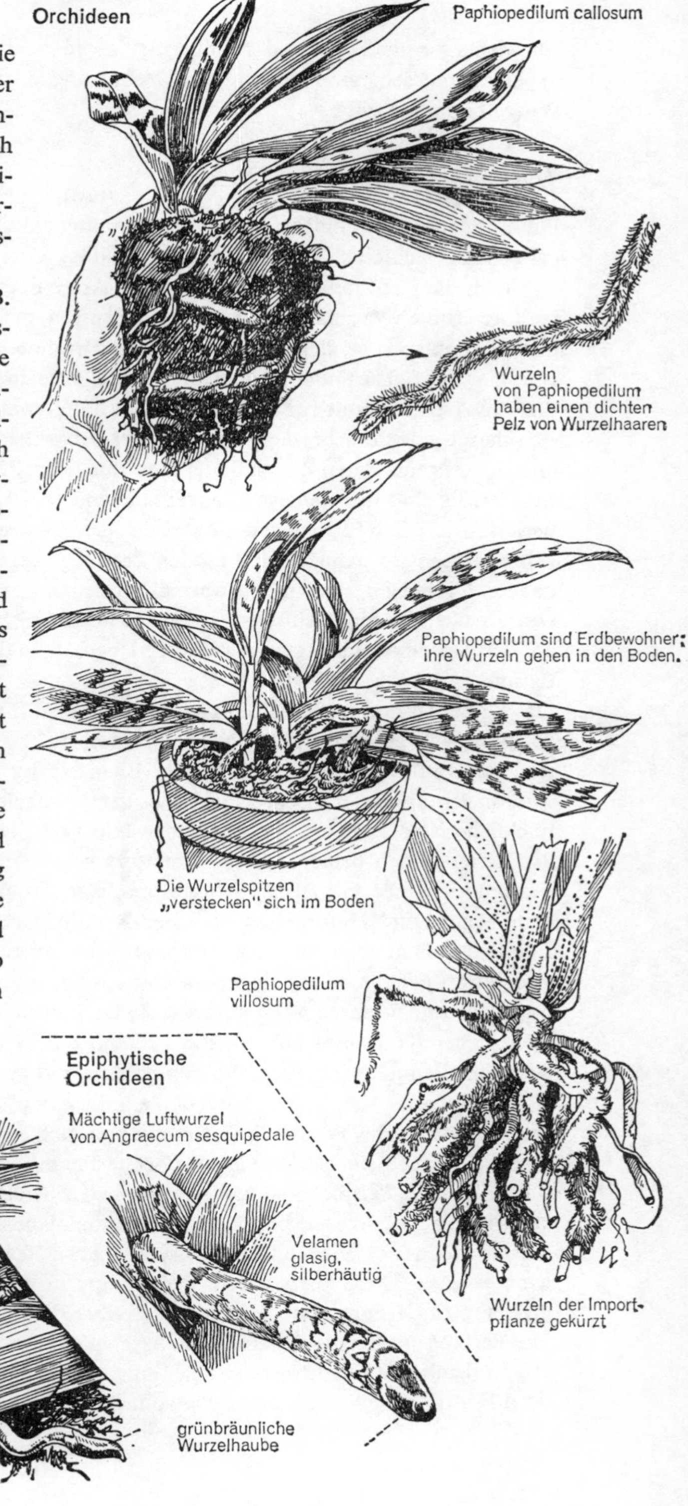

sie wieder normal. Sie sind rundlich, ellipsoid oder handförmig zerschlitzt, die Wurzeln ungeteilt und sehr empfindlich gegen Verletzungen. Gegenüber anderen Gewächsen ist die Wurzelbildung gering.

Die Verbreitung

Die Familie der Orchideen ist eine der umfangreichsten der Pflanzenwelt und fast über die ganze Erde verbreitet, jedoch nicht gleichmäßig. Man verzeichnet sporadisches Vorkommen wie auch die Häufung von Gattungen bzw. Arten in manchen Gebieten und eine Zusammenballung größten Ausmaßes in den beiden Zentren, dem subtropisch-tropisch amerikanischen und dem entsprechenden asiatischen Kreis. In diesen Gebieten sind nach einer Schätzung etwa vier Fünftel zu finden gegenüber einem Fünftel in den gemäßigten Zonen. Dies bedeutet, daß die Artenzahl mit zunehmender Entfernung vom Tropengürtel abnimmt. Sie erschöpft sich damit jedoch nicht, denn selbst in der subarktischen Zone sind Arten feststellbar. Hier und in den gemäßigten Zonen findet man nur terrestrisch wachsende Orchideen, also Erdbewohner. Es sind mehrjährige Pflanzen, in denen das Klima den strengen Wechsel von Ruheperiode – mit dem Einziehen der oberirdischen Pflanzenteile – und Vegetationszeit bedingt.
Mit zunehmender Annäherung an den Tropengürtel verringert sich die Zahl der erdbewohnenden Orchideen, und in den warmen Zonen sind die baum- und felsbewohnenden Arten vorherrschend oder allein bestimmend. Man bezeichnet sie als Epiphyten, Gewächse, die auf den Stämmen und Ästen der Bäume leben, ohne der Wirtspflanze Nahrung zu entziehen. Es sind also keine Schmarotzer.
Das Klima ist in mancherlei Hinsicht bestimmend für die Existenz der Epiphyten. Ihre Verbreitung wird geregelt durch die Temperatur, mehr aber durch die Höhe der Niederschläge und der Luftfeuchtigkeit, welche die Bilanzierung des Wasserhaushaltes als wichtigsten Faktor garantieren müssen. Man findet demzufolge die meisten Epiphyten in Gebieten, wo reichliche Niederschläge über das ganze Jahr verteilt sind. Dies ist in einem Gürtel von etwa 24 Breitengraden beiderseits des Äquators gegeben. Allerdings entfällt fast die Hälfte des Festlandes dieses Gürtels auf ausgesprochene Trockengebiete. In diesen riesigen Arealen der Wüsten und Halbwüsten von vier Kontinenten können Orchideen und insbesondere Epiphyten nicht gedeihen. Ihr Vorkommen ist konzentriert auf Landstriche, wo die Passat- und Monsunwinde – aufsteigend an Gebirgszügen – ihre Feuchtigkeitsmassen abgeben. Am üppigsten und artenreichsten wachsen die Orchideen in den Nebelwäldern, Gebieten höchster pflanzlicher Konzentration, wo die Feuchtigkeit in feinster Verteilung allgegenwärtig alles überzieht. Jedoch wirkt dann die Temperatur, mit zunehmender Höhe absinkend, wiederum regelnd auf die Existenz der Epiphyten ein. Es gibt aber auch hier Außenseiter. In den Anden von Kolumbien bis Peru – direkt am äquatorialen Tropengürtel gelegen – gibt es Orchideenarten, die in Höhen bis 4200 m als oberste Begrenzung insgesamt für die Familie zu finden sind. Ähnliche Beispiele in etwas geringerer Höhenlage gibt es mehrere in Süd- und Mittelamerika. In Asien wiederholt es sich im Himalajagebiet mit einer Begrenzung nach oben bis 2600 m Höhe für eine Dendrobium-Art. Bei etwa 2000 bis 2400 m wächst die bekannte Coelogyne cristata. Diese verminderte Begrenzung in der Höhe erklärt sich aus der bedeutend größeren Entfernung zum Äquator gegenüber dem südamerikanischen Beispiel.
Die Verbreitungsareale der einzelnen Arten sind räumlich mehr oder weniger begrenzt. Diese mit Endemismus bezeichnete Erscheinung trifft auf alle Pflanzenfamilien zu. Bei den Orchideen fällt dabei auf, daß die erdbewohnenden Arten der gemäßigten und kalten Zone ein

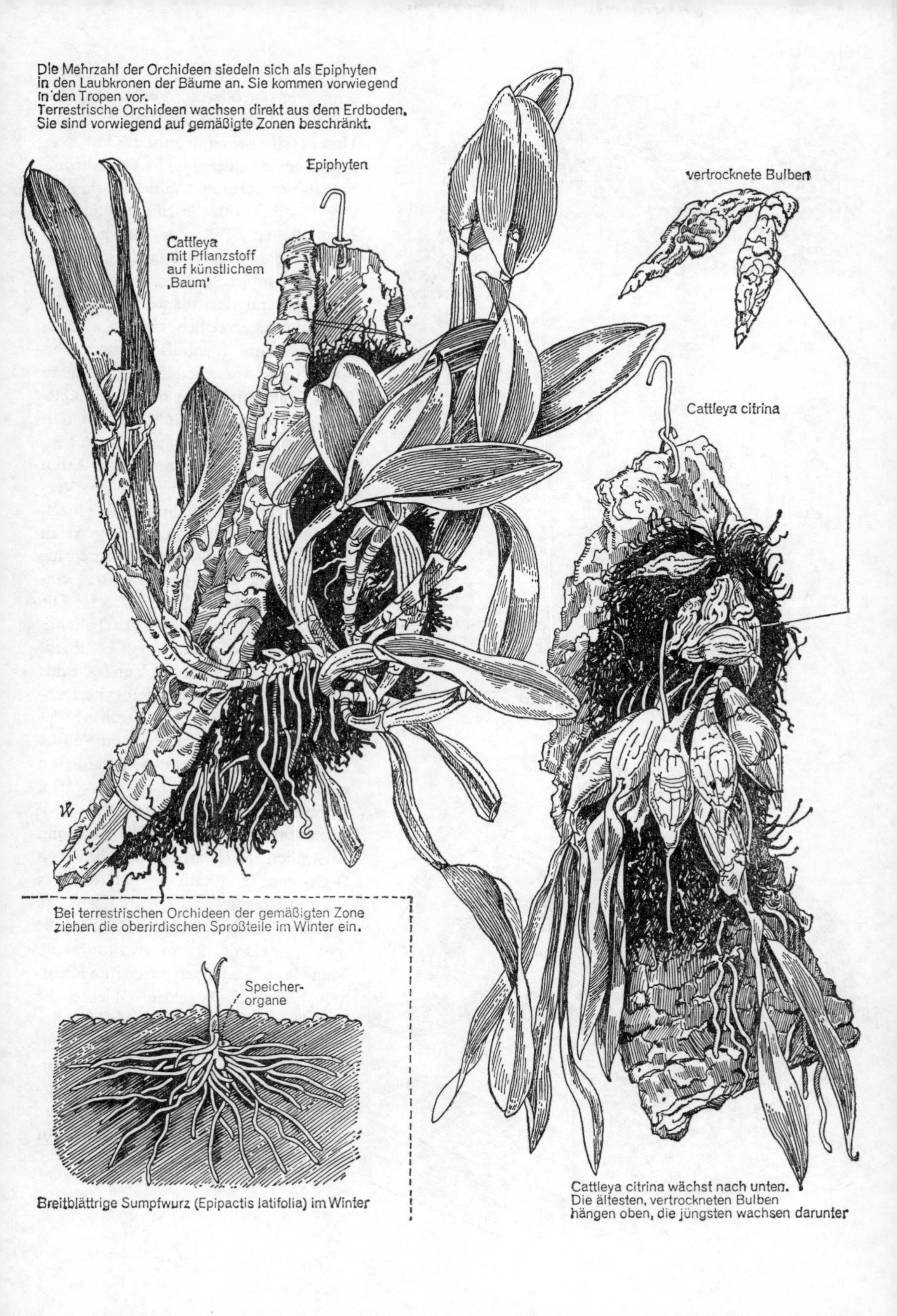
Die Mehrzahl der Orchideen siedeln sich als Epiphyten in den Laubkronen der Bäume an. Sie kommen vorwiegend in den Tropen vor.
Terrestrische Orchideen wachsen direkt aus dem Erdboden. Sie sind vorwiegend auf gemäßigte Zonen beschränkt.
Epiphyten
Cattleya mit Pflanzstoff auf künstlichem 'Baum'
vertrocknete Bulben
Cattleya citrina
Bei terrestrischen Orchideen der gemäßigten Zone ziehen die oberirdischen Sproßteile im Winter ein.
Speicher-organe
Breitblättrige Sumpfwurz (Epipactis latifolia) im Winter
Cattleya citrina wächst nach unten. Die ältesten, vertrockneten Bulben hängen oben, die jüngsten wachsen darunter

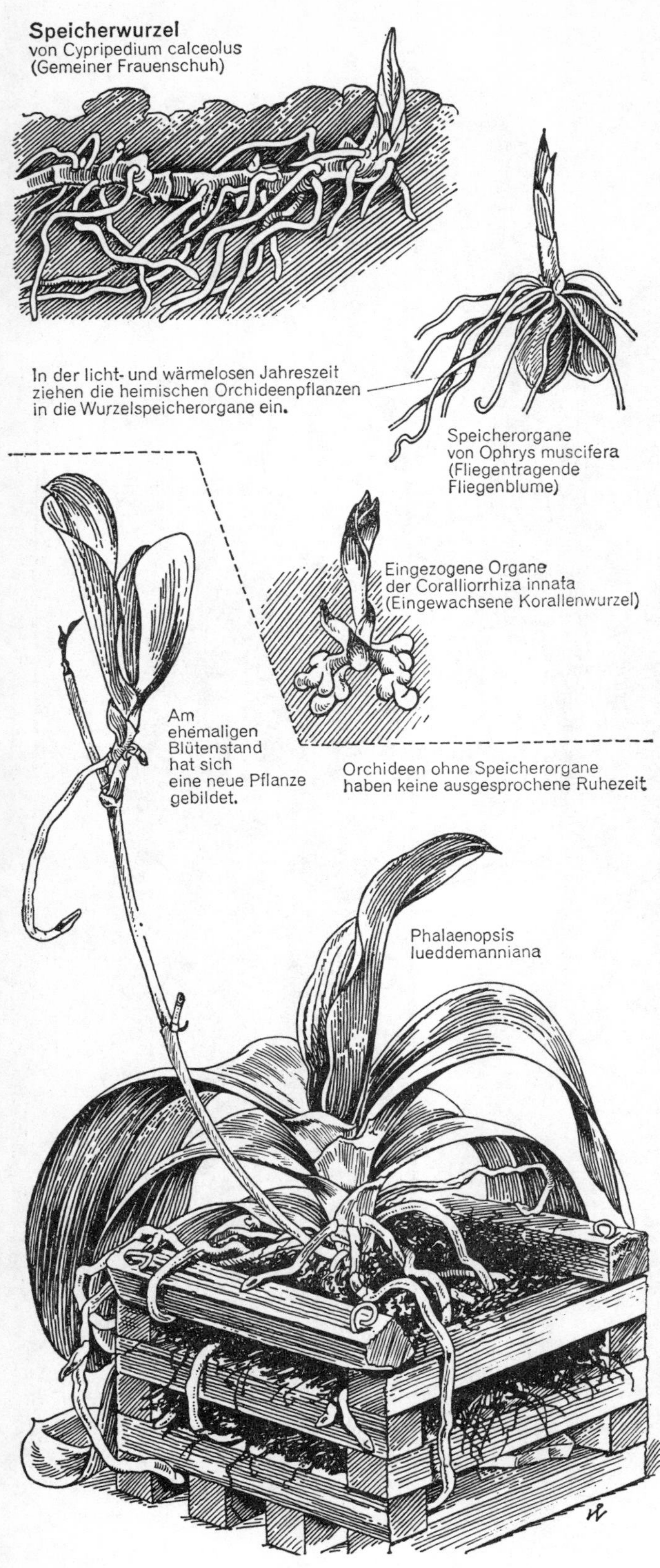

sehr viel größeres Verbreitungsgebiet haben als die tropischen Arten. Unsere schönste einheimische Orchidee, Cypripedium calceolus, ist von Europa bis Sibirien verbreitet. Eine andere Art, Cypripedium guttatum, findet man vom europäischen Teil der Sowjetunion durch Nordasien bis Alaska und Britisch-Kolumbien; das Vorkommen umfaßt also drei Kontinente. Solch weite Verbreitung erreichen tropische Gattungen nicht, allenfalls greifen noch Arten auf verschiedene Kontinente über. Eine Ausnahme macht die Gattung Bulbophyllum mit Vorkommen in Afrika, Amerika, Asien und Australien, insgesamt in mehr als eintausend Arten bekannt. Im allgemeinen ist die Verbreitung der Gattungen auf die einzelnen Erdteile beschränkt. Manche Arten besiedeln große Gebiete, andere nur räumlich begrenzte Landschaften, einzelne Gebirgszüge oder Täler. Die Gegenüberstellung einiger der bekanntesten Orchideengattungen in kontinentalem Maßstab ergibt folgendes Bild: Südostasien beherbergt Coelogyne, Dendrobium (z.T. auch in Australien), Paphiopedilum, Phalaenopsis und Vanda. Ihnen stehen in Süd- und Mittelamerika gegenüber: Cattleya, Laelia, Lycaste, Odontoglossum und Oncidium.

Eigentümlicherweise sind Afrika und Australien relativ arm an ansehnlichen Orchideen. Innerhalb der Arten gibt es wohl interessante Erscheinungen; sie sind aber von bescheidener Blütengröße und insgesamt kaum wirkungsvoll. Manche stellen jedoch durch ihre Kleinheit besonders begehrte Objekte für den Sammler dar. Von Madagaskar kommen zwei besondere, jedoch ziemlich groß werdende Schönheiten: Angraecum sesquipedale und A. eburneum. In neuester Zeit wurden weitere sehr bemerkenswerte Orchideen auf

Orchideenwurzeln:
1 Dendrobium phalaenopsis; **2** Paphiopedilum; **3** Cattleya; **4** Cycnoches

1 Oncidium Anne Warne × Rodriguezia decora; **2** Odontoglossum rossii; **3** Phalaenopsis schilleriana

dieser Insel entdeckt. Australien zeigt mit einigen Dendrobium-, Cymbidium-, Calanthe- und Phajus-Arten in der gemäßigten Zone auffallendere Erscheinungen.
Das Studium des heimatlichen Vorkommens ist der Schlüssel zur erfolgreichen Pflege. Dazu gehört ebenso das Wissen um die sehr verschiedenartig gestalteten Umweltbedingungen. Sie setzen sich aus geographischer Lage, Klima, Höhenlage und Umfang der Gesamtvegetation zusammen. In dieser Hinsicht sind unsere Kenntnisse z.T. noch sehr mangelhaft, da diese Bedingungen innerhalb eines Landes recht verschieden sein können, besonders dann, wenn es – wie beispielsweise Brasilien – sehr groß ist. Eine Heimatangabe „Brasilien" in der Literatur sagt gar nichts. Erst aus detaillierten Angaben verschiedenster Art ist es möglich, zu einem einigermaßen genauen Bild zu kommen. Mit nachfolgenden Ausführungen soll versucht werden, einige Anhaltspunkte zu geben.

Standortsbedingungen

Die erdbewohnenden Orchideen sind in noch weit höherem Maße als die Epiphyten von Umfang und Dichte der Gesamtvegetation abhängig. Dies trifft schon auf unsere einheimischen Orchideen zu, deren Standortsbedingungen jedoch unserem Studium leicht zugänglich sind. In subtropisch-tropischen Gebieten wachsen die wenigsten im dichtbeschatteten Untergrund der Wälder. Ihre Zahl nimmt unter lichtem Baumbestand zu und erhöht sich noch mehr in Savannen-Landschaften, die es z.B. in Afrika und Australien gibt. Ebenso finden wir in unserer Heimat viele Arten als Bewohner von Wiesen oder mit Gebüsch und lichtem Baumbestand

durchsetzten Hängen. Die asiatischen Paphiopedilum gelten für uns allgemein als Erdbewohner. Sie sind es jedoch nur bedingt, da häufig oder ausschließlich Felsen besiedelt werden, während andere Arten mit Laubhumus durchsetzten Lehmboden bevorzugen und weniger kalkliebend sind. In Südafrika finden wir, etwa gleich den Arten an den Küsten der Ostsee, Orchideen in fast sterilem Sandboden wachsend. Die in Süd- und Mittelamerika verbreiteten Sobralia wachsen dagegen in periodisch trockenen Sümpfen in einer flächenmäßigen Massigkeit gleich unserem Schilf. Die Fähigkeit, auf Felsen oder an fast senkrechten Felswänden zu wachsen, haben auch Cattleya. So berichten Orchideenjäger, daß Cattleya percivalliana in ihrer Heimat Venezuela fast ausschließlich diese Wuchsform zeigt; im Himalaja ist es Coelogyne cristata und in Ostaustralien Dendrobium speciosum.
Bei manchen Orchideen findet man noch die Übergänge von bodenbewohnender zu epiphytischer Lebensweise. Sie beginnen ihr Dasein im Erdboden, klettern an den Stämmen der Urwaldbäume empor, verlieren die Verbindung nach unten und leben epiphytisch weiter. Dies ist der Fall bei Vanilla, von welcher Gattung bestimmte Arten die als Vanilleschoten bekannten aromatischen Früchte liefern. Auch Vanda teres und andere monopodial wachsende Orchideen entwickeln sich so. Ausgesprochene Epiphyten sind in hohem Maße abhängig von der Dichte und dem Umfang der Gesamtvegetation, die wesentlich als Regler des Lichtgenusses für Epiphyten gilt. Dabei ist es natürlich von Bedeutung, in welcher Höhe der Bäume die Pflanzen wachsen; denn nach oben nimmt die Stärke des Lichtes zu. Phalaenopsis lieben den Schatten; ihre weichfleischigen, breitflächigen Blätter vertragen keine starke Sonneneinwirkung. Man findet sie in ihrer Heimat bevorzugt an den unteren Partien der Baumstämme immerfeuchter Niederungswälder. Das Gegenstück hierzu sind Vanda-Arten in Hinterindien. Ihre oftmals nur rinnig-gefurchten oder fast stielrunden Blätter vertragen stärkste Lichteinwirkung. Sie sind ihrer Form gemäß auf Oberlicht eingestellt und finden dies auf den von ihnen besiedelten knorrigen Eichen mit lichter Belaubung. Innerhalb dieser beiden genannten Gegensätze wachsen die epiphytisch lebenden Orchideen von sehr unterschiedlicher Größe und Gestalt. Oft leben sie vergesellschaftet mit der Fülle anderer Epiphyten, wie Bromeliaceen, Araceen, Peperomien, Farnen u.a., welche gleichen Lebensbedingungen unterworfen sind. Durch enge Verflechtung ihrer Wurzeln bilden sie oft ein einheitliches Ganzes und werden zu Horsten von beträchtlichem Umfang, wie es oft, besonders auch bei kleinwüchsigen Arten der Fall ist. Diese Feststellung ist ein Hinweis auf die Pflege solcher Arten. Sie sollten möglichst jahrelang ungeteilt bleiben. Dann können sie sich bei sonstigen zusagenden Bedingungen zu schönen Stücken entwickeln. Als Beispiel sei die Gattung Pleurothallis genannt.
Nach Berichten von Orchideensammlern bevorzugen manche Arten bestimmte Bäume. Inwieweit eine Bindung oder Abhängigkeit hierbei besteht, ist noch ungeklärt. Wahrscheinlich ist die Annahme, daß bestimmte Eigenschaften der Baumart – wie Struktur der Rinde oder Dichte der Belaubung, eventuell auch mögliche Ausscheidungen derselben – bestimmend für eine bevorzugte Besiedelung sind.

Die Umwelt

Im Abschnitt über die Verbreitung sind schon teilweise Umweltbedingungen erwähnt worden. Sie sind für die Pflanzen von größter Bedeutung; denn sie sind die gestaltenden Faktoren des Lebens. Aus ihnen heraus wurden in einer nie endenden Evolution die Pflanzen zu ihrer Erscheinungsform gestaltet und gelenkt. Ihre Weiterentwicklung auf weite Zeiträume ahnen wir nicht, nur daß eine solche besteht, wissen wir aus bestimmten Anzeichen mit Sicherheit.

Welche Umweltbedingungen spielen eine besondere Rolle für die Existenz der Pflanze? Wesentlich bestimmend ist die geographische Breite des Standortes. Sie steht unter dem Einfluß des Sonnenstandes, ist also ein astronomischer Begriff. Zwischen Äquator und Pol werden drei Zonen unterschieden: die warme, die gemäßigte und die kalte Zone. Die kalte oder Polarzone bleibt außer Betracht.

1. Die warme oder tropische Zone zwischen den Wendekreisen hat hohen Sonnenstand, die Unterschiede in den Tageslängen sowie zwischen Sonnen- und Schattenseite sind wenig ausgeprägt oder nicht vorhanden, die Temperaturunterschiede zwischen den Jahreszeiten sind relativ gering.
2. Die gemäßigte Zone der Nord- und Südhalbkugel zwischen Wendekreis und Polarkreis hat deutlich ausgeprägte Temperaturunterschiede zwischen den einzelnen Jahreszeiten und recht unterschiedliche Tageslängen. Daraus geht hervor, daß Licht und Temperatur in erster Linie bestimmend für das Klima sind, welches seinerseits maßgeblich die Umweltbedingungen gestaltet. Der Begriff Klima umfaßt die Gesamtheit der Faktoren Licht, Temperatur und Feuchtigkeit, weitgehend differenziert und beeinflußt durch die atmosphärische Zirkulation.

Die Hauptverbreitungsgebiete tropischer und subtropischer Orchideen sind folgende:
Asien: Ceylon und Vorderindien, die Hochgebirge (Himalaja) von Darjeeling bis Assam und Burma, die malaiische Halbinsel mit Indonesien, die Philippinen, China und Japan.
Afrika: Westliches tropisches Afrika, östliches tropisches Afrika, westliches außertropisches und östliches außertropisches Afrika.
Amerika: Zentralamerika, Westindien, tropisches Südamerika, andines tropisches Amerika.
Innerhalb dieser Gebiete sind die Klimaverhältnisse natürlich sehr stark differenziert. Einzelheiten können hier nicht dargelegt werden. Wesentlich ist die Gleichmäßigkeit der Temperatur und Luftfeuchtigkeit in immerfeuchten Gebieten, die Schwankungen zwischen Tag und Nacht liegen in geringen Grenzen. Demgegenüber sind periodisch feuchte Gebiete maßgeblich beeinflußt durch eine Trockenzeit von mehr oder weniger langer Dauer. Die Orchideen dieser Vegetationszone sind zur Überwindung der Trockenperiode mit besonders derben Blättern ausgestattet oder werfen diese ab. Die Arten der immerfeuchten Gebiete bedürfen solcher Schutzmaßnahmen nicht; sie wachsen fast ohne nennenswerte Unterbrechung weiter.

Die Großvegetation beider Zonen – der immerfeuchten und der periodisch feuchten – wirkt ebenfalls auf die Orchideen ein. Die Bäume und Sträucher periodisch feuchter Gebiete sind z.T. dem Laubfall unterworfen. Dies bedeutet für die epiphytisch wachsenden Orchideen erhöhte Lichteinwirkung, denn die Trockenzeit bringt keinesfalls – wie etwa unser Winter – eine Verkürzung und Minderung des Lichteinfalls. Den Übergang zu subtropischem Klima

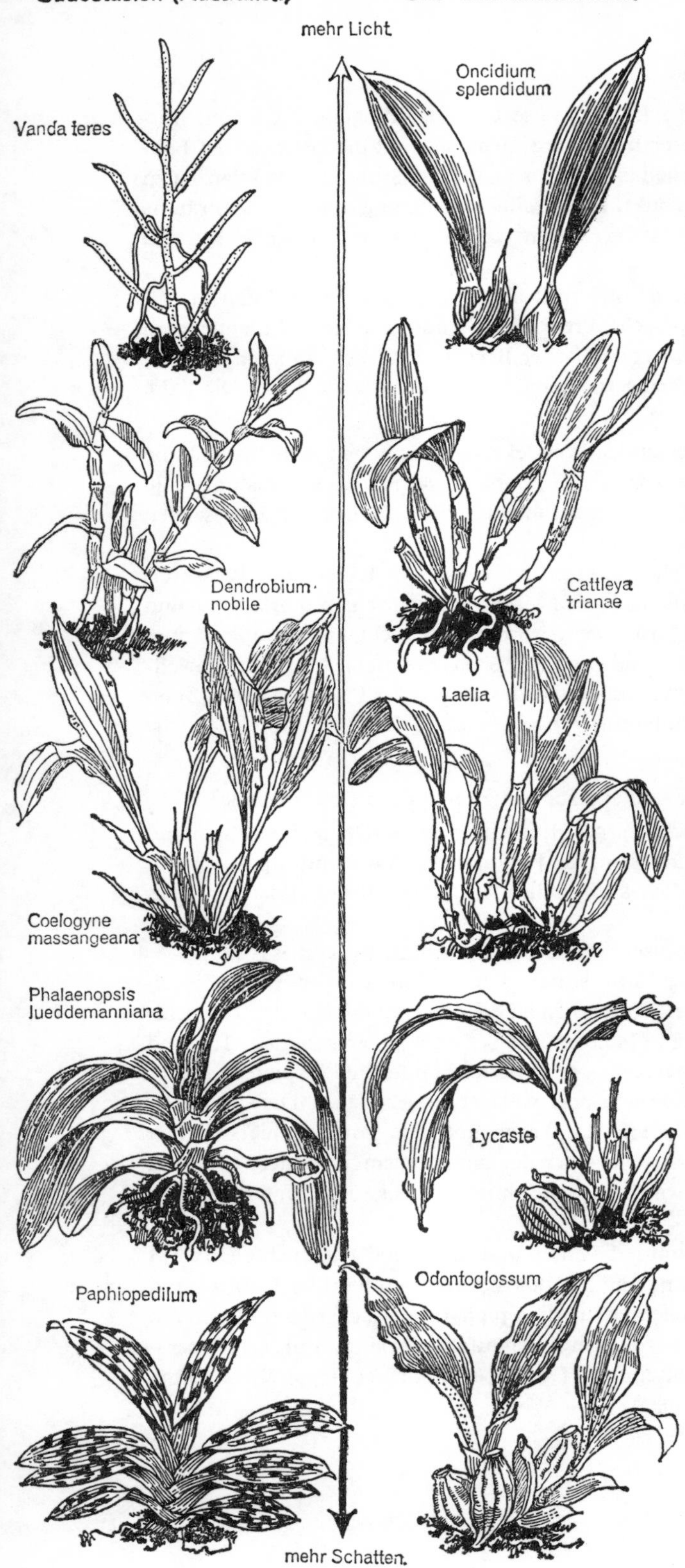

ersehen wir aus der Verlängerung der Ruhezeit, der Härte des Wuchses, geminderter Allgemeinempfindlichkeit, oft auch besonders hohen Lichtansprüchen und anderen Erscheinungen. Mit ihnen wird eine sehr weitgehende Anpassung an das Klima erreicht. Dazu gehört auch, daß die Pflanzen, wenn sie im Ruhezustand sind, vorübergehend niedrige Temperaturen bis etwa minus 5° vertragen, ohne daß Schäden entstehen.

Die Umweltbedingungen äußern sich also im Habitus der Pflanze, und wir müssen lernen, daraus ihre Ansprüche abzulesen. Neben dem Klima spielt auch die Höhenlage als Umweltfaktor eine wichtige Rolle. Mit steigender Höhenlage sinkt die Temperatur, und so ist nicht nur wichtig zu wissen, auf welcher geographischen Breite ein Orchideenstandort liegt, sondern auch in welcher Höhe.

Die Bodenbeschaffenheit als weiterer wichtiger Faktor spielt hier nur für terrestrisch wachsende Orchideen eine maßgebliche Rolle. Indirekt ist die Bodenbeschaffenheit jedoch von gewisser Bedeutung für die Gestaltung der Großvegetation, auf deren mehr oder minder großes Vorhandensein die Epiphyten angewiesen sind.

Hinweise auf die Lichtansprüche geben die Vegetationsorgane, also die Pseudobulben und Blätter. Es bestehen viele Übergänge; folgende Anhaltspunkte sind wesentlich:

Bodenbewohner: keine Bulbenbildung, Blätter relativ weich. Ansprüche: keine direkte Sonneneinwirkung, viel Schatten und Feuchtigkeit, keine Ruhezeit. Beispiel: Paphiopedilum.

Blattgestalt und Blattbeschaffenheit haben sich den Lichtverhältnissen angepaßt

Epiphyten:

a) Blätter großflächig, fleischig, keine Bulbenbildung. Ansprüche: keine direkte Sonneneinwirkung, viel Schatten, keine Ruhezeit. Beispiel: Phalaenopsis.

b) Blätter großflächig, dünn, Bulben stark ausgeprägt, Blätter werden mit Beendigung der Vegetationszeit abgeworfen. Ansprüche: Halbschatten, viel Feuchtigkeit, Ruhezeit stark ausgeprägt, völliger Wasserentzug. Beispiel: Calanthe der laubabwerfenden Sektion, Catasetum.

c) Blätter mehr oder weniger großflächig derb, Bulben mehr oder weniger ausgeprägt, länglich, rundlich. Ansprüche: Halbschatten, mit beginnendem Ausreifen der Bulben viel Licht, in Vegetation reichlich Feuchtigkeit, Ruhezeit kürzer oder länger, mäßig feucht, Schrumpfen der Bulben vermeiden. Beispiel: Cattleya, Laelia, Stanhopea, Lycaste, Odontoglossum, Oncidium, Cymbidium und viele andere.

d) Blätter schmal, derb-lederig, keine Bulben. Ansprüche: viel Licht, in Vegetation viel Feuchtigkeit, Ruhezeit ausgeprägt. Beispiel: Vanda coerulea, V. tricolor und andere, Angraecum, Aerangis, Aeridis, Oncidium splendidum und andere.

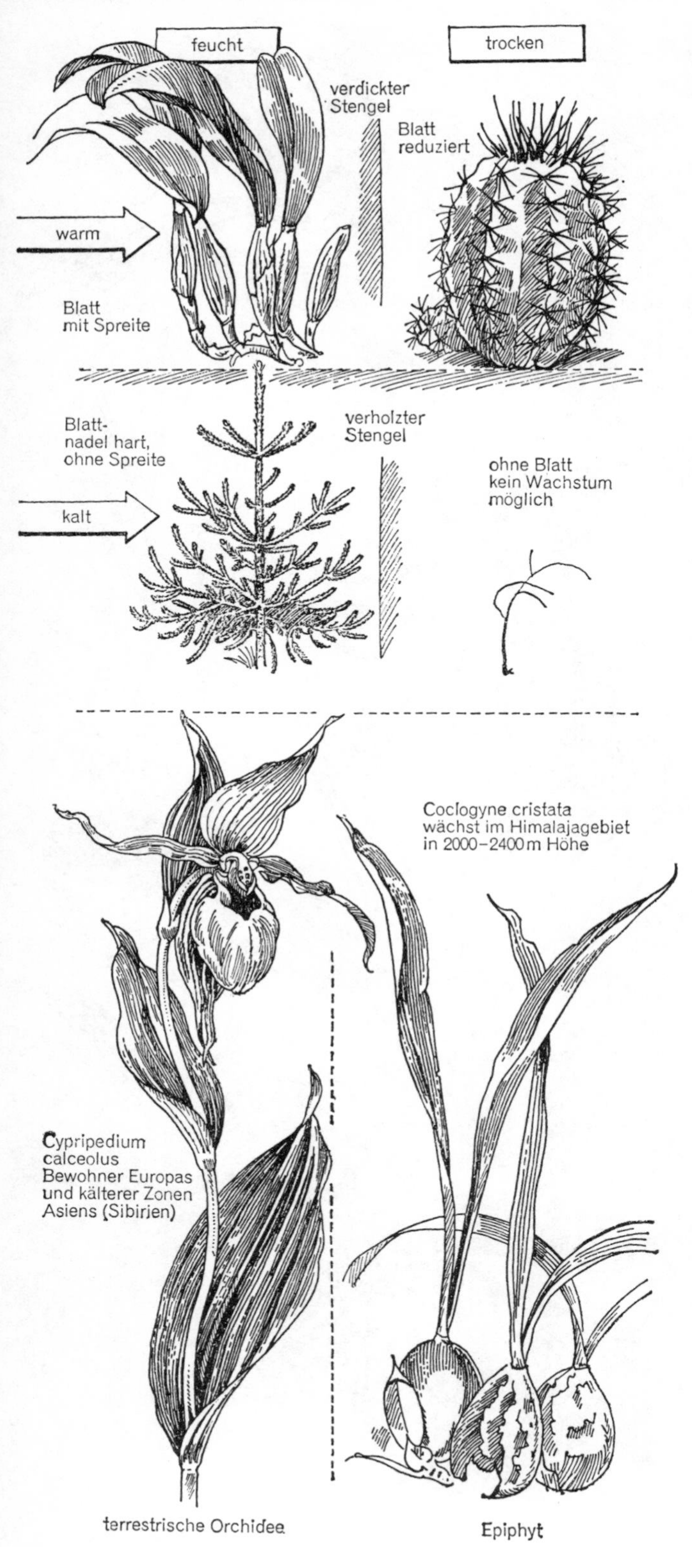

e) Blätter fast stielrund, rinnig gefurcht, keine Bulben. Ansprüche: stärkstes Licht, bei Gewöhnung schattenlos, in Vegetationsperiode viel Wasser, Ruhezeit ausgeprägt. Beispiel: Vanda teres, Renanthera und andere.

Mit diesen Beispielen wurde gezeigt, wie der Faktor Licht die Pflanze sichtbar beeinflußt. Leider sind aus ihrem Äußeren die Ansprüche an Temperatur und Feuchtigkeit nicht so leicht oder überhaupt nicht ersichtlich. Sie lassen sich nur aus dem Klimarhythmus des heimatlichen Standortes ableiten.
Die vielseitigen Bindungen zur Gesamtvegetation sind offenkundig. Nachfolgend soll eine kurze Übersicht über die wichtigsten Vegetationsformen gegeben werden, in deren Bereich Orchideen leben.

1. Das tropische Regenwaldklima. Wichtigste Kennzeichen: dauernde Wärme, Jahresmittel über 18°, mindestens ein Monat mit überdurchschnittlicher Regenhöhe, jährliche Regenmenge etwa $^2/_3$ Meter oder mehr, keine Kälteruhe im pflanzlichen Leben, aber im Klima periodische Trockenruhe, jedoch nicht stark ausgeprägt. Zwischen dem wärmsten und kühlsten Monat bestehen nur Schwankungen von 1–6°. Auswirkung auf die Vegetation: Bildung immergrüner, hochwachsender Urwälder oder längs der Flüsse in trockeneren Gebieten Galeriewälder; beide begünstigen infolge hoher Luftfeuchtigkeit die Bildung einer reichen Epiphytenflora. Beiderseits des Äquators erweitert sich nach Norden und Süden dieser Regengürtel dort, wo die Passatwinde gegen Gebirge wehen. Mittlere Jahrestemperatur im Tropengürtel zwischen +24 und +30°. Der oft empfindlich spürbare Wech-

sel zwischen warmen und kalten Tagen der gemäßigten Zone fehlt, ebenso der Wechsel der Jahreszeiten unseres Klimas. Die Niederschläge sind in bezug auf Zeit, Menge und Raum stark differenziert. Sie sind unterschiedlich an Ost- oder Westseiten der hohen Gebirge. Die Niederschläge fallen meist zu bestimmten Tageszeiten in heftigen Güssen, entweder mit oder ohne Gewitter. Rieselregen – wie bei uns z.T. – gibt es nur selten unter bestimmten örtlichen Bedingungen.

2. Das Monsunwaldklima. Immergrüner Regenwald geht bei ausgesprochenen Trockenzeiten in regengrünen Monsunwald über. Stärkere Wechsel im Jahresklima, bedingt durch die geographische Breite. Die Baumhöhe des Monsunwaldes ist geringer, die Baumkronen sind stärker verzweigt, was einen geringeren Formenreichtum der Epiphytenflora bewirkt. Durch Bildung von Speicherorganen sind die vorkommenden Orchideenarten befähigt, die Trockenzeit ohne Schwierigkeit zu überwinden. Die Bäume sind dem Laubfall unterworfen, welcher mit Beginn der Trockenzeit einsetzt. Die Epiphyten sind damit wesentlich stärkerer Belichtung ausgesetzt, wodurch besondere Ansprüche bestimmter Arten entstehen, z.B. Vanda, Renanthera und andere.
3. Das Savannenklima. Besonderes Kennzeichen ist eine wirkliche Trockenzeit, weniger als 1000–2500 mm Regen im Jahresdurchschnitt und Temperaturunterschiede innerhalb der Monate bis 12°. Es bestehen Übergänge von Regenwäldern mit geringerer Üppigkeit an Lianen und Epiphyten bis zu Formationen mit ausgesprochenem Savannencharakter. Bestimmend für dieses Landschaftsbild sind einzelnstehende Baumgruppen, dorniges Gesträuch und die offene Grassteppe. Der Boden ist wenig fruchtbar; er besteht aus Sand oder Laterit. Die Haupttrockenzeit fällt in den Winter oder Frühling der betreffenden Hemisphäre.

Innerhalb dieser drei Formationen bestehen viele Übergänge, oft in räumlich enger begrenzten Gebieten. Die Orchideen passen sich zum größten Teil gut an, so daß sie auch unter veränderten Verhältnissen gedeihen und blühen können.

DIE WAHL ZUR PFLEGE GEEIGNETER ORCHIDEEN

Der Wunsch, Orchideen zu pflegen, kann verschiedene Ursachen haben. Meist sind es ästhetische Beweggründe. Die Schönheit und Eigenart der Blüten veranlaßt den Pflanzenfreund, sein Interesse diesen Pflanzen zuzuwenden. Den einen reizt die Besonderheit, der gewisse Nimbus dieser Pflanzenfamilie, vielleicht auch der höhere Wert gegenüber üblicheren Gewächsen. Den anderen lockt die tropische Ferne, und er überbrückt dieses Gefühl durch die Beschäftigung mit Orchideen.
Orchideen sind in letzter Zeit das Hobby vieler geworden. Hierzu hat die Technik wesentlich beigetragen, welche sonst viele Menschen der Natur entfremdet. Durch entsprechende technische Einrichtungen ist es möglich, den Pflanzen im eigenen Heim optimale Bedingungen zu schaffen. Wir stehen dabei erst am Anfang einer Entwicklung, die zu größten Hoffnungen berechtigt. Zuerst sei die künstliche Belichtung genannt. Sie ist ein wesentlicher Faktor zur Steigerung des Pflanzenwuchses unter sonst ungünstigen Bedingungen. Weiter sind bestimmte Temperaturen durch zusätzliche elektrische Beheizung von Pflanzenfenstern und -vitrinen immer leichter einzuhalten. Ebenso ist die notwendige Luftfeuchtigkeit in geschlossenen Behältern durch Luftbefeuchter zu erzielen. Insgesamt ist die Klimasteuerung über elektrische Geräte kein unlösbares Problem mehr, und davon profitieren letzten Endes die Pflanzen, wenn die Technik sinnvoll eingesetzt wird.
Dieses Buch soll eine Anleitung für alle sein, die sich mit der Orchideenpflege befassen, also für den Anfänger, den Fortgeschrittenen und den perfekten Liebhaber-hier natürlich bezogen auf die Liebe zu Orchideen. Es erscheint fast selbstverständlich, daß jemand, der eben erst beginnt, sich eine kleine Sammlung zusammenzustellen, mutlos wird, wenn er von so vielen Voraussetzungen für die erfolgreiche Pflege liest. Doch es wäre verantwortungslos, nicht darauf hinzuweisen, welche Mühe aufgewendet werden muß, um Dauererfolge in der Pflege zu erzielen. Bemühen muß man sich auf jeden Fall weit mehr um Orchideen als um andere Pflanzen. Es ist nicht übertrieben zu sagen, daß Erfolge in der Orchideenpflege eine Krönung gärtnerischen Mühens darstellen, sowohl für Gärtner aus Leidenschaft wie auch für Berufsgärtner.

1 Odontoglossum bictoniense; **2** Oncidium forbesii; **3** Catasetum pileatum; **4** Oncidium lanceanum

1 Eria barbarossa; **2** Epidendrum polybulbon; **3** Cattleya intermedia; **4** Bifrenaria harrisoniae; **5** Laeliocattleya elegans; **6** Laeliocattleya Britania alba; **7** Brassocattleya 'Daffodil'; **8** Brassocattleya 'Toska'

1 Brassavola flagellaris; **2** Brassia verrucosa; **3** Phalaenopsis 'Grace Palm'; **4** Phalaenopsis 'Monique'; **5** Oncidium varicosum rogersii; **6** Dendrochilum glumaceum; **7** Odontoglossum crispum; **8** Calanthe veratrifolia

1 Dendrobium Anne-Marie; **2** D. phalaenopsis Lady Fay; **3** D. victoriae-regiae; **4** D. phalaenopsis var. compactum; **5** D. phalaenopsis 'American Beauty'; **6** D. nobile (links) D. Gatton Monarch (rechts)

Wie aber kommt man zu Erfolgen?

Den Anfänger lockt es, sich Pflanzen zu beschaffen, die ihm durch bestimmte Eigenschaften als begehrenswert erscheinen. In erster Linie wird es die Schönheit der Blüte sein, die irgendwo – vielleicht in einem Botanischen Garten oder als Schnittblume in einem Blumengeschäft – zu bewundern ist.
Von vornherein sei gesagt: Es ist unmöglich, auf beschränktem Raum Orchideen aus verschiedenen Klimazonen der Erde gemeinsam zu pflegen. Hindernd sind wesentlich die differenzierten Temperaturansprüche. Sie erfordern eine räumliche Trennung. Wie ist dies zu ermöglichen?
Wer Orchideen zu pflegen beabsichtigt oder seine bestehende Sammlung weiter ausbauen möchte, sollte in erster Linie die vorhandenen Temperaturverhältnisse als Grundlage benützen, um eine entsprechende Auswahl geeigneter Arten zu treffen. Sind jedoch die Wünsche auf bestimmte Arten konzentriert, so müssen die ihnen zusagenden Temperaturen geschaffen werden, wenn Dauererfolge erzielt werden sollen. Es ist wenig sinnvoll, alle möglichen Orchideen, die gegensätzliche Ansprüche stellen, zusammenzutragen und sie unter gleichartigen Bedingungen zu pflegen. Ebenso abwegig ist es, eine Spezialsammlung aufzubauen, wenn die gegebenen Umweltbedingungen von vornherein als nicht zuträglich zu betrachten sind.
In dem Abschnitt „Die Umwelt" sind die Verhältnisse des heimatlichen Standortes in großen Zügen erläutert. Innerhalb der gärtnerischen Praxis hat man drei Gruppen gebildet, die mit den Bezeichnungen *kalt*, *temperiert* und *warm* etwa den Anforderungen der betreffenden Pflanze an die Temperatur entsprechen. Es ist durchaus möglich, in diese drei großen Gruppen die bestehenden Arten einzugliedern, gleichgültig, aus welchem Teil der Tropen die Pflanzen kommen. Damit entsteht für den Anfänger oder Fortgeschrittenen lediglich die Notwendigkeit, sich über Heimat und Klima einer begehrenswerten Art zu orientieren und daraus die Schlußfolgerung zu ziehen, ob sie für seine Verhältnisse geeignet ist oder nicht.
In früheren Anleitungen zu erfolgreicher Orchideenpflege im Heim wurde stets nur eine recht bescheidene Anzahl von Arten als geeignet bezeichnet. Dieser Standpunkt ist überholt. Erfolge mit relativ anspruchsvollen Orchideen bei der Haltung im Zimmer haben bewiesen, daß bei dem nötigen Einfühlungsvermögen kaum noch in dem Umfang wie früher Einschränkungen nötig sind. Wenn durch den Einsatz moderner Technik in geschlossenen Behältern erhöhte Luftfeuchtigkeit und ausreichende Belichtung gegeben werden kann, verringern sich die Beschränkungen noch mehr. Denn dann ist auch die Temperatur in beliebigen Grenzen zu regeln, während sie bei freier Aufstellung der Pflanzen im Zimmer durch das durchschnittliche Wohnklima festliegt.
Maßgeblich für die Wahl ist natürlich auch der Platzbedarf. Starkwachsende Cattleya, Cymbidium, Dendrobium oder Vanda sind mit zunehmender Stärke kaum für längere Zeit auf schmalen Fensterbrettern zu halten. In Behältern bescheidener Größe können sich bildende lange Rispen von Orchideen mit sonst geringem Umfang u. U. zu Schwierigkeiten führen. Da die Arten unterschiedlich groß sind, ist eine Anpassung an die vorhandenen Platzverhältnisse möglich, sofern man die Auswahl hat. Neben großblütigen Orchideen mit entsprechendem Bedarf an Platz, der jedoch nicht jedem Pflanzenfreund zur Verfügung steht, kommen die kleinwüchsigen Arten in Betracht. Von ihnen kann auf bescheidenem Raum eine ganze Sammlung untergebracht werden. Es ist äußerst reizvoll, ihre Lebensäußerungen zu studieren. In der Pflege stellen sie keine unerfüllbaren Forderungen; sie benötigen viel Licht und Luft. Eine Sammlung von Arten mit ausgesprochen zwergigem Wuchs ist möglich und

reizvoll. Durch den modernen Luftverkehr ist eine Überleitung solcher „Zwerge" aus ihren Heimatgebieten nach Europa nicht mehr problematisch, wie es früher der Fall war. Ihre Pflege erfordert besonderes Fingerspitzengefühl, hauptsächlich in bezug auf die richtige Feuchtigkeit. Sie müssen fast ausnahmslos auf Rinde kultiviert werden.

Bei der Wahl geeigneter Orchideen für die bestehenden Verhältnisse kann auch die Blütezeit eine Rolle spielen. Nicht immer sind persönliche Wünsche mit den gegebenen Möglichkeiten in Einklang zu bringen, besonders bei der Pflege im Zimmer nicht. Verständlich ist das Bestreben nach blühenden Pflanzen in den Spätherbst-, Winter- und Vorfrühlings-Monaten. Man vergegenwärtige sich jedoch, daß diese Zeit geringste Lichteinwirkung, überhöhte Temperaturen und trockene Luft mit sich bringt. Dies sind insgesamt negative Einflüsse auf Knospen- und Blütenbildung. Ohne zusätzliche Belichtung werden sich beispielsweise Cattleya-Blüten nur unvollkommen ausbilden oder innerhalb weniger Tage verblühen, bei anderen Arten verhält es sich ähnlich. Nicht nur mangelndes Licht, sondern auch zu geringe Luftfeuchtigkeit verhindern dann die normale Entwicklung und Haltbarkeit. Die Sommermonate bringen durch Hitzeperioden die Gefahr rascheren Verblühens normal entwickelter Blüten, eine ebenfalls unerwünschte Erscheinung. Von diesen Erwägungen aus betrachtet, erscheinen die Frühlings- und Herbstmonate am günstigsten, da die erwähnten negativen Einflüsse gemildert sind. Nun haben aber alle Orchideen ihre nur in geringen Grenzen variierende Blütezeit. So sind Kompromisse unvermeidlich. Wenn man bestimmte Arten besitzen möchte, müssen einige Erwägungen zurücktreten, auch auf die Gefahr hin, daß einmal etwas „schief“geht. Anders herum betrachtet, muß man die gegebenen Verhältnisse berücksichtigen und seine Wünsche auf die allein in Betracht kommenden Arten beschränken.

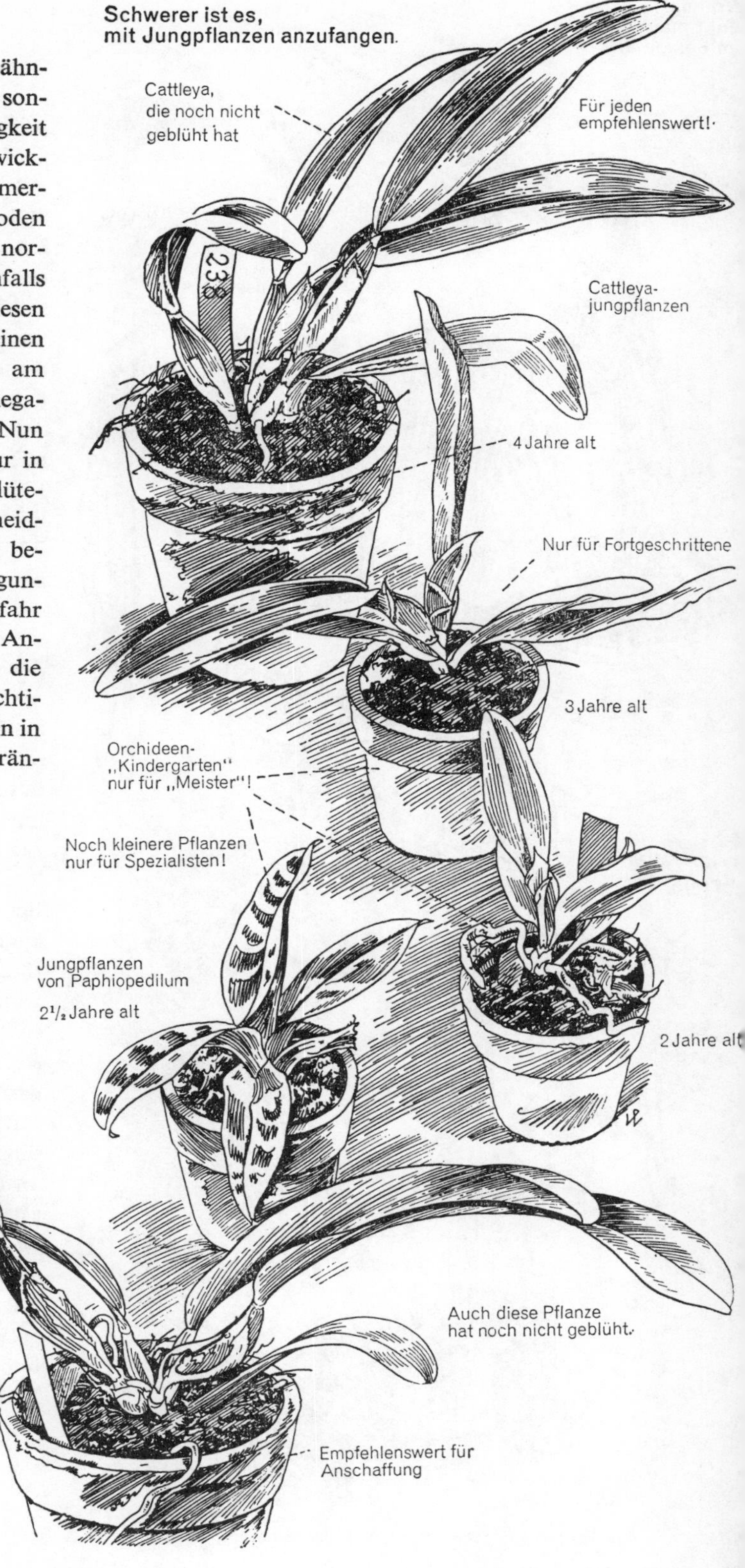

Womit fängt man am besten an?

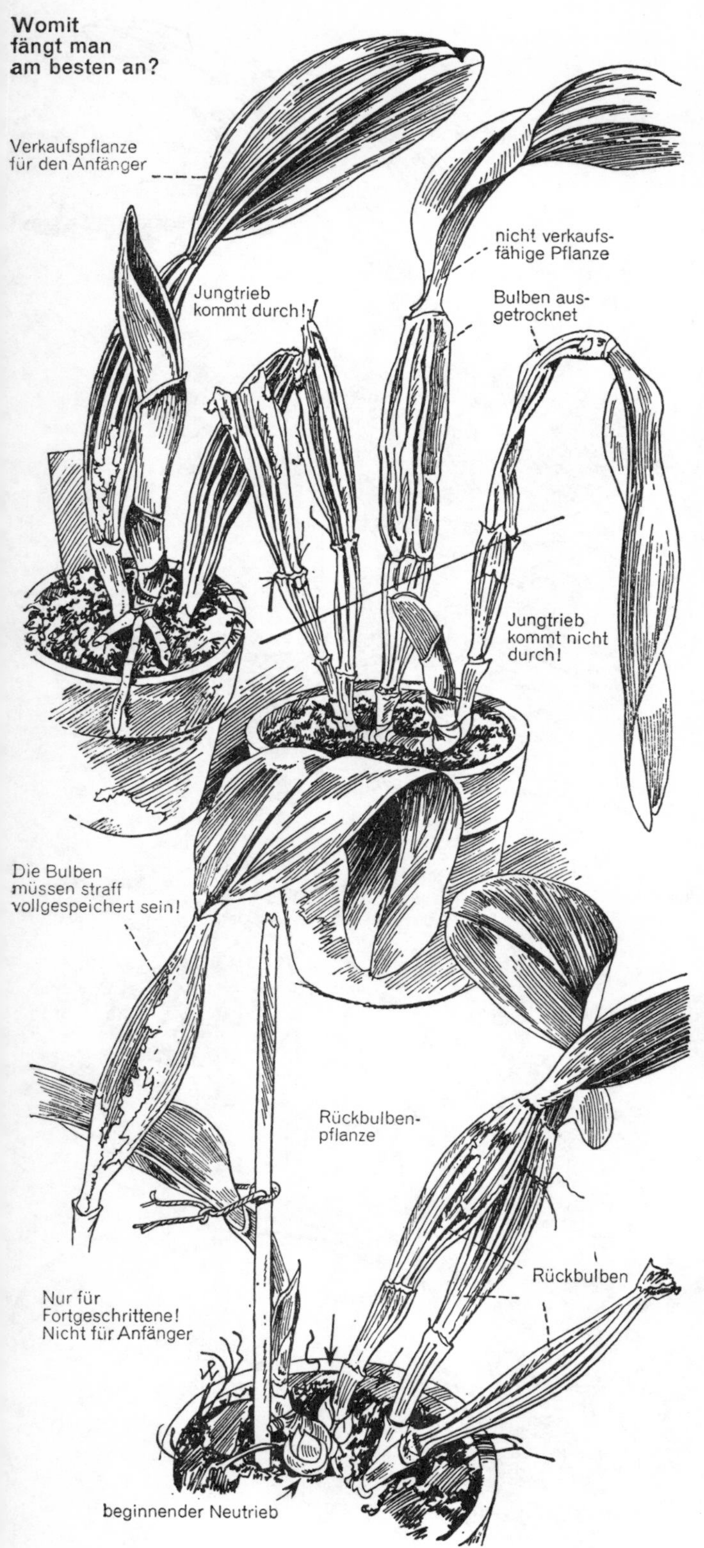

Aus Rückbulben lassen sich neue Pflanzen ziehen.

Oftmals besteht bei Anfängern die Meinung, daß eine aus einem bestimmten Anlaß erworbene oder als Geschenk erhaltene Orchidee in den folgenden Jahren zum gleichen Zeitpunkt wieder blühen wird. Wie schon erwähnt, variiert die Blütezeit in gewissen Grenzen, bedingt durch den Einfluß der Umweltbedingungen. Der Wunsch, zu einem bestimmten Tag mit unbedingter Sicherheit eine blühende Orchidee zu haben, setzt voraus, daß nicht nur ein, sondern mehrere Exemplare einer Art oder Hybride vorhanden sind, deren Blütezeit in dem fraglichen Zeitraum liegt.

Ein ebenfalls sehr begreiflicher Wunsch ist der, blühende Orchideen während des ganzen Jahres zu haben. Er ist selbstverständlich erfüllbar, nicht jedoch durch den Erwerb von 12 Pflanzen verschiedener Blütezeit. Es gehört ein Vielfaches dazu, um das Ziel zu erreichen. Man wird Jahre benötigen, ehe durch eigene Vermehrung, durch Teilung, Kauf oder Tausch so viele Pflanzen beisammen sind, daß eine lückenlose Blütenfolge gewährleistet ist.

Bei fortgesetzt steigenden Ansprüchen kann der Wunsch nach besonderen Blütenfarben in einer bestehenden Sammlung auftreten. Der Anfänger sollte sich jedoch zunächst nicht auf solche spezielle Dinge ausrichten, denn damit entstehen neue Schwierigkeiten. Innerhalb der großen Vielzahl der Gattungen und Arten besteht ein Reichtum an Farbtönen, wie er bei anderen Zierpflanzen innerhalb einer Familie kaum wieder vorhanden ist. Begrenzter ist das Farbenspiel innerhalb der Gattungen oder der für bestimmte Verhältnisse geeigneten Orchideen; es genügt aber immer noch hohen Ansprüchen.

In den Naturarten und ihren Varietäten sind die Blütenfarben weitgehend beständig. Bei Erwerb nichtblühender Exemplare kann man mit Sicherheit den gewünschten Farbton erwarten. Zu berücksichtigen ist hierbei nur, daß die Färbung durch den Grad der Belichtung, den Standort oder die Kulturbedingungen etwas verändert sein kann. Diese relativ große Sicherheit entfällt bei Hybriden. Besonders bei komplizierten Mehrfachkreuzungen können die Blüten von Pflanzen gleichen Namens sehr unterschiedlich gefärbt sein. Die Kenntnis ihrer Abstammung genügt nicht, um mit Sicherheit auf die Farbe zu schließen. Wenn farblich bestimmte Anforderungen gestellt werden, dann muß man die Pflanze in blühendem Zustand auswählen.

Ähnliches gilt für die Blütengröße. Bei den Arten variiert sie in engen Grenzen. Besonders großblütige Varietäten haben z.T. hohen Wert, der in Zukunft durch die Meristemkultur allerdings gemindert werden kann, so daß die Schönheit solcher Naturformen vielen Sammlern zugänglich sein wird. Die Blütengröße als allein bestimmende Eigenschaft zu werten, ist eine persönliche Auffassung und Geschmackssache. Diese Eigenschaft kann nachteilig sein, da häufig Haltung und Form beeinträchtigt werden. Für den Erwerbsgärtner sind großblütige Formen bedeutungsvoller als für den Sammler, der mit kleinblütigeren Orchideen, die von festerer Substanz sind, meist mehr Freude durch längere Haltbarkeit haben wird.

Auch die Blütenform kann bestimmend für die Geschmacksrichtung sein. Innerhalb der Arten liegt sie fest; bei Hybriden kann sie veränderlich sein. Die internationale Geschmacksrichtung bevorzugt eine abgerundete, flache Blütenform; die Züchtung ist weitgehend darauf ausgerichtet. Dies bedeutet, daß die Blüten z.T. oder gänzlich ihre charakteristische Form verlieren und damit den Reiz der Ursprünglichkeit einbüßen.

Bei dem Erwerb von Orchideen-Pflanzen ist neben ihrer Eignung für bestehende räumliche Verhältnisse auch die Größe der Objekte von Bedeutung. Mindestens der Anfänger sollte bemüht sein, sich nicht zu kleine, schwache Exemplare zu beschaffen, sondern lieber stärkere in blühfähiger Größe. Gewiß ist der Preis höher, aber es ist wohl selbstverständlich, daß eine kräftige Pflanze den Übergang in andere Verhältnisse besser übersteht als eine schwächere mit geringeren Reserven.

Der fortgeschrittene Pfleger mit Erfahrung wird jedoch einen Tausch oder Kauf von kleineren Stücken oder Jungpflanzen nicht ablehnen, wenn es sich dabei um Arten oder Hybriden handelt, die er schon längst gern besitzen wollte. Zweifellos gehört sehr viel Geduld und Einfühlungsvermögen dazu, sie in vielleicht jahrelangem Mühen zu guter Entwicklung und eines Tages auch zum Blühen zu bringen; gelegentlich sind Verluste auch unvermeidlich. Neben dem erstrebten Blüherfolg kann aber schon der Fortschritt in der Entwicklung Grund zur Freude und Befriedigung sein. Oft sind kleine Pflanzen die einzige Möglichkeit, bestimmte Arten in den eigenen Besitz zu bringen. Entweder sind große Exemplare nicht erreichbar, oder der geforderte Preis entspricht nicht den eigenen finanziellen Verhältnissen.

Durch die bei der Teilung entstehenden sogenannten Rückbulben oder Hinterstücke (siehe: Vegetative Vermehrung) läßt sich der Bestand auf relativ billige Weise erhöhen. Man muß nur Geduld aufbringen, zwei oder drei Jahre warten können, bis sich aus den Reserveaugen solcher Rückbulben eine neue Pflanze entwickelt hat. Besonders intensives Eingehen auf die Bedürfnisse führt gerade hier oft zu überraschenden Ergebnissen.

Der Erwerb im Aufblühen begriffener oder blühender Pflanzen kann zu Enttäuschungen führen. Ihre Überleitung in veränderte Umweltbedingungen kann eine Schockwirkung auf die Pflanze ausüben. Sie reagiert darauf durch verringerte Haltbarkeit der Blüten, oder in der Entwicklung weit vorgeschrittene Knospen öffnen sich nicht, sie werden gelb und fallen ab. Schließlich können auch Blütenknospen im ersten Stadium des Sichtbarwerdens in der Weiterentwicklung stagnieren und absterben. Wohlgemerkt können diese Erscheinungen eintreten, müssen es aber nicht in jedem Fall. Die Ursache ist meist in verringertem Lichteinfluß gegenüber dem vorherigen Standort zu suchen. Mögliche Fehlerquellen sind auch zu hohe oder zu niedrige Temperaturen, verminderte Luftfeuchtigkeit oder starke Trockenheit des Substrates – insgesamt eine einschneidende Veränderung gegenüber den bisherigen Standortbedingungen. Der Wunsch, Pflanzen in dem Stadium zu erwerben, in dem man seine Pfleglinge einmal als höchstes Ziel zu sehen wünscht, ist durchaus begreiflich. Bei einer Überleitung in Zimmerpflege bestehen – wie erörtert – jedoch Bedenken, weniger aber bei einem Übergang in Pflanzenfenster oder Vitrinen. Fast kein Risiko ist zu erwarten bei Übernahme in ein Gewächshaus von mehr oder weniger großem Umfang. Insgesamt aber ist es unbedenklich, knospige oder blühende Pflanzen zu kaufen, wenn genügend Licht verfügbar ist.

Auf jeden Fall sicher ist es Pflanzen zu kaufen, die noch ruhend oder im Beginn des Neutriebes sind. Sie können sich an die neuen Umweltbedingungen sehr viel leichter anpassen und in sie hineinwachsen. Die Knospenentwicklung wird dann sicherer sein, vorausgesetzt natürlich, daß die Bedingungen hierzu vorhanden sind, beziehungsweise die Pflanze überhaupt in blühfähigem Alter ist. Der erfahrene Pfleger wird auch die Gelegenheit, Jungpflanzen kaufen zu können, ausnutzen, um mit geringen Mitteln seine Sammlung zu vergrößern. Die dann auf Jahre ausgedehnte Entwicklungszeit bis zu blühfähiger Größe muß allerdings in Kauf genommen werden. Über die Pflege ist im Abschnitt „Generative Vermehrung" Näheres nachzulesen. So kann man seltenere Arten oder Variationen erwerben, die als erwachsene Pflanzen relativ teuer sein können. Beim Erscheinen der ersten Blüten von gekauften Jungpflanzen neuer Hybriden erlebt man die Hoffnung und Erwartung des Züchters mit und ist eingegliedert in eine schöpferische Entwicklung, wie sie die Arbeit des Züchters unzweifelhaft darstellt.

Damit sind wir bei einem Teil unserer Betrachtungen angelangt, der eingehender Erörterungen bedarf. Bisher war bevorzugt von Arten die Rede, also von Pflanzen, wie sie die natürliche Evolution geschaffen hat und wie sie am heimatlichen Standort zu finden sind. Schon in der Natur findet man Variationen, die durch die geschlechtliche Vereinigung zweier Arten entstanden – die sogenannten Naturhybriden. Diese Vereinigung ist aber nur möglich bei gleichzeitiger Blüte in naher Nachbarschaft. Da die Bestäubung der Orchideen ausschließlich durch Insekten erfolgt, sind einer Fremdbestäubung auf weite Entfernungen und bei unterschiedlicher Blütezeit Grenzen gesetzt. Diese Grenzen überwindet Menschenwille und Menschengeist durch die gemeinsame Pflege von Gattungen und Arten auf engstem Raum, die in der Natur räumlich weit voneinander getrennt sind. Durch Konservierung des Pollens, der auf Monate hinaus aktiv bleibt, wird auch die differenzierte Blütezeit überwunden. Die entstehenden Bastarde (dieses unschöne Wort muß hier einmal gebraucht werden) können nun bestimmte Eigenschaften der Eltern vereint aufweisen und in vieler Hinsicht weitgehend verändert sein. Ihr Wert für den Berufsgärtner ist unbestritten, da in der Steigerung beispielsweise der Blütengröße, mit der Veränderung der Farbe oder Blütezeit erheblicher wirtschaftlicher Nutzen entstehen kann. Der Botaniker schätzt Hybriden aus bestimmten Erwägungen heraus weniger. Der Orchideenfreund wird sich nach dieser oder jener Richtung hin orientieren. Unverkennbar ist jedoch der Reiz, der in dem Bemühen liegt, die Erscheinungsformen der Natur zu verändern, die bestehenden Gesetzmäßigkeiten in der Vererbung kennenzulernen, aber auch die Grenzen festzustellen, welche die Natur gezogen hat. Die Auffassung, Hybriden seien weniger widerstandsfähig, ist unzutreffend. Im Gegenteil kann oft eine Steigerung positiver Eigenschaften festgestellt werden – wie z.B. erhöhte Wuchsfreudigkeit und sicheres Blühen.

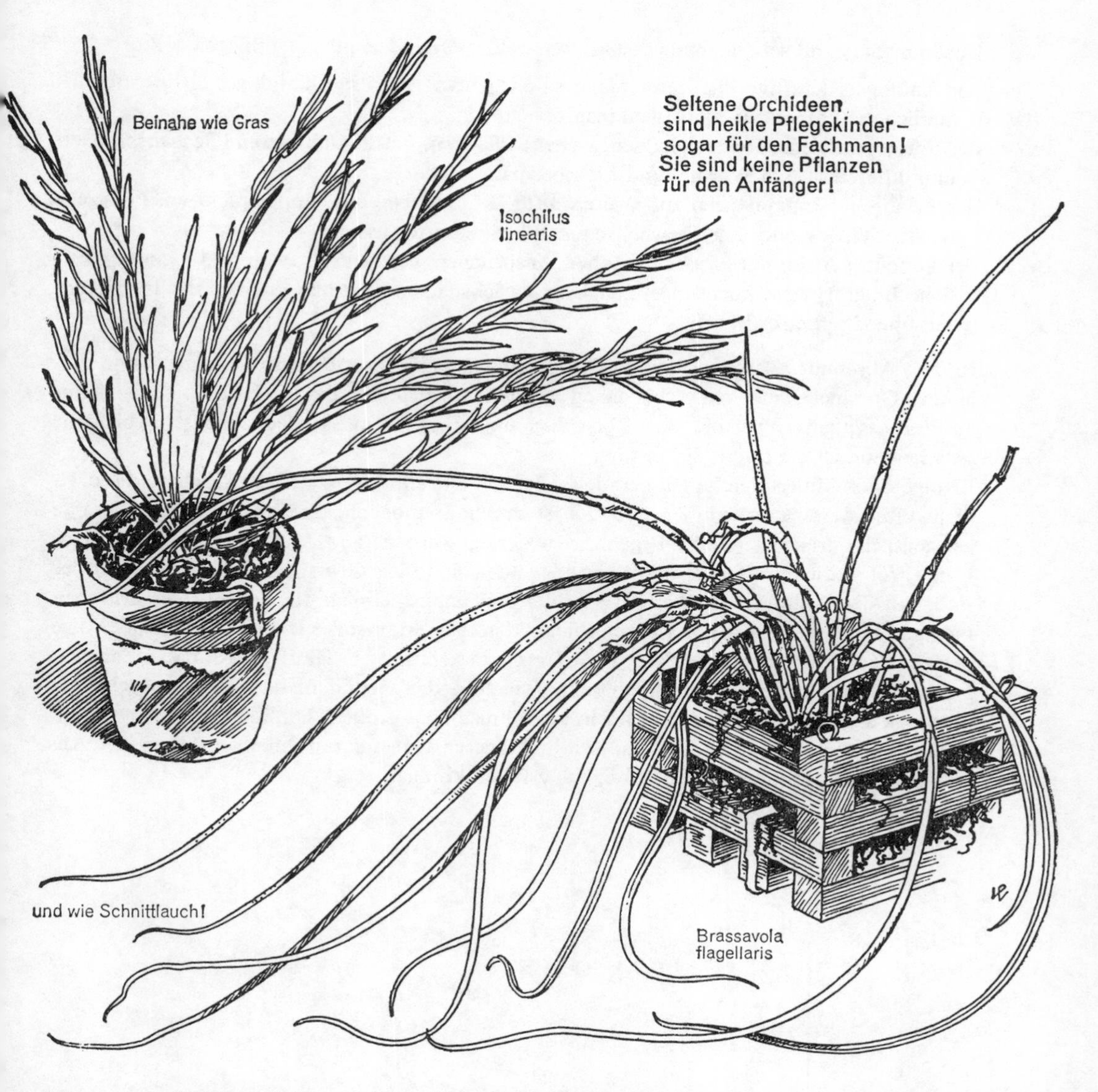

Ein weiterer Ausbau, eine Vervollständigung bestehender Orchideensammlungen kann auch durch den Erwerb von Importpflanzen erfolgen. Für den Anfänger scheidet eine solche Möglichkeit aus. Die Eingewöhnung dieser, aus ihrer Umwelt mit Gewalt herausgerissenen Pflanzen bedarf besonderer Aufmerksamkeit und Erfahrung. Über ihre Behandlung wird in dem entsprechendem Abschnitt eingehend berichtet. Früher war der Import von Orchideen verlustreich, die Pflanzen kamen durch die lange Reise sehr geschwächt in Europa an und erholten sich nur langsam. Das über die ganze Welt verbreitete Luftfahrtnetz ermöglicht jetzt einen raschen Transport und damit eine relativ gute Beschaffenheit der Pflanzen beim Eintreffen am Bestimmungsort. Die mit dem Fachausdruck „Etablierung" bezeichnete Eingewöhnung in die neuen Umweltbedingungen wird dadurch günstiger.

Zusammenfassend sei nochmals gesagt, wer welche Orchideenpflanzen pflegen sollte:

der Anfänger: Kräftige Pflanzen einfach zu pflegender Arten in blühfähiger Größe mit einheitlichen Temperatur- und Lichtansprüchen.

der Fortgeschrittene: Jüngere, halbentwickelte Pflanzen, Arten mit höheren Pflegeansprüchen und differenziertem Wärme- und Lichtbedarf.

der Erfahrene: Jungpflanzen zur Weiterkultur, Rückbulben und Importpflanzen. Pflanzenfenster, Vitrine oder Kleingewächshaus unbedingt erforderlich.

der Perfekte: Arten mit besonders hohen Ansprüchen, eigene Aussaaten und kleinste käufliche Jungpflanzen. Züchtungsversuche. Gewächshaus oder große Vitrinen mit Regeltechnik unbedingt erforderlich.

In dem Abschnitt „Beschreibung der wichtigsten Orchideengattungen und -arten" sind diejenigen Orchideen verzeichnet, bei denen Aussicht auf Erfolg in der Pflege unter den genannten Voraussetzungen besteht. Alle Ratschläge und Hinweise müssen jedoch einseitig bleiben; entscheidend ist die eigene Erfahrung.

Erfolge oder Mißerfolge haben gerade in der Orchideenpflege vielerlei Ursachen, die u. U. nicht ohne weiteres erkennbar sind. Es ist durchaus möglich, daß manches hier Gesagte gelegentlich durch gegenteilige Ergebnisse widerlegt werden kann. Man erlebt unwahrscheinliche Erfolge, die ohne jegliches Mühen enstanden sind. Das Gegenteil ist leider häufiger der Fall. Für den Anfänger sind teilweise Mißerfolge unausbleiblich, für den Fortgeschrittenen möglich und selbst für den perfekten Pfleger denkbar. Man sollte jedoch solche Mißerfolge nicht einfach hinnehmen, sondern ihren Ursachen nachspüren. Häufig wird man zu der Erkenntnis kommen, daß neben Behandlungsfehlern der Grund in der Wahl ungeeigneter Arten zu suchen ist. Orchideen sind in verhältnismäßig großem Umfang anpassungsfähig; es gibt jedoch auch hierin Grenzen. Erst im längeren Umgang mit ihnen wird man ihre Ansprüche sicher erkennen und bestmöglich erfüllen können.

1 Phalaenopsis Amphytrion; **2** Ph. equestris; **3** Ph. mannii; **4** Doritaenopsis Little Gem; **5** Doritis pulcherrima var. buyssoniana; **6** Phalaenopsis lueddemanniana var. hieroglyphica

1 Einseitiges Haus eines Orchideenliebhabers; **2** Unterbringung während des Sommers auf dem Balkon; **3** Pflanzenfenster vor der Besetzung mit Pflanzen; **4** Dasselbe bepflanzt und eingerichtet

DIE UNTERBRINGUNG

Für die Unterbringung kommen die nachstehenden Orte in Betracht, die vom einfachsten bis zum günstigsten nacheinander genannt sind. Es ist allerdings nicht gesagt, daß der Erfolg mit zunehmender Perfektionierung der technischen Einrichtungen unter allen Umständen gesichert ist. Auch eine vollautomatische Steuerung der Temperatur, des Lichtes und der Feuchtigkeit bietet noch nicht die Gewähr für einen größeren Erfolg als bei direkter Zimmerpflege. Entscheidend ist die individuelle Betreuung der Pflanzen, das Eingehen auf die differenzierten Ansprüche der Gattungen und Arten und ihre richtige Wahl.
Zur Unterbringung sind möglich:

die Fensterbank
die Pflanzenvitrine
das Pflanzenfenster
das Kleingewächshaus

Die nachfolgenden Ausführungen und Vorschläge können im allgemeinen nur das Grundsätzliche erfassen. Aus ihnen muß man das Geeignete für die jeweiligen räumlichen Verhältnisse ableiten, die sehr verschieden sein können.

Extreme klimatische Zimmerverhältnisse

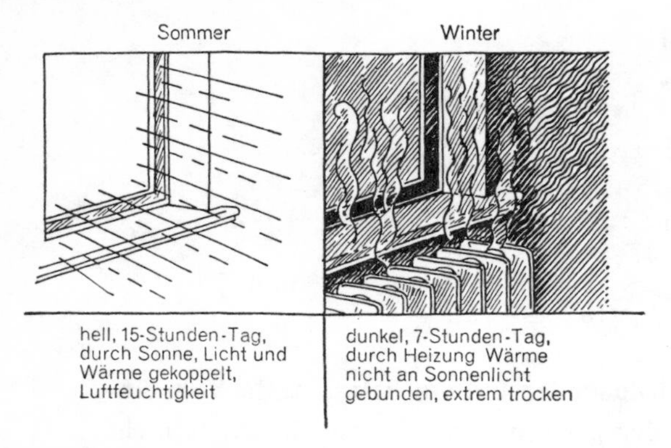

Lichtverhältnisse in einem Zimmer des 1. Stockwerkes in Prozent des Außenlichtes. Das SO-Fenster hat in 20 m Entfernung ein niedriges graues Haus gegenüber, das NO-Fenster ist frei.

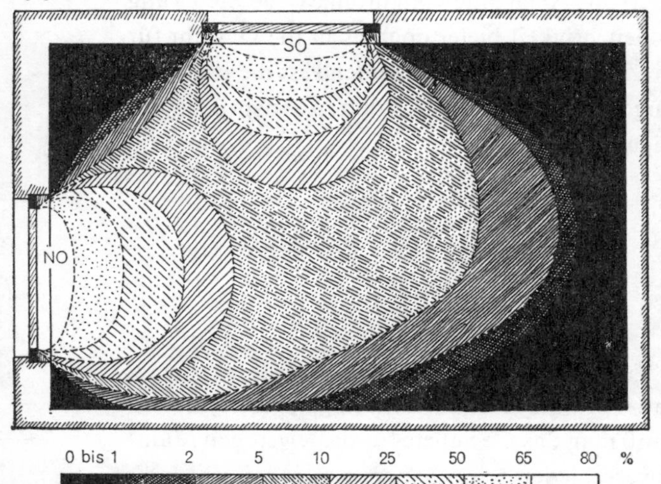

Beleuchtungsstärke 1 m über dem Fußboden gemessen. Zimmer 4,20×6,40 m, Fensterhöhe 1,50 m, Fensterbreite 2,0 m

Das Fenster mit Orchideen bleibt Behelf!

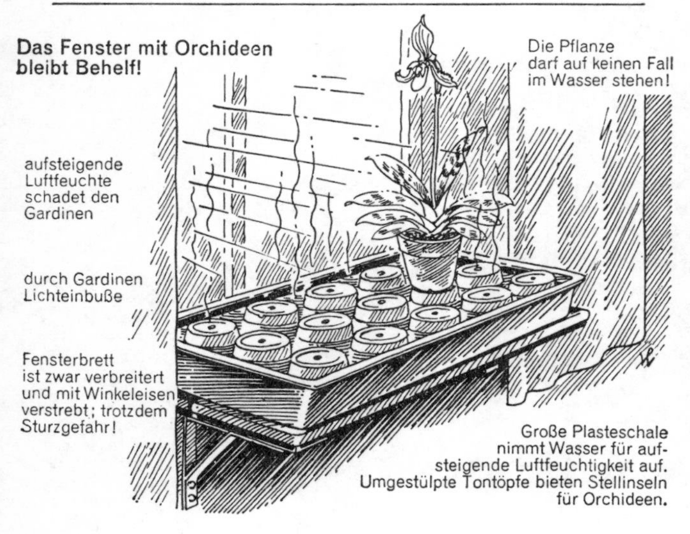

Die Fensterbank

Maßgeblich für die Pflege auf der Fensterbank ist die Himmelsrichtung des Fensters. Geeignet sind Ost, Südost, Südwest und West. Reine Südlage erfordert in der heißesten Tageszeit eine Beschattung von verschieden langer Dauer je nach Jahreszeit und geographischer Lage. Diese Beschattung kann auch bei Südost-, Südwest- und Westrichtung des Fensters erforderlich sein, wenn kein Baumschatten vorhanden ist, der bei reiner Südlage besonders ausreichend sein muß. Da sich auch für das spezielle Pflanzenfenster gleiche Notwendigkeiten der Beschattung ergeben, sind die Angaben ausführlicher gehalten.

Eine Markise vor dem Fenster verhindert direkte Sonnenneinwirkung, gibt aber sehr reichlich indirektes Licht und ist damit sehr günstig für das Pflanzenwachstum. Die früher weit verbreiteten Jalousien sind neuerdings wieder aufgekommen. Sie bestehen jetzt aus Leichtmetall-Lamellen mit reflektierender Wirkung. Sie sind brauchbar, doch nehmen sie zuviel Platz am Fenster weg und sind deshalb nur bedingt zu empfehlen. Außen angebrachte Fensterläden mit eingesetzten Lamellen seien nur als Notbehelf erwähnt.

Eine Verbreiterung des Fensterbrettes wird meist erforderlich sein, um den Pflanzen einigermaßen Raum zu geben. Mindestens in der kalten Jahreszeit dürfen sie nicht zu nahe am Glas stehen, damit Erkältungen oder direkte Frostschäden nicht entstehen. Um aufsteigende Feuchtigkeit zu erzielen, welche die meisten Orchideen lieben, beschafft man sich flache Schalen aus wasserdichtem Material, wie Plaste, Glas und Steingut. In diese mit Wasser gefüllten Behälter stellt man auf umgedrehte

Blumentöpfe die Pflanzen möglichst so, daß sie lückenlos nebeneinanderstehen. Diese enge Gemeinschaft erzielt schon eine höhere Luftfeuchtigkeit innerhalb des Bestandes und ist deshalb günstiger als weiter Stand. Geteilt sind die Meinungen über das häufige Besprühen. Die Pflanzen trocknen in der feuchtigkeitsarmen Zimmerluft sehr rasch wieder ab, so daß eine positive Auswirkung fraglich erscheint. Der Hauptwert liegt in einem gleichmäßiger feucht erhaltenen Pflanzstoff, weniger in einer direkten Einwirkung auf die Pflanzen. Manche Zimmergärtner berichten, daß sie auch ohne Besprühen gute Erfolge erzielen. Über diese Pflegemaßnahme ist also individuell zu entscheiden. Wenn nicht durch Unachtsamkeit der Pflanzstoff zu feucht wird, schadet das Besprühen nicht; es kann nur nützlich sein. Problematisch ist es aber in anderer Weise auf jeden Fall. Fast unvermeidlich bekommt die Umgebung der Pflanzen – also Fensterscheiben, Gardinen, Möbel und Fußboden – Wasser mit ab, und damit macht sich der Pfleger unbeliebt; Schäden sind oft unvermeidlich.

Die Pflanzen stehen unmittelbar unter dem Einfluß des Wohnklimas; damit muß die Anzahl geeigneter Arten beschränkt bleiben. Theoretisch ist anzunehmen, daß besonders Orchideen aus Gebieten mit mäßiger Luftfeuchtigkeit zusagende Bedingungen finden. Diese Arten unterliegen jedoch einer ausgedehnteren Ruhezeit bei relativ niedrigen Temperaturen. Solche Ansprüche stehen im Gegensatz zu den Verhältnissen eines bewohnten Zimmers, das im Winter – also in der Ruhezeit der Pflanzen – Durchschnittstemperaturen von +20°C aufweist. Auch wenn die Temperaturen in unmittelbarer Nähe des Fensters etwas nied-

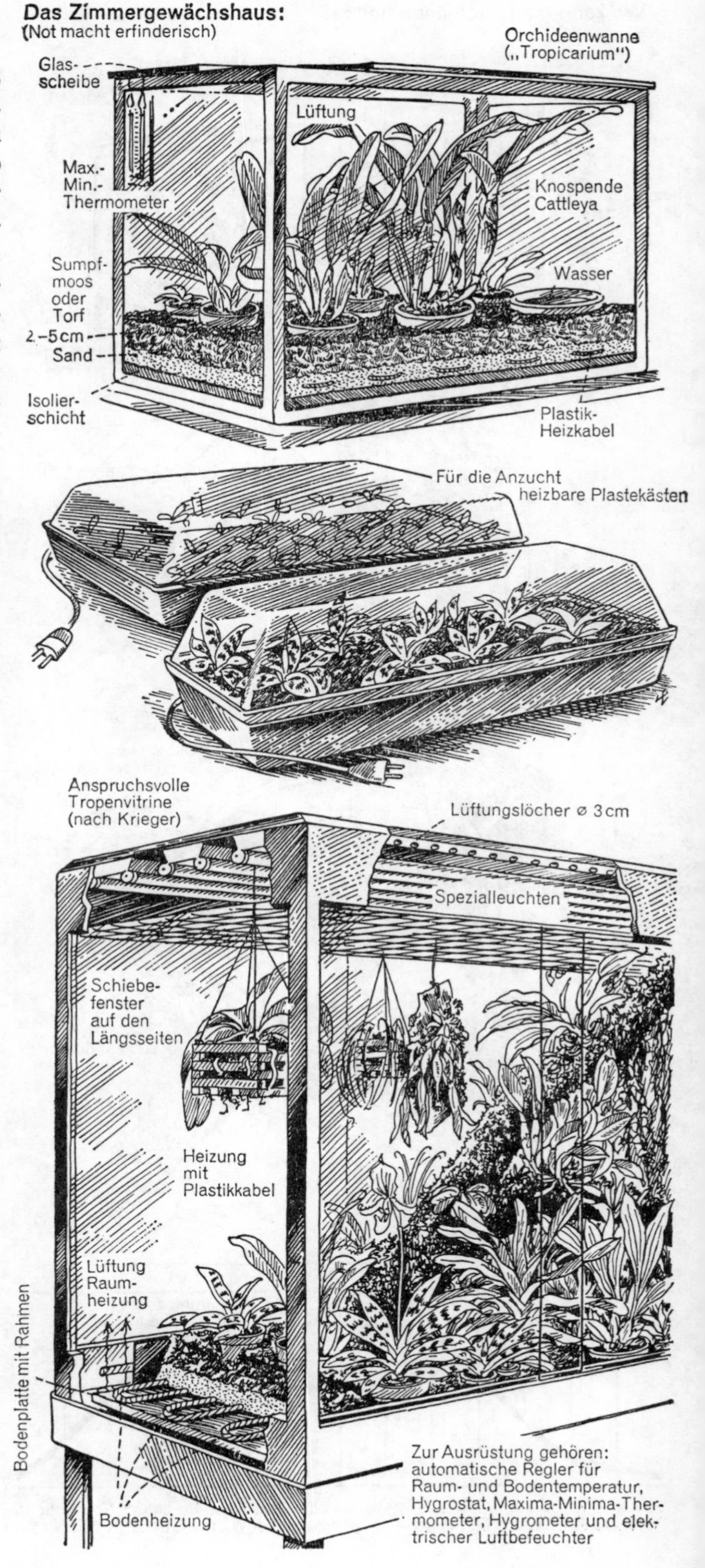

Wo kann man Orchideen halten?

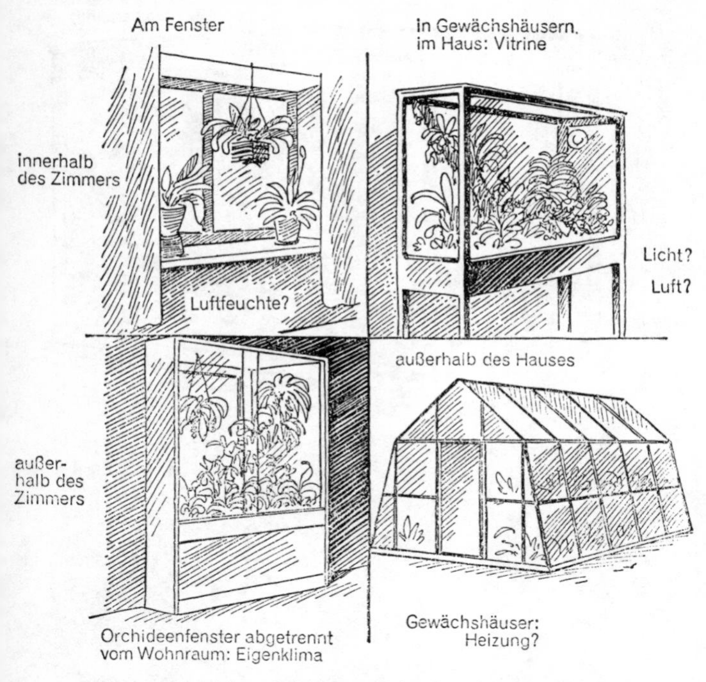

Nach welcher Himmelsrichtung soll das Orchideenfenster liegen?

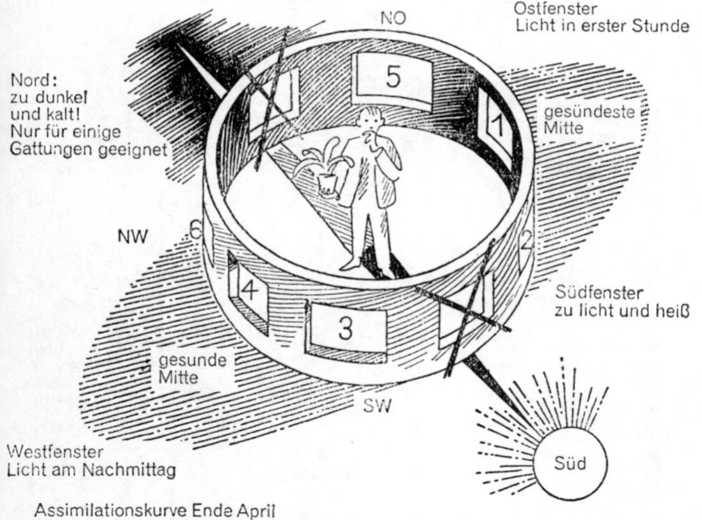

Assimilationskurve Ende April

6.00 9.00 12.00 15.00 18.00

Höhepunkt erreicht

Verdunstung zu groß Assimilation gedrosselt

Vom Morgen bis kurz vor Mittag ist die höchste Produktion durch das Sonnenlicht. Der frühe Nachmittag fällt dagegen wegen zu großer Wärme oft aus (12.00 bis 15.00)

riger liegen, wäre eine Unterbringung in einem kühleren Raum von etwa +12°C erforderlich. Die Wärme ist also in diesem Falle der bestimmende Faktor. Bei der üblichen Lüftung eines Raumes durch Öffnen der Fenster sind die Pflanzen vor direkter Zugluft zu schützen. Sie kann verderblich wirken, besonders bei niedrigen Außentemperaturen. Bei der Zimmerkultur von Orchideen können die Gardinen problematisch sein. Die Hausfrau wird sich kaum von ihnen trennen wollen, obwohl sie für die Pflege der Pflanzen hinderlich sind. Auf jeden Fall sind sie als Temperaturbremse zu betrachten, was sich negativ auswirken muß. Allerdings kann auch eine Abschirmung allzu hoher Zimmerwärme zeitweise gewisse Vorteile erbringen, wenn es sich um kühler zu haltende oder in Ruhezeit befindliche Pflanzen handelt.

Eine zusätzliche Belichtung mit Leuchtstoffröhren fördert das Wachstum wesentlich. Sie ermöglicht für viele Orchideen erst das Gedeihen im Zimmer. Die Voraussetzungen für die Installation und Anwendung sind die gleichen wie für Pflanzenfenster und dort eingehend beschrieben.

Die Pflanzenvitrine

Pflanzen – insbesondere Orchideen – werden bei der Pflege im Zimmer der besseren Bedingungen wegen oft in geschlossenen Behältern gehalten. Man wünscht damit die schädlichen Einwirkungen des Wohnklimas – wie zu trokkene Luft, überhöhte Wärme, Tabakrauch und Staubablagerung – von den Pflanzen fernzuhalten. Nicht immer ist die Einrichtung eines Pflanzenfensters möglich oder erwünscht. Allseitig verglaste Behälter stellen eine Zwischenlösung dar. Wie man sie benennen möchte, sei dahingestellt. Pflanzenvitrinen ist richtig; Tropicarium klingt etwas anspruchsvoller und setzt die Gemeinschaft vieler Tropenpflanzen – u.U. sogar als Biotop – voraus. Der Größe ist weiter Spielraum gesetzt; von kleinen Behältern bis zu solchen von umfangreichen Ausmaßen ist alles möglich. Sie sind nicht genormt käuflich zu haben; der Ideenreichtum von Bastlern kann sich hier entfalten. Da diese Behälter meist verhältnismäßig wenig Tageslicht erhalten, ist ausreichende Beleuchtung wichtigstes Erfordernis. Ebenso bedeutungsvoll ist die Belüftung, da aus dem Zusammenwirken von Wärme und Feuchtigkeit auf kleinem Raum eine dumpfige Atmosphäre entsteht, welche den wenigsten Orchideen zuträglich ist.

Größere Vitrinen können bestimmend für die Wirkung eines Zimmers sein, u.U. einem Möbelstück gleichgestellt werden, sofern die handwerkliche Verarbeitung des Materials gut ist. An die Möglichkeit, sie als raumteilendes Objekt zu verwenden, sei hier nur am Rande erinnert. Allerdings sind dann die Ansprüche an die rein ästhetische Wirkung weitaus größer. Orchideen sind in nichtblühendem Zustand ziemlich schmucklos, also müßten dann andere Pflanzen zur Ergänzung dienen, die entsprechend wirken. Man strebt Vitrinen an, in welchen die erforderlichen Umweltfaktoren automatisch regelbar sind. Damit könnte auch eine längere Abwesenheit des Pflegers beispielsweise in der Urlaubszeit gefahrlos überbrückt werden. Bedingung ist jedoch dann, daß der Pflanzenbestand auf ziemlich einheitliche Ansprüche abgestimmt ist. Viele der Probleme einer Vitrine sind denen des Pflanzenfensters gleich und werden nachstehend erörtert.

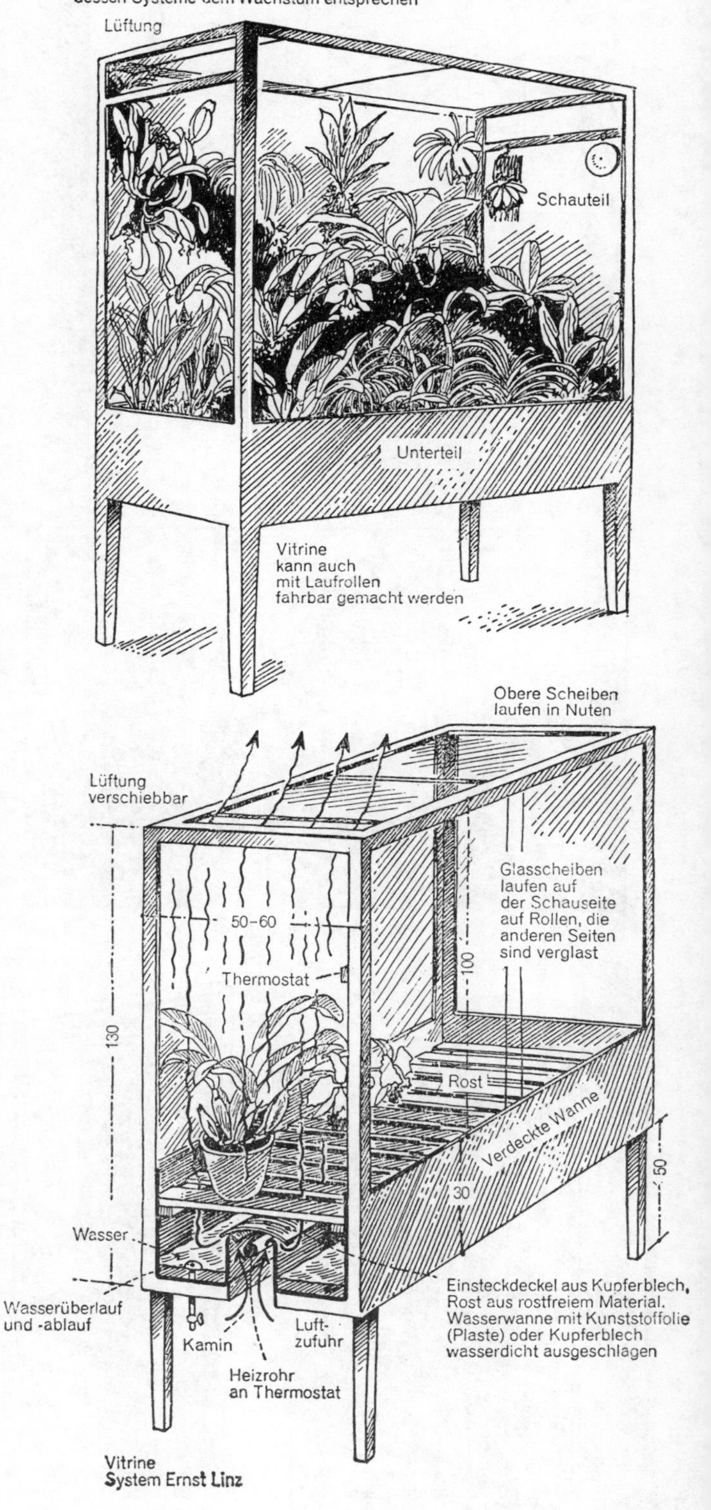

Vitrine System Ernst Linz

150
und mehr

30–60

Beim Orchideenfenster
kommt es auf den Blickwinkel an!
Fensterbreite mindestens 1,20 m

Nicht jedes „Pflanzenbild" läßt sich ausführen!

Am besten, man läßt sich vom Fachmann beraten!

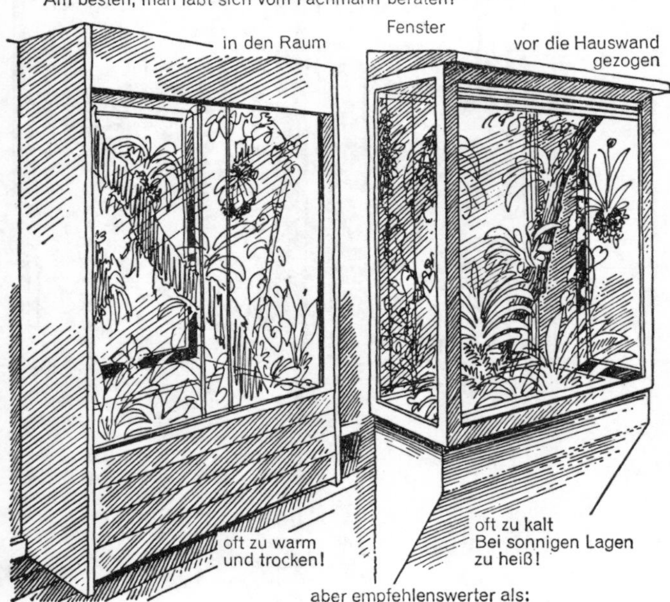

Das Pflanzenfenster

Die Einrichtung und Besetzung eines Pflanzenfensters erfordert ein gewisses Maß von Kenntnissen, wenn es ein Freudenquell bleiben soll. Maßgeblich bestimmend für den Erfolg ist die technische Einrichtung. Der Begriff „Pflanzenfenster" ist sehr variabel und schwierig zu begrenzen. Sofern in Neubauten Pflanzenfenster eingebaut werden, sind sie genormt, können jedoch innerhalb der einzelnen Bauvorhaben schon verschieden sein. Werden sie nachträglich eingebaut, so richtet sich Form und Größe nach den vorhandenen baulichen Verhältnissen. Dann reicht der Begriff vom einfachen Kastenfenster bis zur ebenerdigen Pflanzenwanne hinter Glasscheiben in voller Raumhöhe. Vor allem sollen Pflanzenfenster den Bedürfnissen der Pflanzen entsprechen, natürlich auch einer dem Aufwand entsprechenden Schmuckwirkung nicht entbehren.

Die verschiedenen Arten von Pflanzenfenstern kann man in zwei Gruppen einteilen. Die einfachste Form ist das nach dem Zimmer zu offene Fenster, jedoch mit größerer Breite und Tiefe gegenüber der üblichen Art. Es ist die heute häufigste Form und gibt eine unmittelbare Verbindung zu den darin untergebrachten Pflanzen. Für die Orchideenpflege ist es jedoch weniger angebracht, da die ungünstigen Faktoren des Wohnklimas noch voll wirksam sind.

Dieser Nachteil entfällt bei den allseits geschlossenen Pflanzenfenstern. Sie haben ein gewisses Eigenklima, welches regelbar ist. Der Abschluß erfolgt durch normale Drehfenster oder durch bewegliche Glasscheiben. Die durch Abschirmung der trockenen Zimmerluft erhöhte Luftfeuchte ist ein wesentlicher Faktor für die erfolgreiche Pflege von Orchideen. Allerdings wird gleichzeitig die Wärme abgeschirmt, und damit ergibt sich zwangsläufig die Notwendigkeit zusätzlicher Erwärmung, mindestens in der kälteren Jahreszeit.

Die Ausmaße – an sich beliebig – sollen jedoch 1 m Breite nicht unterschreiten; je größer die Maße, um so höher die Wirkung. Eine Mindesthöhe von 1,20 ist erforderlich, um auch größere Pflanzen unterbringen zu können. Die Brüstungshöhe des Fensters liegt bei nachträglichem Einbau fest, kann bei Neubauten jedoch wunschgemäß angeordnet werden, wenn nicht baupolizeiliche Bestimmungen entgegenwirken. Allgemein sollten die meisten Pflanzen wenig über Augenhöhe im Sitzen untergebracht sein, was eine Brüstungshöhe von maximal 70 cm ergibt; 50 bis 60 cm sind jedoch besser. Dann ist eine gewisse Aufsicht auf einen Teil der Pflanzen möglich, was schon für die Ermittlung der richtigen Feuchtigkeit günstig erscheint. Wenn ein Pflanzenfenster bevorzugt mit Orchideen besetzt ist, werden diese jedoch nicht nur die Bodenfläche einnehmen, wie dies bei anderen Gewächsen meist üblich ist. Allein um die innerhalb der Höhe des Fensters differenzierten Temperaturen auszunutzen, wird man Pflanzen seitlich und von oben herunter hängen lassen. Damit kann man auch die unterschiedliche Lichteinwirkung, den Bedürfnissen der Pflanzen entsprechend, ausnützen. Der Einbau von Zwischenböden ist nicht vorteilhaft. Selbst wenn dazu Glas verwendet wird, ist die Minderung der Lichteinwirkung so groß, daß mindestens die am weitesten unten stehenden Pflanzen infolge Lichtmangel Schaden nehmen müssen.

Bei der Planung eines Pflanzenfensters ist auch eine genügende Tiefe zu berücksichtigen. 30 bis 40 cm müssen es

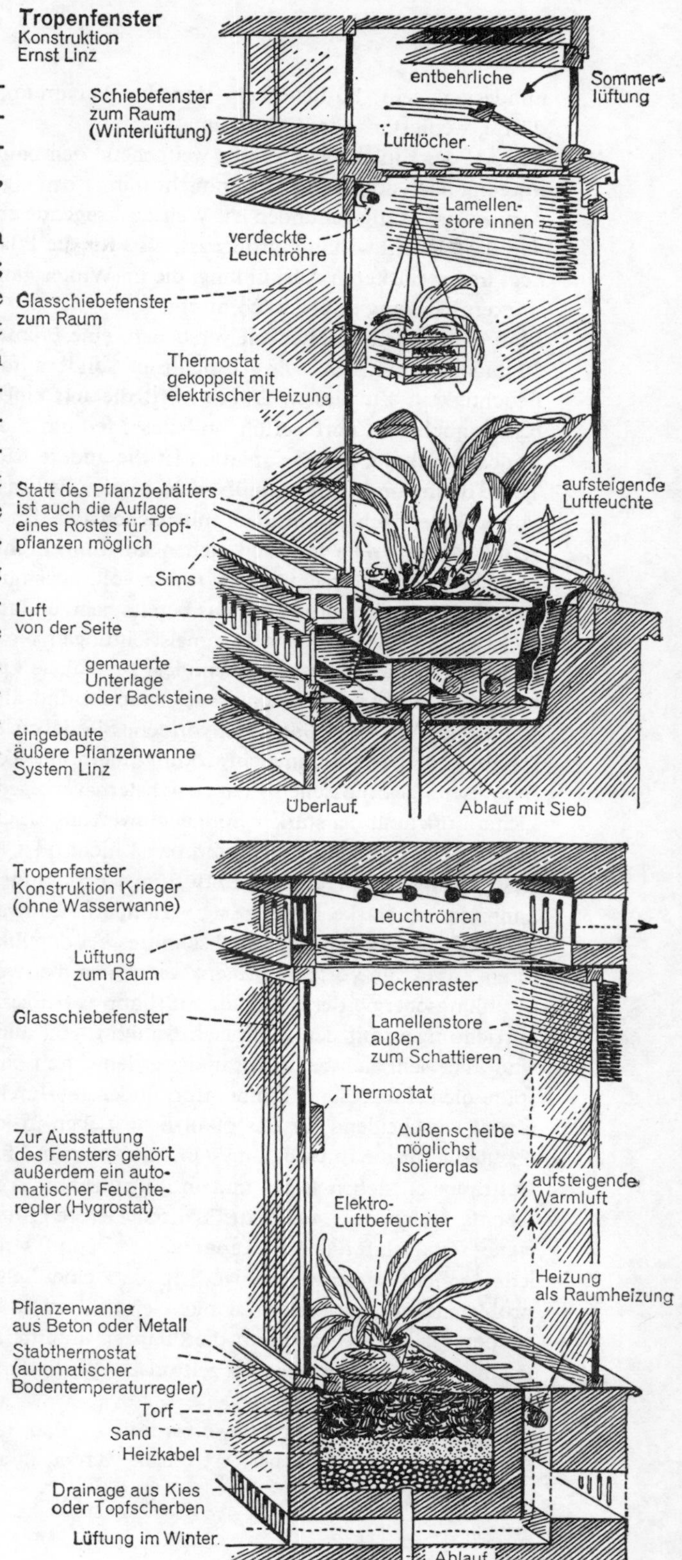

mindestens sein; 80 bis 90 cm sind das Maximum, welches allerdings selten vorkommen dürfte, wenigstens für Wohnräume.
Die Art des Einbaues unterliegt weitgehend den baulichen Gegebenheiten, so daß eine Auskragung nach außen oder innen nicht immer den eigenen Wünschen entsprechen kann, sondern zwangsläufig gebunden ist. Weit auskragende erkerartige Vorbauten haben den Vorteil, daß die Lichteinwirkung größer ist, also für die Pflanzen positiv. Ein bedeutender Nachteil liegt in der stärkeren Auskühlung, die im Winter ganz erheblich sein kann und entsprechend stärkere Heizung erforderlich macht.
Man sollte nach Möglichkeit versuchen, eine Pflanzenwanne einzubauen. Sie dient bei der Orchideenkultur nicht zum Auspflanzen, sondern im wesentlichen als Mittler für die richtige Feuchtigkeit. Zu diesem Zweck wird die mit einem Abfluß versehene Wanne mit Kies, besser noch mit Torf gefüllt und das Medium mehr oder weniger feucht gehalten. Eine Bodenbedeckung mit Steinplatten ist die andere Möglichkeit, doch brauchen die einzelnen Töpfe dann zum Auffangen überschüssigen Gießwassers entsprechende Untersetzer. Die gesamte Bodenfläche kann auch mit flachen Plastikschalen ausgestattet sein, die mit Wasser gefüllt werden. Die Pflanzen stehen auf umgedrehten Blumentöpfen. Diese Art der Aufstellung ist optisch nicht sehr wirkungsvoll, aber nützlich.
Für die Himmelsrichtung gilt das bereits beim einfachen Zimmerfenster Gesagte. Ergänzend sei erwähnt, daß auch die Himmelsrichtungen Nordwest, Nord und Nordost in Betracht kommen können. Dies gilt besonders für solche Orchideen, die in Nebelwaldregionen beheimatet sind, wie Odontoglossum crispum und ähnliche, sowie für sämtliche daraus entstandenen Art- und Gattungshybriden. Sie lieben eine gleichbleibend feucht-kühle Atmosphäre ohne durch Sonneneinwirkung überhöhte Temperaturen.
Bei allseits geschlossenen Pflanzenfenstern vergegenwärtige man sich stets, daß der relativ kleine Luftraum bei starker Sonneneinwirkung rasch überhitzt wird. Schäden an den Pflanzen sind dann unvermeidlich und meist nicht oder nur schwer zu beheben. Nur rechtzeitige Beschattung, Betätigung der Entlüftungsvorrichtung oder zeitweises Öffnen der Innenfenster kann eine zu starke Erwärmung verhindern. Die verschiedenen Beschattungsvorrichtungen sind schon zu Beginn dieses Abschnittes bei der Zimmerpflege erörtert worden. Sie erfüllen ihren Zweck am vorteilhaftesten, wenn sie außen vor dem Glas angebracht werden und die Strahlungsenergie der Sonne damit schon verringern. Häufig vermindern die Beschattungsvorrichtungen mit der Wärmeeinstrahlung von außen zugleich das Licht. Viele Orchideen sind aber sehr lichtbedürftig und werden durch zu starke Beschattung benachteiligt. Man sollte die erforderliche Temperaturminderung durch erhöhte Frischluftzufuhr herbeiführen. Sie ist entscheidend für das pflanzliche Leben in jeder Form; Sauerstoffmangel kann sehr nachteilig für die Entwicklung sein. Besonders in Pflanzenfenstern oder -vitrinen mit kleinem Luftraum entstehen leicht und in gutgemeinter Absicht überhöhte Temperatur und Luftfeuchte, welche u.U. rasch zu Pflanzenverlusten führen. Zur Luftbewegung und -erneuerung eignet sich Zuluft aus dem Raum oder Frischluft von außen oder beides kombiniert. Es kann jedoch nicht verschwiegen werden, daß eine Belüftung von außen in vielerlei Hinsicht problematisch und technisch nicht einfach zu lösen ist. Besonders muß darauf geachtet werden, daß nicht Außenluft die Pflanzen unmittelbar trifft. Meist muß die Zuluft aus dem Raum genügen, welche durch zeitweises Öffnen der normalen Zimmerfenster mit Sauerstoff angereichert wird.
Geschlossene Pflanzenfenster erfordern in der kalten Jahreszeit eine zusätzliche Erwärmung, die in verschiedener Art erzielt werden kann. Ideal ist es, Heizkörper der Zentral-

heizung einzubeziehen. Der von ihnen aufsteigende Luftstrom muß jedoch so abgeschirmt werden, daß er die Pflanzen nicht unmittelbar trifft und zu stark austrocknet. Andere Möglichkeiten der Beheizung bieten Heizkabel verschiedener Konstruktion und unterschiedlicher Ausmaße oder Eigenkonstruktionen verschiedenster Art. Für einen sehr kleinen Luftraum genügt eventuell auch die Erwärmung durch normale Glühlampen. Infrarotlampen scheiden aus, da sich bei ihnen nur die vom Licht getroffenen Objekte erwärmen, nicht aber der Luftraum.

Die Heizeinrichtungen können manuell nach Kontrolle des Thermometers reguliert oder aber durch Thermostat automatisch gesteuert werden. Voraussetzung bei technischer Überwachung ist jedoch unbedingt sicheres Funktionieren, weil sonst Schäden an den Pflanzen durch Über- oder Untertemperaturen entstehen können. Bei großen Pflanzenfenstern, Vitrinen und im Gewächshaus ist die Temperaturdifferenz innerhalb der Höhe des Raumes zu berücksichtigen. Das Kontrollthermometer sollte also etwa in Höhe der obersten Pflanzen angebracht sein. Besser noch ist der Einbau eines zweiten Thermometers im unteren Teil. Man wird Temperaturunterschiede in gewissen Grenzen ermitteln und sie den Anforderungen der Pflanzen entsprechend ausnützen.

Mindestens in den lichtärmeren Monaten ist eine zusätzliche Belichtung der Pflanzen erforderlich, um die zu geringe Intensität des Tageslichtes auszugleichen. Aber auch aus rein ästhetischen Erwägungen kann die Installation von Lichtquellen als Steigerung der dekorativen Wirkung eines Pflanzenfensters vorgenommen werden. Allerdings sind beide Gründe nur schwer zu ansprechender Wirkung vereinbar. Zur Förderung des Wachstums muß die Lichtquelle möglichst nahe der Pflanze sein. Infolge der ganz geringen Wärmeentwicklung von Leuchtstoffröhren besteht die Gefahr von Verbrennungen nicht, nur die Schauwirkung wird beeinträchtigt, da die reine Zweckmäßigkeit allzu deutlich hervortritt. Der Wunsch, ein Pflanzenfenster oder eine Vitrine zum beherrschenden Raumschmuck werden zu lassen, erfordert eine möglichst gleichmäßige Ausleuchtung der Fläche. Um beide vorgenannten Forderungen zu erfüllen, müssen je nach Größe mehrere Leuchtstoffröhren oben und seitlich installiert werden. Sie sind möglichst blendungsfrei anzubringen, was unschwer zu erreichen ist. Der zeitliche Einsatz richtet sich nach den örtlichen Verhältnissen und der Jahreszeit. Eine Belichtungsdauer von 6 bis 10 Stunden täglich ist in der gärtnerischen Praxis üblich. Eventuelle Überschreitungen – sofern sie in tragbaren Grenzen bleiben – sind keinesfalls für die Pflanzen gefährlich, wenn die erforderliche Nachtruhe garantiert ist. Normale Glühlampen sind billig anzuschaffen und zu installieren. Gegenüber Leuchtstoffröhren mit durchschnittlich 7500 Brennstunden beträgt aber ihre Lebensdauer nur etwa 1000 bei höherem Stromverbrauch und geringerer Wirkung. Die Ausleuchtung größerer Flächen ist schwieriger zu erreichen als mit stabförmigen Leuchtstoffröhren; auch ist die Wärmeentwicklung zu bedenken. Sie kann sich beim Einsatz vieler Lampen auf beschränktem Raum negativ für die Pflanzen auswirken.

Dieses englische Kleingewächshaus ist an eine Mauer angelehnt; das Dach ist verglast, die Seitenwände bestehen aus Kunststoffolie. Es wird elektrisch beheizt.

Baukastentyp, der auch breiter und länger gehandelt wird. Die Tür läuft auf Rollen in Laufschienen

Kleingewächshaus, das vom Haus aus und von außen betreten werden kann

Seriengewächshaus, das frontal ans Haus angeschlossen wird. In England und Amerika sind diese Gewächshausanbauten in Gartengrundstücken häufig anzutreffen.

Das Kleingewächshaus

Für die Pflege von Orchideen ist das Kleingewächshaus der günstigste Ort. Mit dieser Feststellung soll der Zimmergärtner nicht mutlos gemacht werden. Die Pflege im Pflanzenfenster oder in Vitrinen kann gleichgute Erfolge zeitigen. Es gibt jedoch bei jeder Liebhaberei ein letztes Wunschziel, und dies ist für Orchideen mehr als für andere Pflanzen das Kleingewächshaus. Der wesentlichste Vorteil ist das Oberlicht und damit die Möglichkeit, den Pflanzen weit höheren Lichtgenuß bieten zu können als bei seitlichem Lichteinfall im Pflanzenfenster. Günstiger ist auch der größere Luftraum und die damit leichtere Regulierbarkeit der Temperatur, Feuchtigkeit, Luftfeuchte und Lufterneuerung durch entsprechendes Lüften. Insgesamt bedeutet dies günstigere Lebensbedingungen für die Pflanzen. Die Wartung ist leichter, da eine Rücksichtnahme auf die Zimmereinrichtung in bezug auf Feuchtigkeit entfällt.

Solchen vielen Vorteilen stehen natürlich auch Nachteile gegenüber. Es liegt auf der Hand, daß die Einrichtung und der Unterhalt eines Kleingewächshauses kostspielig sind. Der Zeitaufwand für Wartung und Pflege ist größer. Diesem Umstand kommt besondere Bedeutung zu. Was beim Wunsch nach einem Kleingewächshaus nicht beachtet oder bagatellisiert wird – nämlich der erforderliche tägliche Zeitaufwand –, vermag später belastend zu werden. Sobald eine Leidenschaft mit Pflichten behaftet ist, kann sie sehr schnell abkühlen und erlöschen. Insbesondere ist bei diesen Pflichten an die erforderliche Wartung der Heizung im Winter gedacht. Sogar wenn das Gewächshaus an die Warmwasserheizung eines Wohnhauses angeschlossen ist, kann das Heizen noch problematisch sein.

In der Regel wird die Beheizung bewohnter Räume nachts und in den frühen Morgenstunden wesentlich reduziert. Dies ist aber nur in gewissen Grenzen für das Gewächshaus tragbar, muß also bei der Regulierung der Heizungsanlage berücksichtigt werden. Eine elektrische Beheizung – ideal weil am leichtesten automatisch steuerbar – wird im Dauerbetrieb zu teuer und kann nur für die Übergangszeiten oder als Reserve in Betracht kommen. Diese Erwägungen seien den folgenden Ausführungen vorangestellt.

Zwei Möglichkeiten der Pflege im Kleingewächshaus bestehen; sie sind ausschlaggebend für die Planung und die Wahl des Platzes:

a) Unterbringung der Pflanzen nur während der wärmeren Jahreszeit, also etwa Mai bis Ende September,
b) Dauerbesetzung.

Bei vorübergehender Benutzung ist die Lage des Kleingewächshauses eigentlich nur von der Himmelsrichtung abhängig. Daß es sich möglichst nahe der Wohnung befinden soll, ist wohl wegen der erforderlichen Betreuung der Pflanzen eine Selbstverständlichkeit. Eine Heizanlage ist nicht nötig. Sie ist nur dann erforderlich, wenn sehr wärmebedürftige Orchideen vorhanden sind, denen gelegentliche Schlechtwetterperioden oder starke Temperaturgegensätze, wie sie oft im Anschluß an Gewitter zu verzeichnen sind, gefährlich werden können. Für kühler zu haltende

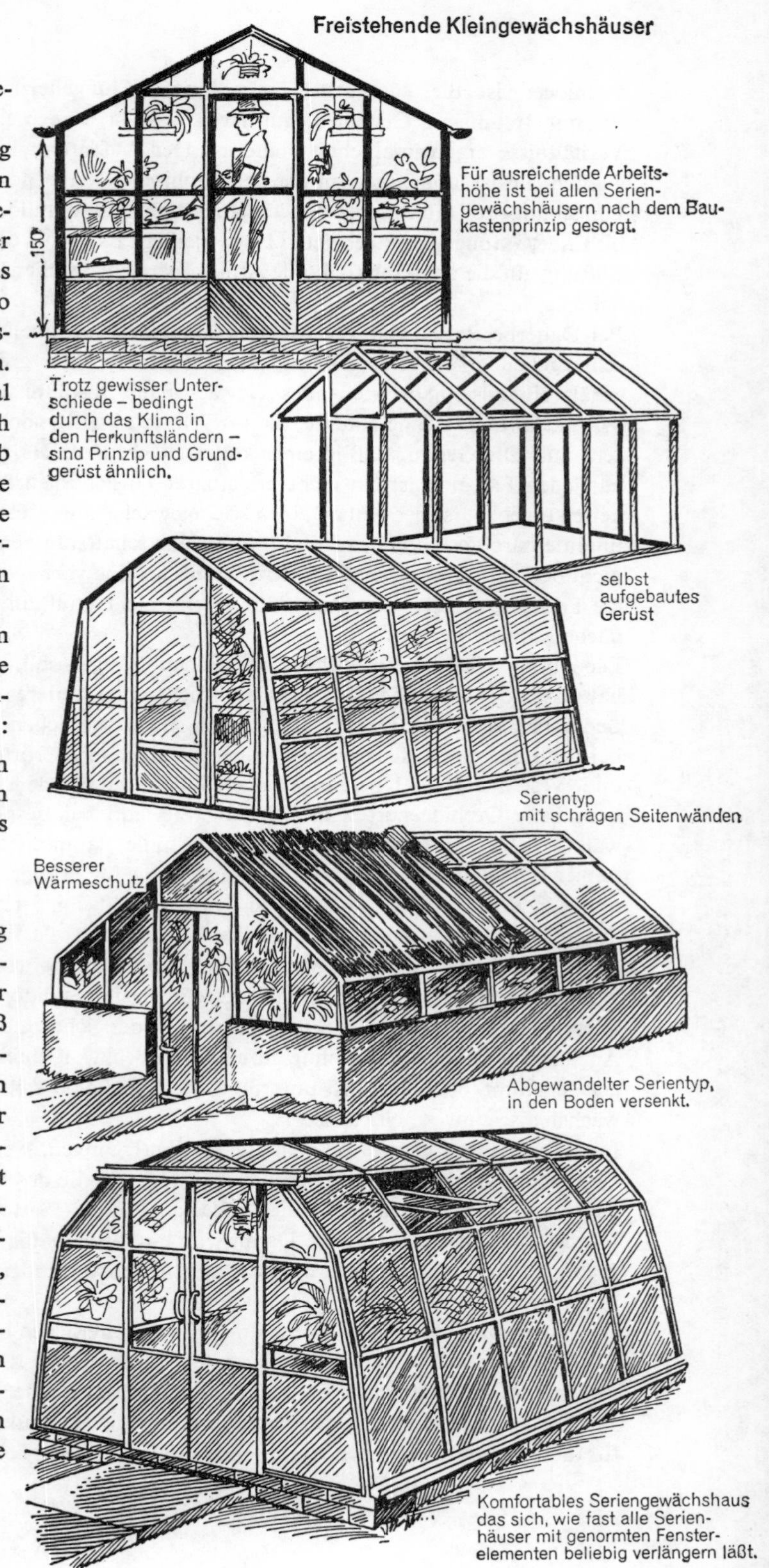

Für ausreichende Arbeitshöhe ist bei allen Seriengewächshäusern nach dem Baukastenprinzip gesorgt.

Trotz gewisser Unterschiede – bedingt durch das Klima in den Herkunftsländern – sind Prinzip und Grundgerüst ähnlich.

selbst aufgebautes Gerüst

Serientyp mit schrägen Seitenwänden

Besserer Wärmeschutz

Abgewandelter Serientyp, in den Boden versenkt.

Komfortables Seriengewächshaus das sich, wie fast alle Serienhäuser mit genormten Fensterelementen beliebig verlängern läßt.

Orchideen ist die nächtliche Taubildung im ungeheizten Glashaus eine Wohltat, die sie mit freudigem Gedeihen quittieren. Es ist eine weitgehende Angleichung an die Verhältnisse am heimatlichen Standort. Der Aufenthalt kann ziemlich lange ausgedehnt werden. Er ist abhängig von der geographischen Lage des Ortes, seinem Klima und der Umgebung des Glashauses. Bei einem schönen und milden Herbst können die Pflanzen bis Ende Oktober im ungeheizten Haus bleiben. Es ist nur erforderlich, die Feuchtigkeit und Lüftung auf die dann relativ kühle Atmosphäre einzustellen, also eher trocken als zu naß zu halten.

Bei Dauerbesetzung sind die Möglichkeiten einer rationellen und sicheren Beheizung ausschlaggebender als andere Erwägungen. Erst mit einer größeren überbauten Grundfläche erhält ein allseitig freistehendes Gewächshaus absolute Sicherheit in der erforderlichen Wärmehaltung. Kleine Räume, die im Winter allseitig von Kälte umgeben sind, kühlen zu sehr aus. Die Gefahr, daß in einer kalten Nacht trotz Heizung alles einfriert, besteht dann auf jeden Fall und ist ein nichtvertretbarer Unsicherheitsfaktor. Sofern sich die Möglichkeiten ergeben, ist der Anbau eines Kleingewächshauses an das Wohnhaus vorteilhaft. Eine unmittelbare Verbindung zu Wohn- oder Wirtschaftsräumen ist wünschenswert, muß jedoch nicht Bedingung sein. Ideal ist der Anschluß an eine vorhandene Warmwasserheizung, sofern die Leistung des Kessels dies zuläßt. Wenn nicht, muß an eine Vergrößerung seiner Heizfläche gedacht werden.

Die Himmelsrichtung, in welcher der Anbau erfolgen soll, ist meist von den baulichen Verhältnissen des Gebäudes festgelegt und nicht ohne weiteres den Anforderungen nach besten Bedingungen für die Pflanzen anzupassen. Im wesentlichen gelten alle Voraussetzungen, die bei der Lage eines Pflanzenfensters bereits eingehend erörtert wurden. Günstig sind Osten und Westen mit den Übergängen nach Süden und Norden. Reine Nordlage kommt nur für bestimmte Orchideenarten in Betracht. Sie sind bei Besprechung der Pflanzenfenster erwähnt. Schwierig ist die direkte Südlage ohne Baumschatten. Gute Beschattungsvorrichtungen sind dann die allererste Voraussetzung für erfolgreiche Pflege, sonst ist die Erwärmung in der warmen Jahreszeit zu stark. Großflächige Hauswände in Süd- bis Westlage, denen das Gewächshaus angebaut ist, können sich als Wärmefang ungünstig auswirken, mindestens in den Monaten Mai bis September. Unerwünschte Beschattung durch benachbarte Gebäude gilt es bei der Wahl des günstigsten Standortes ebenfalls zu berücksichtigen. Diese Schattenwirkung kann die Pflanzen in der lichtarmen Jahreszeit besonders belasten. Auch die natürliche Erwärmung durch Sonnen- bzw. Lichteinwirkung wird mehr oder weniger gehemmt oder gänzlich unterbunden, wenn eine sehr ungünstige Lage des Kleingewächshauses unvermeidbar ist.

Insgesamt gelten gleiche oder ähnliche Überlegungen, wenn keine Verbindung zu einem Gebäude besteht. Die Form verändert sich. An Stelle des Pultdaches wird man das gleichhälftige – oder in Ausnahmefällen ungleichhälftige – Satteldach wählen. Es sollte in Süd-Nord-Richtung orientiert sein. Damit wird ein gleichmäßiger Lichteinfall erreicht und übermäßig starke Erwärmung in den Mittagsstunden verhindert, die bei Ost-West-Ausrichtung unvermeidlich ist.

Die Ausmaße – also Länge, Breite und Höhe – unterliegen bei Eigenbau den Wünschen bzw. Vorstellungen individueller Art. Bei Aufstellung fertiger Konstruktionen oder Verwendung genormter Einzelteile ist die Freizügigkeit gemindert. Schließlich ist die Größe der überbauten Fläche auch eine Kostenfrage sowohl in bezug auf die Baukosten wie auch auf die Ausgaben für die Heizung. Wie in den einführenden Betrachtungen bereits erwähnt, ist die Heizung für kleine, allseits freistehende Flächen problematisch, besonders aber unsicher, wenn ein strenger Winter starke Kälte mit sich bringt. Trotzdem arbeiten Orchideenfreunde oft mit den primitivsten Einrichtungen erfolgreich, z.B. mit Kanalheizung, Petroleum- oder Katalyt-Öfen und anderen Möglichkeiten. Größte Sicherheit bietet natürlich die Warmwasserheizung; sie ist jedoch erst bei einer bestimmten Größe des Gewächshauses diskutabel. Erforderlich ist dabei auch ein Vorraum für die Aufstellung des Heizkessels, da sonst durch Rauch- und Staubeinwirkung Gefahren für die Pflanzen bestehen. Prinzipiell bestehen zwei Möglichkeiten der Bauart, die wiederum Einfluß auf die Wärmehaltung wie auf das gesamte Gewächshausklima haben. Früher waren auch im Erwerbsgartenbau die sogenannten Erdhäuser mit niedriger Umfassungsmauer üblich, der die Dachfläche unmittelbar ohne Stehwände aufgesetzt ist. Die Beetflächen sind ebenerdig, der Mittelgang ist vertieft in den Boden gelegt, und die Heizrohre laufen an der Mauer entlang. Die Luftfeuchtigkeit ist in einem solchen Erdhaus sehr günstig, vorteilhaft auch die Wärmehaltung. Diese Bauart bringt hervorragende Erfolge bei kühl-feucht zu haltenden Orchideen: Paphiopedilum, Odontoglossum, Lycaste, Masdevallia u.a.

Die heute bevorzugte Richtung ist gekennzeichnet durch niedrigen Mauersockel mit aufgesetzten Stehwänden und ebenerdigem Mittelgang. Der Innenausbau besteht aus Tischen mit Plattenbelag aus feuchtigkeitsbeständigem Material, eventuell auch Lattenrosten. Ein solches Glashaus ist heller und luftiger, kühlt allerdings im Winter stärker aus. Die natürliche Luftfeuchtigkeit ist geringer als im Erdhaus, läßt sich jedoch durch Feuchthalten der Bodenflächen steigern. Günstig gedeihen hierin alle Orchideen mit hohem Lichtbedarf: Cattleya, Dendrobium, Vanda u.a. Angebracht ist bei einem solchen Haustyp die doppelte Verglasung der Seiten- und Dachflächen, wodurch ein sehr günstiges Gewächshausklima entsteht. Die Luftschicht zwischen den beiden Glasflächen isoliert die Wärme ebenso wie die Luftfeuchte. Die auskühlende Wirkung von Wind wird stark gemindert. Eine Ersparnis an Heizkosten amortisiert die höheren Aufwendungen im Bau sehr bald.

Einem Gewächshaus gleichzusetzen ist eine allseits verglaste Veranda, wenn auch die Dachfläche aus Glas oder einem lichtdurchlässigen Material besteht. Dies ist natürlich nicht unabdingbare Forderung. Das Licht reicht auch aus, wenn die seitlichen Glasflächen groß genug sind. Viel Glas bedingt in der kalten Jahreszeit jedoch eine relativ starke Auskühlung, der nur durch genügend hohe Heizkapazität entgegenzuwirken ist. Allerdings entfällt weitgehend der Einfluß der Bodenkälte, welche für allseits freistehende kleine Räume sehr gefährlich werden kann. Für die Beheizung kommt fast ausschließlich nur der Anschluß an die Warmwasserheizung in Betracht – sofern vorhanden!

Zu dieser Kategorie der Unterbringungsmöglichkeiten sind auch allseits verglaste Balkons zu rechnen. Die Förderung der Entwicklung ist gegenüber ausschließlicher Zimmerpflege wesentlich günstiger, besonders in der warmen Jahreszeit. Beide Räumlichkeiten – Wintergarten und verglaster Balkon – sind günstig für die Überwinterung kühl zu haltender Arten, die mit geringsten Temperaturen bei gleichzeitiger Trockenheit auskommen.

Die Kellerkultur

Überall dort, wo der Winter ausgesprochen kalt sein kann, also die Temperaturen längere Zeit unter dem Gefrierpunkt liegen, bestehen Schwierigkeiten für die Unterbringung. Um auch umfangreichere Sammlungen sicher, relativ billig und ohne große Wartungsarbeit für die Heizung über die ungünstige Jahreszeit hinwegzubringen, ist man in den USA zu der kombinierten Kellerkultur übergegangen. In der warmen Jahreszeit werden die Pflanzen im Freien unter großen Bäumen gepflegt. Wenn im Frühherbst die Nachttemperaturen unter +10°C sinken, kommen die Pflanzen in einen dafür vorbereiteten Kellerraum unter Kunstlicht. Bedingung sind jedoch die Verhältnisse der Keller moderner Landhäuser, also relativ trocken, luftig und durch den Rücklauf der Warmwasserheizung leicht temperiert. Kalte, feuchte und zugige Keller alter Häuser eignen sich nicht.
Die nachstehenden Angaben sind einem Bericht über erfolgreiche Unterbringung im Keller entnommen. Der Raum wurde völlig mit weißer Kautschukfarbe gestrichen. Die Pflanzen sind auf etwa 1,10 m hohen Tischen aufgestellt, 70 cm über ihnen sind die Leuchtstofflampen installiert. Die Blätter reichen 7 bis 15 cm an die Lichtquellen heran und erhalten eine Beleuchtungsstärke von 13000 bis 18000 Lux. Dies ist nur möglich durch Lampenaggregate mit Reflektoren, die stets sehr sauber zu halten sind. Die Luftbefeuchtung geschieht durch Verdunstung von Wasser aus kiesgefüllten flachen Becken; ferner durch einen elektrischen Luftbefeuchter, der mit einem kleinen Ventilator gekoppelt ist, womit gleichzeitig die erforderliche Luftbewegung erzielt wird. Durch ein Fenster wird Frischluft zugeführt, und zwar nachts, um das erforderliche Absinken der Temperatur um etw 7° zu gewährleisten. Dies wird als wichtige Voraussetzung für gute Erfolge bezeichnet. Die Pflanzen werden einmal täglich überspritzt und nach Bedarf gegossen. 6 Uhr morgens schalten sich Licht, Ventilator und Luftbefeuchter ein. Nach $13^1/_2$ Stunden schaltet sich das Licht aus, der Ventilator läuft weiter, das Fenster wird je nach Außentemperatur mehr oder weniger geöffnet. Der Rücklauf der Warmwasserheizung ist neben der geringen Wärmewirkung der Leuchtstoffröhren die einzige Heizquelle. Im Dezember wird die Belichtung auf 12 Stunden reduziert und bis Mai allmählich wieder auf $13^1/_2$ Stunden erhöht. Dann erfolgt die Überleitung ins Freie.
Im mitteleuropäischen Klima ist eine generelle Behandlung ohne Glasschutz nur für wenige harte Arten möglich. Die Überleitung müßte also in ein Kleingewächshaus erfolgen, jedoch mit Vorsicht, da eine plötzliche starke Tageslicht- oder Sonneneinwirkung zu Verbrennungen führen kann.
Nach dem vorliegenden Bericht ist der Gesundheitszustand der Pflanzen ausgezeichnet; sie blühen reich, die Blüten sind – wahrscheinlich infolge der starken Lichteinwirkung – gut ausgebildet, fest und haltbar.

PFLEGEMASSNAHMEN

Der Entwicklungsrhythmus

Orchideen sind in weit größerem Umfang als andere Pflanzen an einen z. T. streng geregelten Rhythmus ihres Lebens gebunden. Der beständige Wechsel der Vegetations- und Ruheperiode, entstanden aus den klimatischen Verhältnissen des heimatlichen Standortes, beherrscht das Leben der Pflanzen. Er muß als wichtigster Bestandteil der Pflege gelten. Die erforderlichen Maßnahmen sind stetiger Anlaß zu Unsicherheit und Zweifel; sie sollen deshalb hier ausführlichst besprochen werden. Der Rhythmus pflanzlichen Lebens wird im wesentlichen vom Licht gesteuert. Die Temperatur als Auswirkung des Lichtes ist mitbestimmend, jedoch zweitrangig. Undenkbar ist jegliches Leben ohne Wasser – die Feuchtigkeit als eine atmosphärische Erscheinung ist stärkstem Wechsel unterworfen. Diese drei genannten Faktoren sind Hauptbestandteil des Klimas, welches die Pflanze aus ihren Erbanlagen heraus formt und gestaltet.

Aus dem periodischen Wechsel des Klimas, der je nach geographischer Breite und Höhenlage in weiten Grenzen verschiedenartig ist, entstehen im Verlauf eines Jahres zwei gegensätzliche Abschnitte, die Vegetations- und die Ruheperiode. Der Orchideenpfleger, gleich ob aus Neigung oder Beruf, muß sich mit ihren Grundbegriffen vertraut machen, wenn er zum Erfolg kommen will.

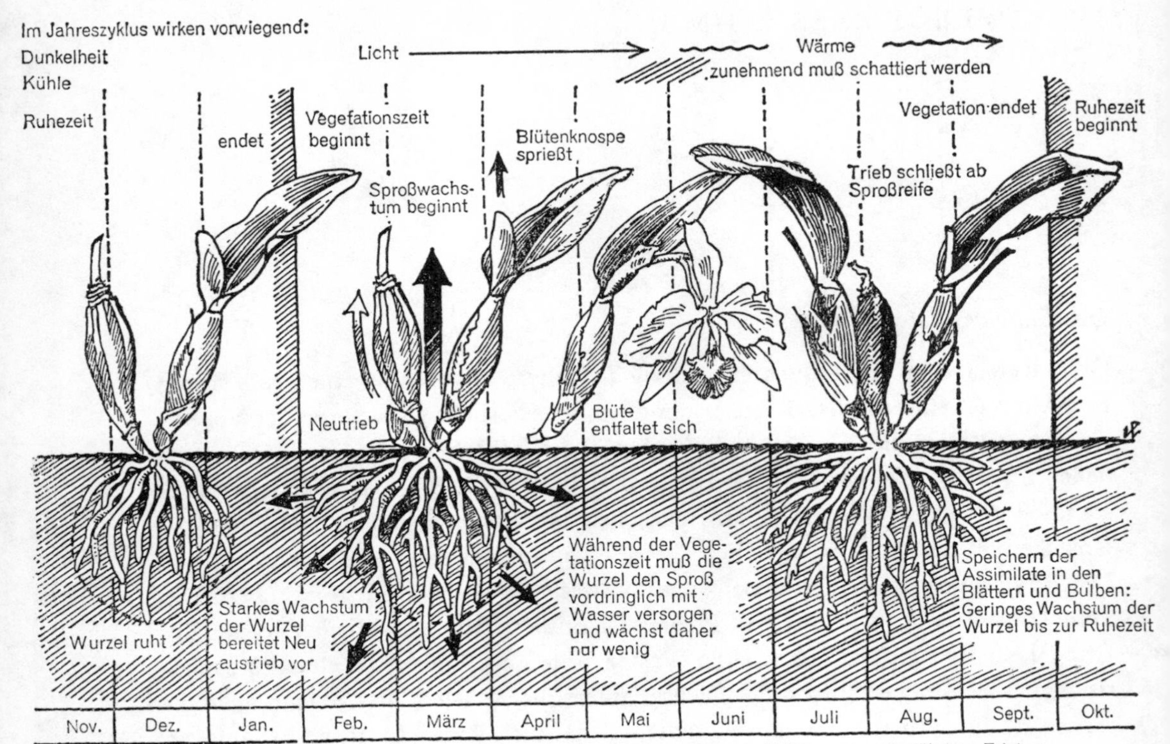

Frühjahrsblühende Cattleyen blühen aus vorjährigen Trieben; herbst- und winterblühende Cattleyen aus diesjährigen Trieben.

Die Vegetationsperiode oder Wachstumszeit beginnt Ausgangs des Winters oder Anfang des Frühjahrs. Zunächst bilden sich neue Wurzeln, oft schon etwa Mitte Januar, aber nicht immer. Bei manchen Pflanzen geschieht die Wurzelbildung erst sehr viel später. Mit zunehmender Intensivierung des Lichtes – also mit steigender Sonne – beginnt der Neutrieb. Die Entwicklung erreicht ihren Höhepunkt in den Sommermonaten; mit abnehmender Tageslänge reifen die Jahrestriebe aus. In der gesamten Entwicklungszeit sind die Temperaturen auf den Jahresdurchschnitt bezogen relativ hoch, ebenso die Feuchtigkeit des Bodens und der Luft. Entsprechend den Bedürfnissen der Arten ist die Lichteinwirkung optimal zu gestalten. Das richtige Zusammenwirken der Komponenten Licht, Temperatur und Feuchtigkeit ergibt die idealen Bedingungen zur bestmöglichen Ausbildung der Jahrestriebe und der Speicherung von Reservestoffen. In mehr oder weniger großem Umfang machen alle Orchideen eine Ruhezeit durch. Unsere einheimischen Arten – wie alle der gemäßigten Zone – überdauern die kalte Jahreszeit auf die einfachste Weise durch Einziehen ihrer oberirdischen Teile. Im sicheren Schutz der Erde ruhen die Knollen oder Rhizome viele Monate, bis bei günstigen Verhältnissen der neue Austrieb beginnt; manchmal werden Jahre übersprungen.
Unserem Winter sind die Trockenperioden der Tropen und Subtropen gleichzusetzen. Wie überdauern die dort lebenden Pflanzen diese Zeit? Ihre Speicherorgane in Form der Sproßknollen und Bulben enthalten Reservestoffe in ausreichendem Maße, um die Pflanze existenzfähig zu erhalten. Der Tau, der sich nachts oft stark bildet, wird durch die Luftwurzeln aufgenommen, u.U. sogar direkt durch die Blätter; das Existenzminimum ist damit gesichert.

1 Konstruktion eines Aluminium-Gewächshauses; **2** Dasselbe verglast und nach der Besetzung mit Pflanzen

1 Odontoglossum Royal Sovereign; **2** Cattleya labiata

Die Temperaturen liegen niedriger als in der Regenzeit, so daß mit der Kombination kühl und trocken die Funktionen weitgehend gehemmt, aber nicht gänzlich unterbunden sind.
Die Ruheperiode zeigt damit ein gegensätzliches Bild. Sie beginnt in der Regel mit zunehmendem Ausreifen der Jahrestriebe. Die meisten tropisch-subtropischen Orchideen haben sich auf unseren Klimaverlauf orientiert und beenden im Spätsommer oder Frühherbst ihr Wachstum. Mit völliger Ausbildung der Pseudobulben, bei manchen Arten auch schon früher, mindert man die Luftfeuchtigkeit und schränkt das Gießen oder häufige Spritzen ein. Diese Überleitung darf jedoch nicht plötzlich, sondern nur allmählich – auf Wochen verteilt – erfolgen. Eine Ausnahme machen alle Pflanzen, die unmittelbar oder kurz nach Ausbildung des Jahrestriebes blühen. Sie sind bei genügend Licht und ausreichender Lüftung bis zum Erblühen und weiter bis zum Abblühen gleichbleibend feucht zu halten. Erst dann setzt die Ruhezeit ein. Liegt die Blütezeit in den Wintermonaten oder im Frühjahr, so ruhen die Pflanzen nach Beendigung und völligem Ausreifen des Jahrestriebes bis zum Sichtbarwerden der Knospen. Von diesem Zeitpunkt an erhalten sie normale Feuchtigkeit bis zum Abblühen, dann ruhen sie nochmals bis zum Beginn des Neutriebes.
Eine Ausnahme machen Odontoglossum crispum und die daraus gezüchteten Hybriden einschließlich Odontioda. Ihr Neutrieb beginnt im Herbst. Verpflanzt werden sie ebenfalls am günstigsten im Herbst, wenn der Neutrieb etwa 10 cm lang ist. Zum Anwachsen benötigen sie mäßige Feuchte, auch in den Wintermonaten dürfen sie nie völlig trocken werden.
Orchideen, welche nach Abschluß des Jahrestriebes die Blätter abwerfen – wie z. B. Calanthe, Catasetum u. a. – bedürfen einer besonders ausgeprägten Ruhezeit. Bei Calanthe setzt diese allerdings erst nach dem Abblühen ein. Sie werden dann völlig trocken und hell gehalten, damit auf jeden Fall eine vorzeitige Triebbildung unterbleibt. Alle Gattungen und Arten von kleinem Wuchs ohne nennenswerte Bildung von Speicherorganen, die oft nur in Form von verdickten Blättern bestehen, dürfen keinesfalls einer starken und langen Trockenperiode unterzogen werden. Man hält sie verhältnismäßig kühl bei Temperaturen um +10 bis +15° und hütet sie durch tägliches Besprühen vor zu starkem Austrocknen. Richtunggebend sei bemerkt, daß die Wedel der sich oft an solchen Stücken ansiedelnden Farne nicht vertrocknen dürfen, sondern lebensfähig bleiben müssen.
Bei Orchideen ohne jegliche Speicherorgane – wie z. B. Phalaenopsis, Paphiopedilum u. a. – verbietet sich eine Trockenzeit auf jeden Fall. Sie ist nur angedeutet durch leicht reduzierte Feuchtigkeit und Temperaturminderung in geringem Umfang. Phalaenopsis sollten niemals stark austrocknen. Durch Wassermangel werden bei ihnen die Blätter leicht welk; ein Zustand, den man auf jeden Fall vermeiden muß.

DIE WACHSTUMSFAKTOREN

Die Wachstumsfaktoren *Licht, Temperatur* und *Feuchtigkeit* bewirken im Zusammenspiel mit den *Mineralstoffen* die Entwicklung der Pflanzen. Die Abhängigkeit dieser gestaltenden Faktoren voneinander ist so groß, daß das völlige Fehlen eines dieser vier genannten pflanzliches Leben völlig unterbindet. Das Licht und die Temperatur, die für die Größenzunahme der Pflanzen entscheidend sind, haben noch eine Bedeutung, welche die anderen Wachstumsfaktoren nicht aufweisen. Licht und Temperatur steuern Entwicklungsvorgänge wie die Keimung und Blütenbildung in einer Weise, die uns im allgemeinen verborgen bleibt. Das Wissen um diese Einwirkungen ermöglicht in gewissem Umfang, durch entsprechende Manipulationen den gewünschten Effekt auszulösen. Unabhängig von veränderten Umweltbedingungen gegenüber ihrem heimatlichen Standort bleiben Eigenschaften der Pflanzen erhalten, weil sie erblich festgelegt sind. Die Intensität des Lichtes in den Subtropen und Tropen ist sehr viel größer als bei uns; extreme Schwankungen gibt es nicht. Aus der Abhängigkeit der Wachstumsfaktoren untereinander erklärt sich, daß bei Änderung eines Faktors notwendigerweise auch die anderen umgestimmt werden müssen. Infolge der geringeren Lichteinwirkung können wir die Verhältnisse des heimatlichen Standortes tropischer Orchideen nicht in allen anderen Details nachahmen, sondern wir müssen die Pflege den veränderten Bedingungen anpassen. Kenntnisse über die Umweltbedingungen in der Heimat der Pflanzen sind auf jeden Fall sehr nützlich, aber nicht entscheidend für den Erfolg. Dieser wird uns nur dann in höchstem Maße zuteil, wenn wir die Auswirkungen der Faktoren Licht und Temperatur unter den veränderten Bedingungen zu nutzen verstehen.
In den folgenden Ausführungen sind die vier wichtigsten Wachstumsfaktoren getrennt behandelt, ihre Abhängigkeit voneinander ist jedoch stets betont.

Das Licht

Das Wachstum der Pflanzen nimmt mit zunehmender Lichtstärke und Belichtungsdauer bis zu einer Grenze zu, über die hinaus die Entwicklung nicht steigerungsfähig ist. Als erster Grundsatz in der Orchideenpflege gilt daher, den Pflanzen soviel Licht zukommen zu lassen, wie sie ohne Schädigungen vertragen. In der Natur wird durch ständige Bewegung feuchter Luft erreicht, daß die Pflanzen trotz der Intensität tropischen Sonnenlichtes relativ kühl bleiben, also nicht geschädigt werden. Diese wichtige Luftbewegung entfällt bei uns; ein Ausgleich ist nur durch verminderte Lichteinwirkung möglich.
Allgemein müssen wir uns bei der Pflege tropischer Orchideen vergegenwärtigen, daß in ihrer Heimat das Licht sowohl im Verlauf des Tages wie auch der Jahreszeiten viel gleichmäßiger ist als in der gemäßigten Zone mit ihrem beständigen Wechsel des Klimas. Der Tropentag hat 12 Stunden Tageslicht und 12 Stunden Nacht, der Sonnenstand ist im Verlauf der Jahres-

zeiten gleichmäßig hoch. Demgegenüber ist bei uns die Tageslänge differenziert, der Sonnenstand und damit die Lichtintensität in weiten Grenzen verschieden. Orchideen sind außerordentlich anpassungsfähig; sonst wäre ihre Existenz unter so stark veränderten Lichtverhältnissen unmöglich.

Nachstehend sind äußerlich sichtbare Auswirkungen des Lichtes auf die Pflanzen erläutert. Ungedämpftes Sonnenlicht kann besonders hinter Glas in engem Luftraum durch zu starke Erwärmung zu Schäden an den Pflanzen führen. Sie zeigen eine mehr oder minder starke gelbliche Färbung durch Ausbleichen des Blattgrüns (Chlorophylls) oder durch direkte Verbrennungen der Bulben und Blätter. Sie werden braun oder schwarz, und damit entsteht ein Teil- oder Totalverlust, also Schäden, die nicht wieder zu beheben sind. Man kann sich leicht davor bewahren. Pflanzenteile, welche sich über die Lufttemperatur hinaus extrem warm anfühlen, sind gefährdet. Durch stärkeres Beschatten mindert man die Lichteinwirkung und senkt durch Luftbefeuchtung und Lüftung die Temperatur.

Licht beeinflußt das Wachstum unmittelbar, und zwar hemmt es das Streckungswachstum. Stark belichtete Pflanzen haben wesentlich verringerte Ausmaße gegenüber solchen, die im Schatten gewachsen sind. An der Farbe der Blätter und Bulben erkennt man Lichtmangel und Lichtüberfluß. Weiche, dunkelgrüne Pflanzenteile entstehen bei zu geringer Belichtung. Zu starke Lichteinwirkung ergibt oft eine rötliche Färbung der Blätter. Der gesamte Habitus der Pflanze wird vom Licht gestaltet; kurzer, gestauchter Wuchs entsteht bei starker Belichtung und weicher, lockerer, im Extrem geiler Wuchs bei starkem Mangel an Licht.

Es drängt sich hier unmittelbar die Frage auf, woran die Lichtansprüche einer Orchidee wie auch anderer Pflanzen erkennbar sind. Der Orchideenfreund wird ratlos sein, wenn er – angenommen – eine Art besitzt, deren Namen er nicht kennt, wofür er also auch keinen Rat in der Literatur finden kann. Im Abschnitt „Die Umwelt“ wird darauf hingewiesen, daß das Äußere der Pflanze gewisse Anhaltspunkte gibt. Allgemein kann man sagen, daß bei halbschattigem Standort grobe Fehler vermieden werden. Bei der Beschreibung der Gattungen und Arten ist ihr Lichtbedarf als Anhaltspunkt erwähnt. Ein großer Teil von Orchideenfreunden wird zweifellos Befriedigung darin finden, aus eigener Beobachtung das erforderliche oder zuträgliche Maß an Licht bei der Pflege selbst zu finden. Die Wissenschaft hat ungefähre Meßwerte ermittelt. In der Literatur werden etwa 6400 bis 32000 Lux als bestgeeignet für Orchideen angegeben. Das ist ein weiter Spielraum. Nicht jeder hat die Möglichkeit, entsprechende Messungen vorzunehmen. Generell kann man die Werte nicht festlegen. Andere Umweltfaktoren – wie Temperatur, Feuchtigkeit und Luftbewegung – beeinflussen den tragbaren Grad der Belichtung wesentlich, so daß die eigene Erfahrung ausschlaggebend ist.

Auch die Jahreszeiten erfordern entsprechende Berücksichtigung. Gegen die erste Frühlingssonne, die bei reiner Luft oft sehr intensiv sein kann, sind die Pflanzen meist besonders empfindlich, weil sie nach monatelangem Lichtmangel nicht auf plötzlichen Überfluß eingestellt sind. Während der warmen Jahreszeit ist ausreichende Beschattung – besonders während der lichtintensivsten Tageszeit – fast selbstverständlich. Man mindert ab etwa Ende August differenziert nach den unterschiedlichen Lichtansprüchen der Gattungen und Arten den Schatten, um den Triebabschluß und die Knospenbildung zu fördern. Ab Mitte bis Ende September erscheint jeglicher künstlicher Schatten entbehrlich. Man hüte sich jedoch vor sonnenreichen Tagen, die in diesem Zeitraum bis Mitte Oktober noch denkbar sind. Schäden an den Pflanzen infolge zu starker Erwärmung bei ungedämpfter Sonneneinwirkung können sehr schmerzlich für den Besitzer sein. Naturschatten durch Laub-

Gleichmäßiger Tag-Nacht-Rhythmus in den Tropen

Tag Tag Tag Tag Tag Tag Tag Tag Tag Tag

5.2. 21.2. 5.3. 21.3. 5.4. 21.4. 5.5. 21.5. 21.6.

Kurztag Tag Tag Tag Tag Tag Tag Tag Langtag

Tag-Nacht-Rhythmus in Mitteleuropa

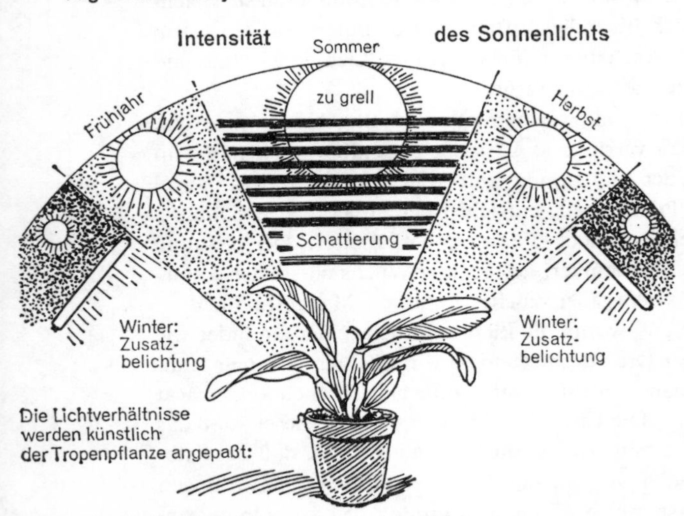

Der Unterschied in der Lichtintensität zwischen Winter (zu dunkel) und Sommer (zu hell) kann durch Zusatzbelichtung und Schattierung ausgeglichen werden.

Für die zusätzliche Belichtung verwendet man am besten Leuchtstofflampen mit starkem Rot- und Blauanteil. Glühbirnen sind nur bedingt geeignet.

bäume reguliert sich fast selbst. In der lichtarmen Jahreszeit sind die Bäume unbelaubt, die Blattentwicklung und der Laubfall entsprechen der Notwendigkeit einer Beschattung weitgehend. Jedoch kann die Sonneneinwirkung vor Beginn des Austriebes der Blätter zu stark sein kann.

Kümmerwuchs und gänzlich ausbleibende Bildung des Neutriebes deuten auf Lichtmangel hin. In der Regel wird man feststellen, daß auch bei einwandfrei gesunden Pflanzen in der lichtarmen Jahreszeit entstandene Neutriebe gegenüber den zu normaler Zeit gewachsenen weitaus kleiner bleiben. Der stark geminderte Lichteinfluß ist die alleinige Ursache. Diese Erscheinung ist bei vielen anderen tropischen Pflanzen ebenso zu beobachten.

Der Möglichkeit, durch zusätzliche künstliche Belichtung in den lichtarmen Monaten das zu geringe Tageslicht auszugleichen, kommt immer stärkere Beachtung zu. Durch das Kunstlicht sind auch schwieriger zu haltende Gattungen und Arten in die Zimmerpflege einzubeziehen. Die mögliche Steigerung der Assimilation und die dadurch gesteigerte Förderung des Wachstums hängen von der Stärke der Belichtung und ihrer Dauer ab.

In Anbetracht des sehr kostspieligen Versuchsmaterials – wie es Orchideen darstellen – ist über ihren Bedarf und ihr Verhalten bei zusätzlicher Kunstlicht-

bestrahlung verhältnismäßig wenig bekannt.
Nach Angaben von SCHOSER (siehe Literaturnachweis) sind folgende Werte richtungweisend:

Cattlaya und Verwandte:	
nach der Keimung	2000 lx 16 h/d
nach dem Pikieren	4000 lx 16 h/d
im 4 cm Topf	6000–15000 lx 16 h/d
im 8 cm Topf	15000–25000 lx 16 h/d

Große Pflanzen blühen bei Steigerung auf 45000 Lux erstmalig in etwa 2½ Jahren statt in 7 Jahren.

Cymbidium	
Sämlinge	8000 lx 16 h/d
alte Pflanzen	15000 lx 16 h/d
Odontoglossum crispum und Hybriden	
Sämlinge	8000 lx 16 h/d
alte Pflanzen	15000 lx 16 h/d
Paphiopedilum	
Sämlinge	2500 lx 16 h/d
blühfähige Pflanzen	7500 lx 16 h/d
Phalaenopsis	
Sämlinge	1000 lx 12 h/d
blühfähige Pflanzen	7500 lx 9 h/d

lx = Lux, h/d = Stunden je Tag
Die Werte liegen etwa im Bereich von 1000–10000 lx. Dies entspricht einer zu installierenden Lampenleistung von 40 bis 400 Watt je Quadratmeter = W/m. Im Winter ist intensives Zusatzlicht für alle Orchideen angebracht und zwar in den Monaten Oktober bis März. Über diesen Zeitraum hinaus sind nur Intensivkulturen von Jungpflanzen im Verhältnis zur Dauer des Tageslichtes zusätzlich mit Aussicht auf Erfolg zu belichten; für größere und voll erwachsene Pflanzen reicht das Tageslicht, sofern ausreichend vorhanden, aus.
Die Übertragung vorstehend aufgeführter Werte auf die Verhältnisse des Orchideenfreundes ist generell nicht möglich, weil die örtlichen Bedingungen sehr

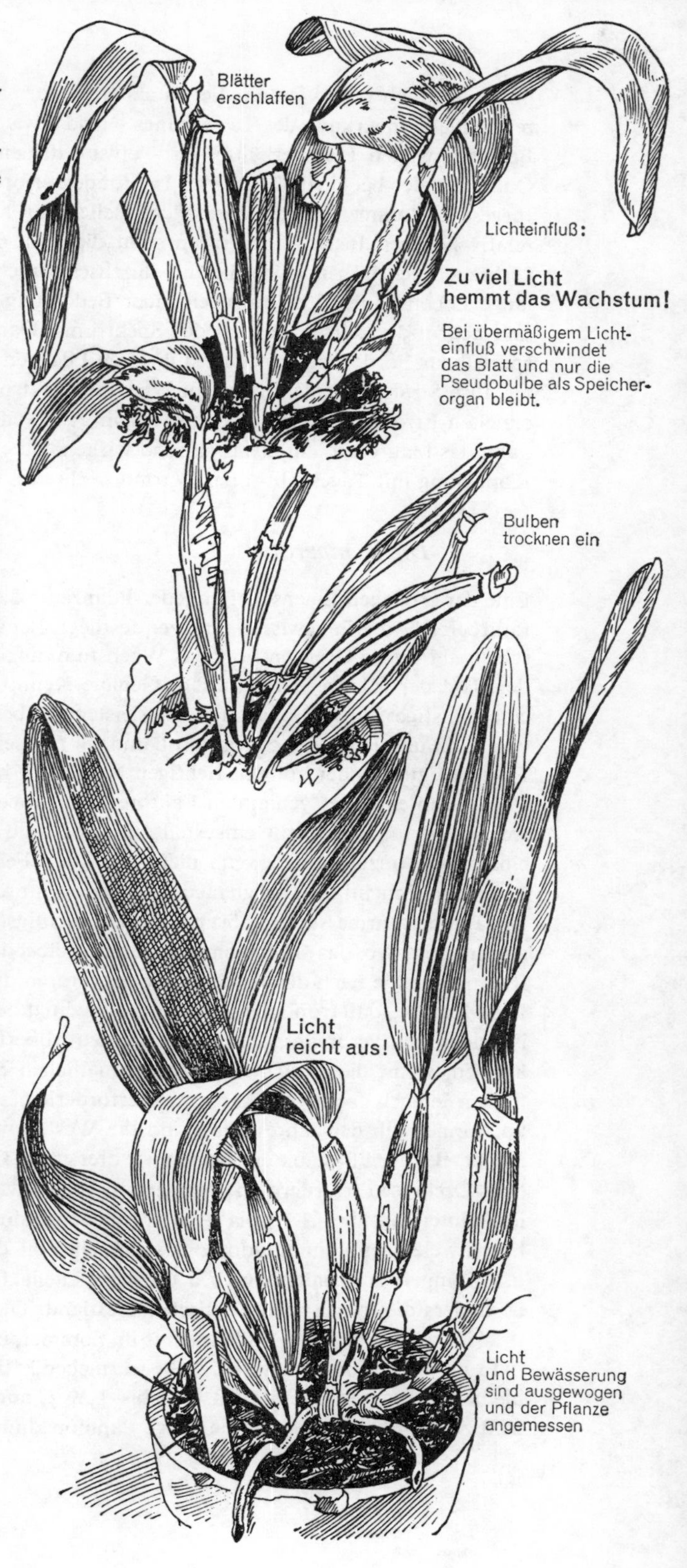

unterschiedlich sein können. Bei annähernd normalen Standortverhältnissen – also ausreichender Einwirkung des Tageslichtes – sind etwa 100 Watt je Quadratmeter ausreichend. Bei ungünstigen Lichtverhältnissen – etwa Vitrinen im Zimmer – sind etwa 200 Watt je Quadratmeter bei einer Dauer von 16 Stunden erforderlich.
Insgesamt kommen für die zusätzliche Belichtung nur Leuchtstoffröhren in Betracht. Den relativ höheren Installationskosten steht die hohe Lichtausbeute und der geringe Stromverbrauch gegenüber sowie die mit durchschnittlich etwa 7500 Brennstunden bezeichnete lange Lebensdauer. Von entscheidender Bedeutung für den Pflanzenwuchs sind der blaue und hellrot-dunkelrote Bereich des Spektrums. Darauf sind die im Handel befindlichen – speziell zur Förderung des Wachstums von Pflanzen entwickelten – Röhrentypen ausgerichtet. Ihre Strahlung entspricht dem Wirkungsspektrum der Chlorophyllsynthese. Die bisher erzielten Erfolge sprechen eindeutig für ihre Anwendung. Bei der Verwendung im Zimmer kann das blaurote Licht etwas störend wirken. Zu empfehlen ist dann Mischlicht, also eine Koppelung mit Tageslicht- oder Warmtonröhren.

Die Temperatur

Eine der erblichen Eigenschaften jeder Pflanze ist die Bindung an einen bestimmten Temperaturbereich, der in gewissen Grenzen festliegt. Bei willkürlicher oder unbeabsichtigter Verschiebung dieser Grenzen hört das Wachstum auf; einschneidende Veränderungen können den Tod der Pflanze herbeiführen. Genaue Kenntnisse optimaler Werte sind wichtig, um eine günstige Entwicklung zu gewährleisten. Dabei ist die Abhängigkeit der Temperatur von Licht und Feuchtigkeit sehr groß und wir müssen bemüht sein, das Verhältnis dieser drei Faktoren zueinander auf den richtigen Nenner zu bringen. Gefahr für die Pflanzen besteht stets, wenn einer der genannten Faktoren sehr hohe oder sehr niedrige Werte aufweist, auf welche die anderen nicht eingestellt sind. So sind hohe Temperaturen und starke Lichteinwirkung unzuträglich, wenn nicht genügend Feuchtigkeit vorhanden ist. Gefährlich ist auch hohe Feuchtigkeit bei zu niedrigen Temperaturen oder andere extreme Gegensätze.
Die Temperaturmessung gehört mit zu den wichtigsten Pflegemaßnahmen. Dabei ist es nicht gleichgültig, wo das Thermometer hängt. Selbst innerhalb eines verhältnismäßig kleinen Raumes sind je nach der Höhe die Temperaturen differenziert, was man bedenken sollte.
Die Meinung, daß tropische Orchideen unbedingt bei hoher Wärme gepflegt werden müssen, ist leider weit verbreitet. Sie führt häufig zu Mißerfolgen, die unbedingt vermieden werden können, wenn die Verhältnisse des heimatlichen Standortes annähernd Berücksichtigung finden. Je nach der Art schwanken die erforderlichen Temperaturen in weiten Grenzen. Aber auch innerhalb der Jahreszeiten sind die Werte unterschiedlich, ebenso zwischen Tag und Nacht. Bei der Pflege unterscheiden wir drei große Gruppen: kalt, temperiert, warm. Kalthaus-Orchideen erfordern im Sommer am Tage etwa +16 bis +21 °C, nachts etwa +13 °C; im Winter tagsüber +13 bis +16 °C, nachts absinkend bis +10 °C. Zu dieser Gruppe gehören viele Cymbidium, Odontoglossum, ein Teil der Paphiopedilum-Arten, Zygopetalum u. a. Temperiert zu halten sind u. a. Cattleya, Laelia, Oncidium, Stanhopea, viele Dendrobium, besonders diejenigen vom asiatischen Festland. Die Tagestemperaturen sollen um +18 bis +24 °C und +16 bis +18 °C nachts im Sommer, im Winter tagsüber +16 bis +21 °C und +13 bis +16 °C nachts liegen. Sehr wärmebedürftige Orchideen brauchen ständig gleichbleibende Temperaturen, etwa +21 bis +29 °C am Tage und +18 bis +21 °C nachts. Dies trifft zu für Phalaenopsis sowie einige Paphiopedilum- und Dendrobium-Arten.

Insgesamt sind jedoch die angegebenen Temperaturen nur Durchschnittswerte. Es ist beispielsweise unvermeidlich, daß an heißen Sommertagen die Temperatur trotz allen Mühens höher steigt, was auch von kühl oder temperiert zu haltenden Orchideen schadlos überstanden wird, wenn es kein Dauerzustand ist. Ebenso werden Warmhaus-Orchideen das Absinken der Temperatur in kalten Winternächten auf +12 bis +15°C ohne Schaden vertragen, besonders dann, wenn wenig Feuchtigkeit vorhanden ist. Gefährlicher für die Pflanzen wird es, wenn sich ein ungünstiger Temperaturverlauf häufig wiederholt oder die Werte plötzlich extrem gegensätzlich liegen.
Bei der Beschreibung der Gattungen und Arten sind die Temperaturansprüche besonders genannt. Die Pflanzen sind in relativ hohem Maße anpassungsfähig; man mute ihnen jedoch nicht zuviel zu. Häufig werden sie in wohlgemeinter Absicht zu warm gehalten. Geschieht dies fortgesetzt über längere Zeiträume, so wird das Gegenteil erreicht; die Pflanzen werden kleiner anstatt größer. Bei anhaltend zu niedrigen Temperaturen entwickeln sich wärmebedürftige Pflanzen nicht recht, auch wenn alle anderen Wachstumsfaktoren optimal sind.
Aus den genannten Temperaturbereichen geht hervor, daß die Temperatur nachts niedriger sein soll. Zu hohe Nachttemperaturen schaden der Pflanze; ihre Funktionen sollen auf jeden Fall nachts gemindert sein.
Jungpflanzen werden stets um einige Grade wärmer gehalten, damit sie sich zügig entwickeln; aber auch hier sind Übertreibungen unzuträglich.
Bei der Pflege von Orchideen in bewohnten Räumen wird die Temperatur immer in gewissen Grenzen dem menschlichen Wohlbefinden angeglichen werden. Sie unterliegt ständig einer Kontrolle, und es werden schon gefühlsmäßig rechtzeitig Vorkehrungen getroffen, um zu große Extreme zu vermeiden. Anders verhält es sich bei freistehenden Gewächshäusern, besonders dann, wenn eine plötzliche Wetterverschlechterung Temperaturstürze hervorruft. Für solche Fälle und für die Übergangszeiten bewährt sich der Einbau einer elektrischen Heizung, die eine rasche Temperaturregelung ermöglicht. Bei der Steuerung über einen Thermostat entfällt die persönliche Wartung weitgehend.

DIE FEUCHTIGKEIT

Prinzipiell sind zwei Begriffe zu unterscheiden: die Feuchte der Luft und die Feuchte des Bodens, bei Orchideen also des Pflanzstoffes.
Die Luftfeuchtigkeit ist ein wesentlicher Faktor allgemein für die Pflege der tropischen Pflanzen im Zimmer, insbesondere natürlich für Orchideen. Sie ist schwieriger zu schaffen als etwa zusagende Licht- oder Temperaturverhältnisse. Indes hat sich erwiesen, daß viele Orchideen bei etwa 50% Luftfeuchtigkeit zusagende Bedingungen finden. Zu berücksichtigen sind bei der Zimmerpflege zwei verschiedene Perioden. In den Monaten, wo keine Heizung erforderlich ist, wird die Luftfeuchte vom Klima beeinflußt; sie richtet sich also weitgehend nach den äußeren Bedingungen. Dabei wird man die Feststellung treffen, daß bei schönem, trockenem Wetter im Zimmer etwa 50%, bei trüber, feuchter Witterung 60 bis 80% Luftfeuchtigkeit vorhanden sind. Diese Werte reichen für die Pflege vieler Arten völlig aus. Sobald die Heizperiode beginnt, wird der Einfluß der äußeren Witterungsverhältnisse – also hier der Luftfeuchte – weitgehend ausgeschaltet; die Bedingungen werden für die Pflanzen ungünstiger. Durch Aufstellen von wassergefüllten Schalen läßt sich die Luftfeuchtigkeit bis zu einem gewissen Grad erhöhen, ohne daß Möbel u.a. Schaden nehmen.

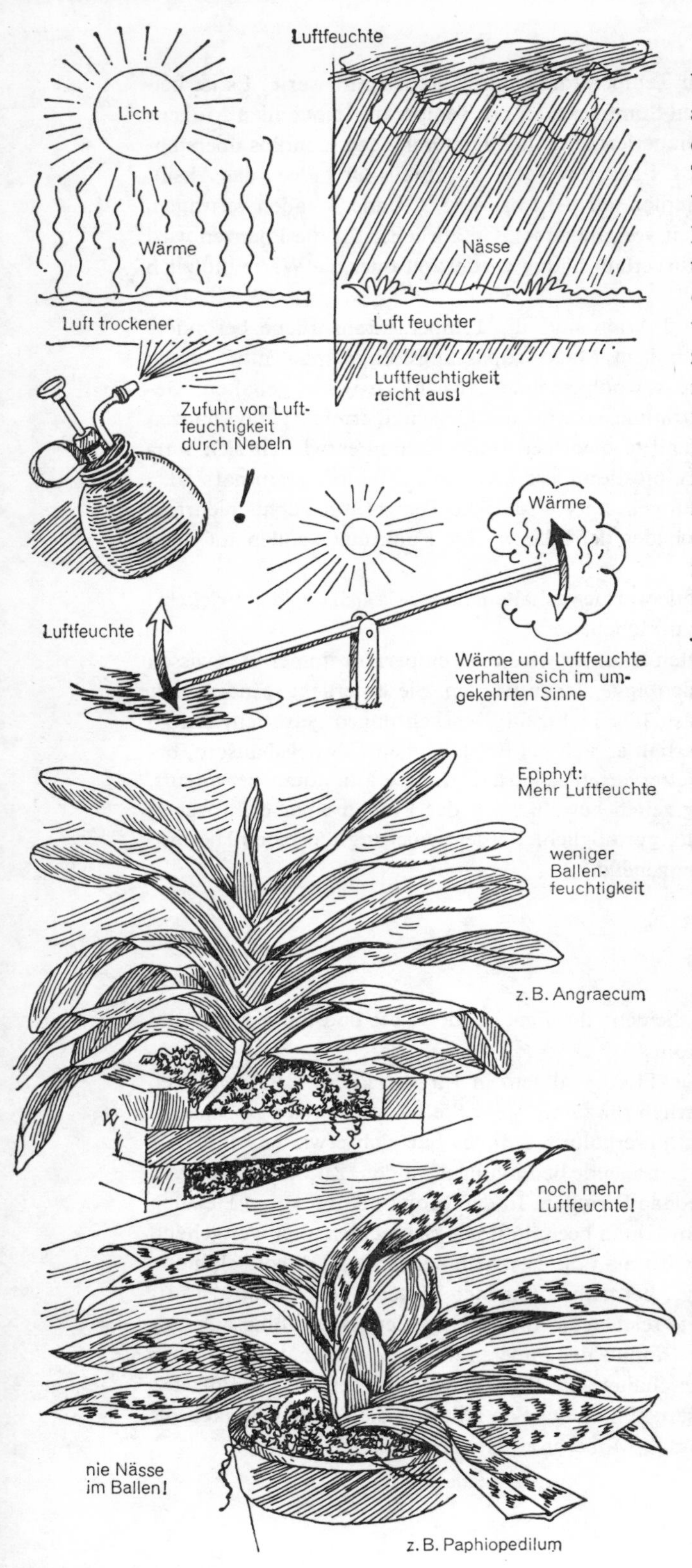

Wiederum ist die Abhängigkeit von den anderen Wachstumsfaktoren offenkundig. Zunehmendes Licht und steigende Temperatur – also sonniges, warmes Wetter – bedingen eine Erhöhung der Luftfeuchtigkeit, während umgekehrt trübes, kühles Wetter keine Steigerung der Luftfeuchte erfordert oder sie sogar verbietet. Ihre Regulierung im Pflanzenfenster oder im Gewächshaus erfolgt durch Versprühen oder Vernebeln von Wasser, bis der gewünschte Sättigungsgrad der Luft erreicht ist. Es ist im allgemeinen erforderlich, die Luftfeuchtigkeit nachts niedriger zu halten als am Tage. Diese Maßnahme steht im Gegensatz zu der hohen nächtlichen Luftfeuchtigkeit in den Tropen, welche jedoch von ständiger Luftbewegung begleitet ist, die hier nicht zu schaffen ist, mindestens nicht in der Form wie in der Natur. Allgemein gilt die Regel, daß man am späten Nachmittag oder abends die Pflanzen nicht spritzen soll. Diese Meinung ist umstritten; manche Pfleger haben mit der gegenteiligen Methode gute Erfolge. Da das Spritzen zu einer Erhöhung der Luftfeuchtigkeit führt, dürften dann die Nachttemperaturen nicht unter die Tagestemperaturen absinken. Ist es trotzdem der Fall, steigert man die Luftfeuchtigkeit noch mehr, da nach einem physikalischen Gesetz mit sinkender Temperatur die Luftfeuchtigkeit steigt. Sie vermindert sich bei starker Sonneneinwirkung und erhöhter Temperatur. Damit dürfte das Wechselspiel zwischen Licht, Temperatur und Luftfeuchtigkeit hinreichend erläutert sein.

Das richtige Gießen ist eines der Hauptprobleme der Orchideenpflege. Es erfordert ungeteilte Aufmerksamkeit bei der Unterbringung der Pflanzen sowohl im Zimmer wie im Pflanzenfenster oder Gewächshaus, nur sind die Grundbe-

1 Dendrobium coccineum; 2 Oncidium marshallianum; **3** Cirrhopetalum mastersianum;
4 Epidendrum radicans; **5** Cochlioda densiflora syn. C. noetzliana; **6** Habenaria rhodocheila

1 Cymbidium lowianum; **2** Cymbidium 'Babylon Castle Hill'×C. 'Alexanderi Westonbirt'; **3** Renanthera 'Brookie Chandler'; **4** Aerides odoratum

1 Gongora galeata; **2** Dendrobium devonianum; **3** Odontoglossum rossii; **4** Oncidium concolor

1 Laelia pumila var. praestans; **2** Dendrobium devonianum; **3** Cattleya citrina;
4 C. bowringiana

dingungen überall anders. Allgemein ist zu sagen, daß die richtige Luftfeuchtigkeit regulierend auf den Wasserhaushalt der Pflanze einwirkt. Geringe Luftfeuchtigkeit erfordert stärkere Feuchtigkeit des Pflanzstoffes, also häufigeres Gießen. Weitaus günstiger für das Gedeihen ist jedoch geringere Ballenfeuchtigkeit – also weniger gießen, aber häufiger spritzen, möglichst in feinster Verteilung. So wird verhindert, daß die Wurzeln durch zu feuchten Pflanzstoff Schaden nehmen oder durch zu starke Trockenheit schwache Triebe bilden. Der Sauerstoffbedarf der Wurzel epiphytisch wachsender Orchideen verbietet eine anhaltend hohe Feuchtigkeit des Pflanzstoffes, auch in der Vegetationsperiode. Er soll nie extrem naß, sondern nur feucht sein. Gelegentliches stärkeres Austrocknen von kurzer Zeitdauer ist förderlich; der Wechsel von Feuchtigkeit und Trockenheit kommt den Bedingungen am heimatlichen Standort nahe. Man sollte 1–2mal wöchentlich die Pflanzen genauer auf die richtige Feuchtigkeit prüfen, die trokkenen gießen oder tauchen, im übrigen aber nie täglich gießen. Terrestrisch wachsende Orchideen brauchen höhere Feuchtigkeit als Epiphyten. Allgemein kommen hier fast nur Paphiopedilum in Betracht. In der Vegetationsperiode erhalten sie reichlich Wasser – sowohl durch häufigeres Gießen als auch durch

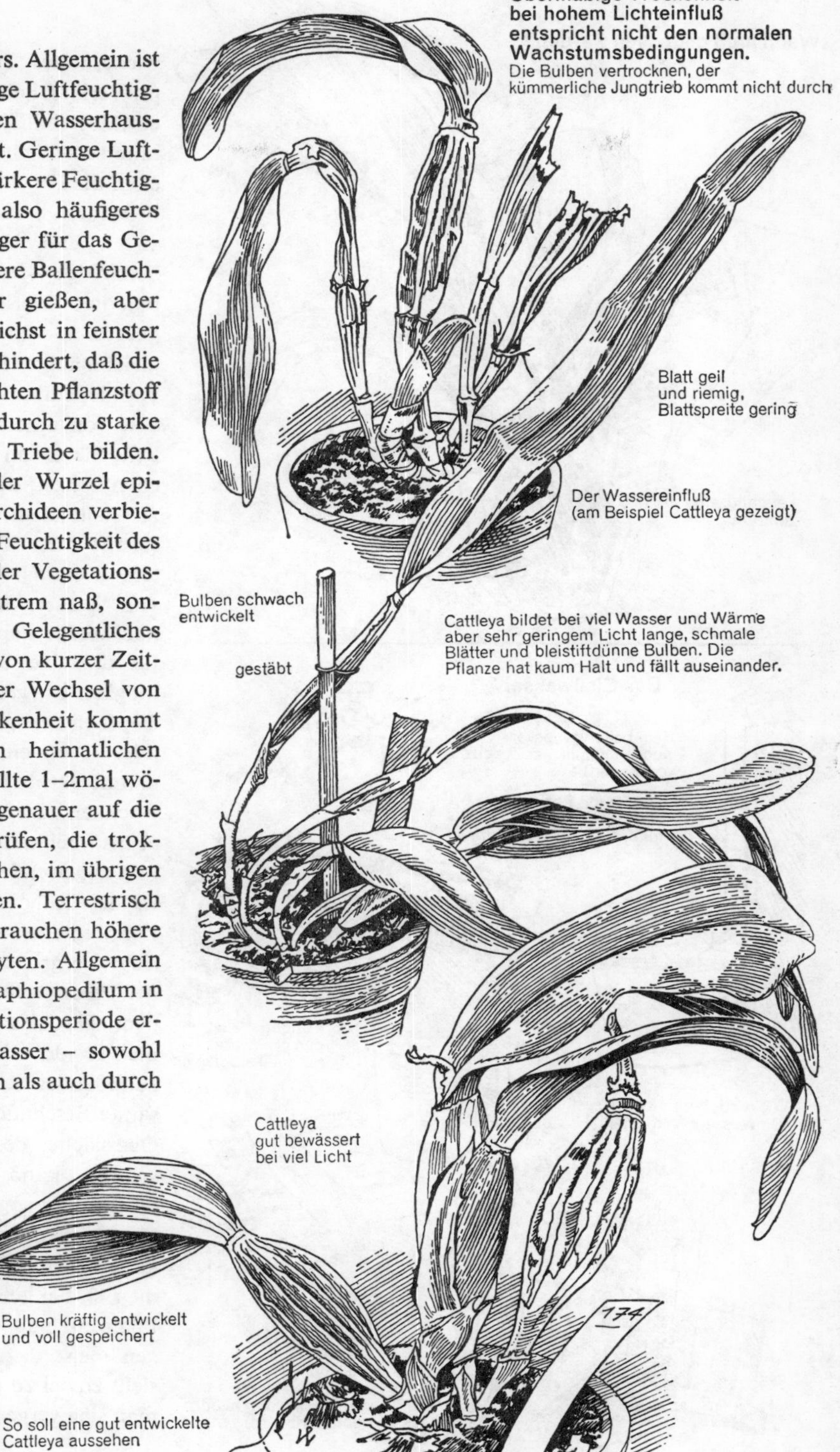

Wann muß gegossen werden?

Das Gießwasser

wiederholtes Übersprühen, besonders im Verlauf heißer Tage. Eine Ruhezeit entfällt, lediglich wird gemäß ihren unterschiedlichen Temperaturansprüchen die Feuchtigkeit etwas gemindert, besonders bei den kühler zu haltenden Arten und Hybriden. Sehr wärmebedürftige – wie z.B. Paphiopedilum maudiae – verbleiben ständig bei Temperaturen von +20 bis +25°C und gleichmäßiger Feuchtigkeit.

Paphiopedilum lieben in hohem Maße eine von unten aufsteigende Feuchtigkeit. Sie sollen nie auf trockenen Flächen stehen; durch Auflage von feucht zu haltendem Torf oder Sphagnum schafft man Verdunstungsmöglichkeiten, eventuell auch durch Aufgießen von Wasser. Sind in einer Sammlung nur wenige Paphiopedilum vorhanden, für die eine Sonderbehandlung nicht möglich ist, genügt es auch schon, die Töpfe in eine größere Schale mit Moos oder Torf einzubetten. Diese Maßnahme verhindert ein zu rasches Austrocknen kleiner Töpfe und kann ebenso bei anderen Orchideen mit Erfolg angewendet werden.

In der Ruhezeit wird man u.U. die Zeiträume zwischen der genauen Durchsicht vergrößern können, nur sollte der Pflanzstoff nie zu stark austrocknen. Da dies an der Oberfläche am meisten der Fall ist, kann es zu unzutreffenden Rückschlüssen auf die gesamte Beschaffenheit führen. Wenn die Oberfläche des Ballens trocken erscheint, kann das Innere trotzdem feucht oder sogar reichlich feucht sein. Zur Beurteilung des richtigen Feuchtigkeitsgrades gehört etwas Erfahrung, die sich bei laufender Beobachtung der Pflanzen bald einstellt. Anfänger neigen meist dazu, in gutgemeinter Absicht zuviel zu gießen. Allgemein sollte man sich vergegenwärtigen, daß bei der

Orchideenpflege zu große Feuchtigkeit mehr verderben kann als zuwenig Wasser.

Die Beschaffenheit des Gieß- und Spritzwassers ist von besonderer Bedeutung für den Erfolg. Leitungswasser, an dessen Verwendung aus naheliegenden Gründen zuerst gedacht wird, eignet sich meist nicht für die Pflanzenpflege, da es u. U. chemisch behandelt ist. Wichtig ist also, seine chemische Reaktion zu wissen. Wir unterscheiden zwei meßbare Werte, und zwar die Wasserstoffionenkonzentration – ausgedrückt als pH-Wert – und die Härte des Wassers. Reines Wasser hat einen pH-Wert von 7; es ist in diesem Zustand in der Natur kaum vorhanden, sondern je nach den in ihm gelösten Stoffen sauer, d.h. unter dem Wert von pH 7 oder alkalisch = über pH 7.

Das für die Orchideenpflege benützte Wasser soll etwa um pH 5 liegen, also im leicht sauren Bereich.

Die Härte des Wassers wird bestimmt durch die in ihm gelösten Salze des Calciums und Magnesiums. Sie ist durch die Bodenbeschaffenheit beeinflußt. In Gebieten mit einem Untergrund von wasserundurchlässigen oder wasserunlöslichen Gesteinen – wie Quarzgestein, Sandstein, kristallinem Schiefer und ähnlichen Formationen – wird das Brunnen- und Quellwasser, ähnlich dem Regenwasser, weich sein. Das Gegenteil ist dort anzutreffen, wo im Boden wasserlösliche Mineralien vorkommen; die beeinflussen Grund- und Oberflächenwasser zu mehr oder weniger großer Härte. Diese zu bestimmen ist oft recht schwierig; in größeren Städten werden die Wasserwerke Auskunft geben. Es ist üblich, die Härte in Zahlen auszudrücken; sie wird in „Deutschen Härtegraden" angegeben = °dH. Man sollte kein Wasser für die

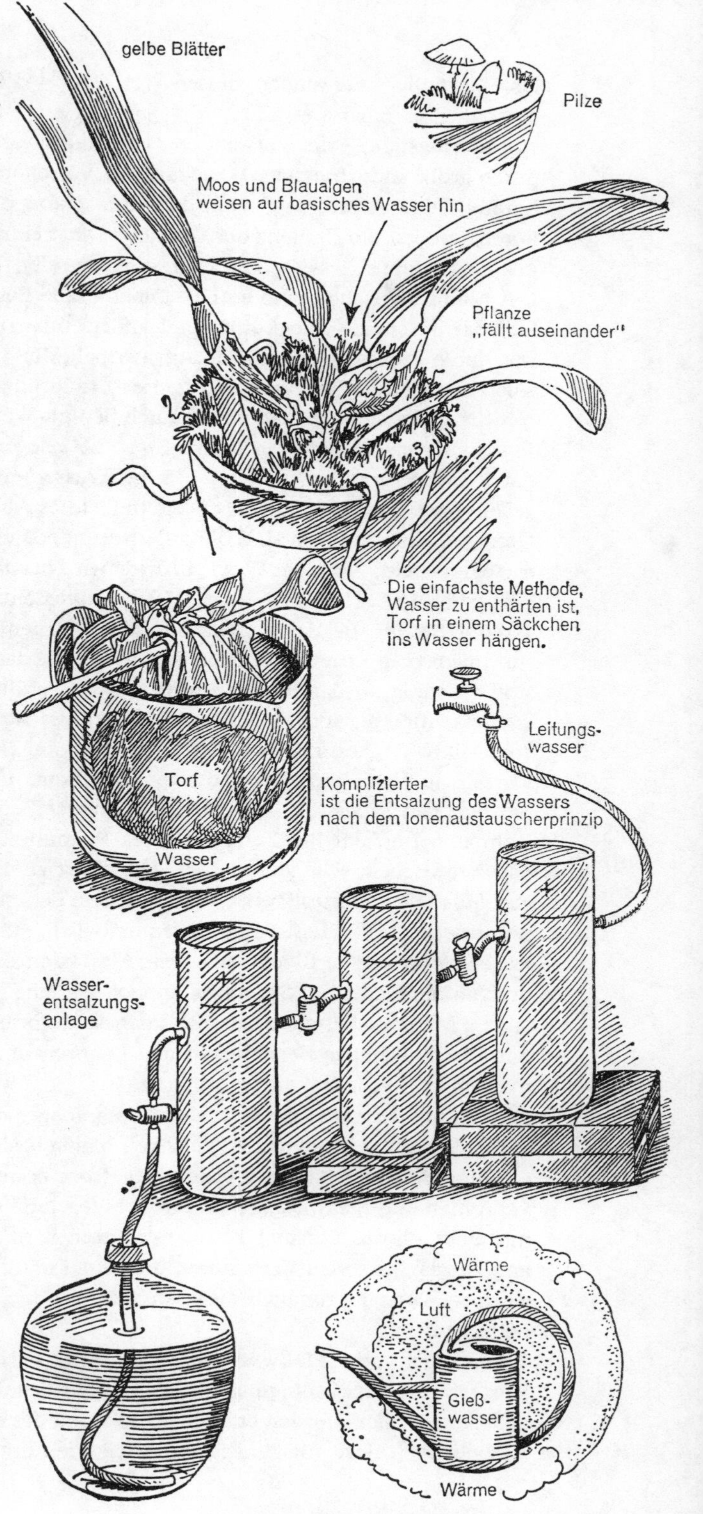

Luft und Gießwasser sollen annähernd gleiche Temperatur haben, d.h. im „Wärmezusammenhang" stehen

Orchideenpflege verwenden, dessen Wert über 4°dH liegt. Wie man sich geeignetes Wasser beschafft, sei daher angeführt.
Am günstigsten ist die Verwendung von Regenwasser, ausgenommen in Gegenden, wo es durch große Industrieanlagen zu stärkerer Verschmutzung der Luft und der Auffangflächen kommt. Die Auswaschungen aus der Atmosphäre, die das Regenwasser enthält, ermöglichen überhaupt erst die Existenz der Orchideen am heimatlichen Standort. Vergegenwärtigen wir uns doch einmal, was in dem Luftraum, den der fallende Regen durchmißt, enthalten ist. Der atmosphärische Staub enthält mineralische Bestandteile des Erdbodens, Gesteins- und Holzpartikelchen, Pollenkörner und andere pflanzliche Teile, Spaltpilze, Exkremente u.a., was durch Stürme von der Erde aufgewirbelt, durch den Regen zu ihr zurückkommt. Es ist eine Anreicherung von Stoffen, die der Ernährung der Pflanzen auf natürliche Weise entsprechen. Sie verändern allerdings auch den ph-Wert, der für Regenwasser je nach Ort und Jahreszeit verschieden sein kann. Er sollte gelegentlich gemessen werden. Dies geschieht durch Indikatorpapier, welches – in das Wasser eingetaucht und anschließend mit der mitgelieferten Farbskala verglichen – ein müheloses Ablesen des angezeigten Wertes ermöglicht. Geringe Schwankungen sind ohne Bedeutung, da ein Spielraum von ph 5–7 im Bereich des tragbaren steht. Auf dem Wege zur Erde wird der Regen mit Luft gesättigt. Sie enthält etwa 78% Stickstoff, 21% Sauerstoff, 0,03% Kohlendioxyd und Spuren von Ammoniak, Ozon, Jod u.a. Stoffen. Bei der Vorratshaltung von Regenwasser auf längere Zeit entfällt der Sauerstoff, dem man neuerdings hohe Bedeutung für das Gedeihen der Pflanzen beimißt. Sauerstoff ist stetig an das Pflanzensubstrat heranzuführen, sowohl durch ausreichende Frischluftzirkulation als auch durch sauerstoffhaltiges Wasser. Damit fördern wir die Entwicklung von Mikro-Organismen, die den Zerfall organischer Körper in einfachere, für Pflanzenwurzeln aufnehmbare Verbindungen bewirken. Diese Aerobakterien benötigen zu ihrer Existenz viel Sauerstoff. Bei dauernd zu hoher Feuchtigkeit des Pflanzenstoffes und Sauerstoffmangel erfolgt die Zersetzung des Pflanzstoffes durch anaerobe Bakterien, die ohne Sauerstoff leben, sehr viel rascher. Das führt zu einer Verdichtung des Materials, die den ebenfalls sehr sauerstoffbedürftigen Wurzeln der epiphytischen Orchideen abträglich ist und sie absterben läßt. Es ist natürlich unmöglich, ständig frisches – d.h. sauerstoffhaltiges – Regenwasser zur Verfügung zu haben. Man kann abgestandenes jedoch mit einem Aquariendurchlüfter wieder mit Sauerstoff anreichern; eine Möglichkeit, die empfehlenswert ist. Eine andere Methode besteht darin, den Pflanzstoff vor neuen Wassergaben austrocknen zu lassen und die notwendige Feuchtigkeit den Pflanzen unter Druckverstäubung oder Vernebelung in häufiger Wiederholung zuzuführen.
Durch unvorteilhaftes Gießwasser oder unsachgemäße Düngung wird der im Normalzustand anfänglich sauer reagierende Pflanzstoff häufig basisch. Dies äußert sich in Moos- und Blaualgenbildung; die Pflanzen bekommen trotz bester Pflege gelbe Blätter. Diesem Zustand kann man entgegenwirken, wenn in der Vegetationsperiode wöchentlich oder vierzehntägig mit einer Phosphatlösung 1 : 1000 gegossen wird. Ist der Alkalinitätsgrad schon zu hoch angestiegen, so ist ein Verpflanzen unbedingt nötig. Der Wurzelballen sollte vorher mit lauwarmem Wasser gründlich ausgewaschen werden, damit möglichst viele schädliche Stoffe herausspülen.
Teich-, Bach- oder Flußwasser bedarf vor der Verwendung einer Prüfung auf pH-Wert und Härtegrad. Grundbedingung ist die Sicherheit, daß es keine chemischen Verunreinigungen aus industriellen Anlagen enthält. Auf Grund des eingangs Gesagten ist mit gewisser Wahrscheinlichkeit dort mit günstigen Härtegraden des Oberflächenwassers zu rechnen, wo der

Untergrund aus wasserundurchlässigen oder wasserunlöslichen Gesteinen besteht. In solchen Gebieten ist auch das Quell- und Brunnenwasser weich, u. U. dem Regenwasser fast gleich.
Wenn nur Wasser mit einem zu hohen Härtegrad verfügbar ist, muß es auf chemischem Wege enthärtet werden. Ausführliche Anleitungen können hier nicht erfolgen, da die handelsüblichen Geräte wie auch die Eigenschaften der Ionenaustauscher verschieden sind. Das Prinzip ist jedoch das gleiche. Fein granulierte Kunstharze, die sogenannten Ionenaustauscher, binden bei dem Durchgang von hartem Wasser seine Mineralsalze bzw. tauschen sie aus, so daß ein Endprodukt entsteht, dessen Reinheit dem destillierten Wasser nahekommt. Nach dem Durchgang einer bestimmten Menge zu entsalzenden Wassers sind die Ionenaustauscher zu regenerieren, was durch geeignete Chemikalien erfolgt. Der Arbeitsaufwand ist relativ gering, die Kosten ebenfalls. Eine ausschließliche und dauernde Verwendung solchen desionisierten Wassers ist nicht ratsam, da jegliche Nährstoffe fehlen. Sie sind in Form anorganischen Düngers entsprechend den im Abschnitt „Die Ernährung“ gegebenen Richtlinien dem Wasser vor seiner Verwendung beizufügen. Bestimmend sind die Art der Pflanzen, ihr Alter und Entwicklungszustand, der Standort und die Jahreszeit. Die Verwendung desionisierten Wassers bietet insofern einen Vorteil, weil durch seine Reinheit die Zugabe von Nährstoffen in Art und Menge genau auf die Bedürfnisse der Pflanzen abgestimmt werden kann.
Die Temperatur des Gieß- bzw. Spritzwassers ist von gewisser Bedeutung. Eine alte Gärtnerregel besagt, daß das Gießwasser etwa die Temperatur der Luft haben soll. Man sollte sich ungefähr danach richten. Geringe Differenzen spielen keine Rolle. Große Temperaturunterschiede, wie sie etwa beim Spritzen stark besonnter Pflanzen mit kaltem Wasser entstehen können, sind ihnen abträglich. Entstehende Schäden werden u. U. gar nicht direkt sichtbar oder erst nach längerer Zeit.

DIE ERNÄHRUNG

Soll man Orchideen düngen oder nicht? Dies ist eine der häufig gestellten Fragen über Pflegemaßnahmen. Bis in die neuere Zeit wurde von erfolgreichen Orchideenpflegern eine Düngung abgelehnt oder abgestritten. Die Wandlung in der Wahl der Pflanzstoffe bedingt in zunehmendem Maße eine zusätzliche Ernährung, um den Bedarf der Pflanzen zu decken. Vorweg sei gesagt, daß bei Verwendung bestimmter Pflanzstoffe und einwandfreien Regenwassers eine Düngung nicht erforderlich ist. Dieser Weg muß dem Anfänger als der absolut sichere empfohlen werden. Mit einer Düngung kann er u. U. mehr verderben als nützen, da aus wohlgemeinter Absicht oft des Guten zuviel getan wird.
Den Grundlagen der Ernährung von Orchideen sei eine kurze Übersicht über die Verhältnisse am heimatlichen Standort vorangestellt. Sie bezieht sich im wesentlichen auf die epiphytische Lebensweise als einem von der üblichen Form der Wasser- und Nährstoffaufnahme abweichendem Faktor. Die bei bodenbewohnenden Pflanzen ständig vorhandene Möglichkeit, ihren Nahrungsbedarf aus dem Erdboden zu decken, entfällt bei den Epiphyten. Ihnen steht bestenfalls die durch den gesamten Epiphytenwuchs wie in einem Schwamm festgehaltene Feuchtigkeit zur Verfügung. Nährstoffe finden sich in dem Humus aus verwesenden Pflanzenteilen, Exkrementen von Tieren und anderen Stoffen. Hinzu kommen Stoffe, die der Regen von höher gelegenen Ästen, von Stämmen und den Blättern der Baumkronen her-

unterspült. Auch die Auswaschungen aus der Atmosphäre dienen der Ernährung. Die durch tropische Stürme aufgewirbelten und in höheren Luftschichten eingelagerten Staubmassen führen Mineralstoffe mit sich, die durch den Regen wieder zur Erde zurückkommen. Insgesamt ist dies ein schwacher, aber beständig fließender Nährstoffstrom – soweit Niederschläge fallen. In der Trockenperiode mit starkem Nachttau als meist einziger Niederschlag in längeren Zeiträumen stockt die Nährstoffzufuhr aus der Atmosphäre; die Pflanzen ruhen. Alle Epiphyten sind äußerst genügsam und wachsen langsam.

Es besteht ein unmittelbarer Zusammenhang zwischen Nährstoffversorgung und Wachstumsgeschwindigkeit. Berücksichtigt man ferner, daß die meisten epiphytisch wachsenden Orchideen gezwungen sind, zur Überwindung der Trockenzeit substanzreiche Speicherorgane – wie Pseudobulben und Blätter – auszubilden, so ergibt sich zwangsläufig eine über viele Jahre ausgedehnte Entwicklungszeit bis zur ersten Blüte. Der innere Rhythmus einer Pflanze läßt sich nur bedingt verändern. Es ist also keinesfalls möglich, die Entwicklung durch erhöhte Nährstoffzufuhr wesentlich zu beschleunigen. Die Grundtendenz eines auf Jahre verteilten Wachstums bis zur ersten Blüte bleibt auf jeden Fall bestehen. Stärker beeinflußbar ist zweifellos die Substanzzunahme der Pflanzen und ihre Blütenproduktion. Gegenüber anderen Gewächsen sind jedoch die Möglichkeiten der Nährstoffaufnahme weit geringer.

All diese Verhältnisse müssen bei der Pflege berücksichtigt und den örtlichen Gegebenheiten angepaßt werden.

Zunächst sind drei Grundregeln zu beachten:

Nur gesunde, gut bewurzelte Pflanzen dürfen gedüngt werden.

Geringere Nährstoffgaben in häufigerer Wiederholung sind vorteilhafter als zu hohe Konzentrationen nach längeren Pausen.

Nur in der Vegetationsperiode darf gedüngt werden, nie in der Ruhezeit.

ORGANISCHE DÜNGUNG

Die Anwendung organischer Dünger ist naheliegend, weil sie den Verhältnissen am natürlichen Standort ähnelt. Vernünftig angewandt, ist diese Art zusätzlicher Ernährung mild und gut verträglich für die Pflanzen. Ungünstig sind dagegen die unkontrollierbare bzw. nicht meßbare Konzentration und der Nährstoffgehalt, welcher nicht auf Alter und Jahreszeit abgestimmt werden kann.

Der Dünger wird folgendermaßen aufbereitet: Kuh- oder Taubendung, Blutmehl, Hornspäne werden mit Wasser angesetzt. Wenn der nach einigen Tagen einsetzende Gärprozeß abgeklungen ist, filtert man die festen Bestandteile ab. Die verbleibende Jauche wird mit Wasser so weit verdünnt, daß der Dünger helle Teefarbe hat. Besonders Geflügeldung ist sehr stickstoffreich; es empfiehlt sich, durch Zugabe anorganischer Dünger – etwa 1 : 1000 – mit vorwiegendem Phosphor- und Kaligehalt eine breitere Basis zu schaffen.

Bereits in dem Abschnitt über die Feuchtigkeit wurde auf die Verschmutzung des Pflanzstoffes und seine rachere Zersetzung bei organischer Düngung hingewiesen. Diese Nachteile entfallen bei der Anwendung anorganischer Dünger, zumindest die Verschmutzung.

ANORGANISCHE DÜNGUNG

Der wesentlichste Vorteil handelsüblicher Dünger ist die Möglichkeit genauester Dosierung nach Art und Menge und die sich hieraus ergebende Befriedigung der Ansprüche der Pflanze.
In Betracht kommen als Nährstoffe Stickstoff (N), Phosphor (P) und Kali (K), wobei N substanzbildend ist, P die Blütenbildung beeinflußt und K wesentlich die Entwicklung und Festigung der Blüten und Früchte bewirkt.
Je nach Alter, Entwicklungszustand und Jahreszeit ist differenziert zu düngen. Penningsfeld, Weihenstephan, hat das Ernährungsproblem eingehenden Studien unterzogen. Er empfiehlt zur Zeit des neuen Durchtriebes erhöhtes Stickstoffangebot und zum Triebabschluß stärkere Phosphor- und Kali-Betonung.

Das Düngungsschema sieht folgendermaßen aus:

			N P K
März-April-Mai	0,5/‰	in Abständen von 3–4 Wochen	2 : 1 : 1
Juni-Juli-August	1/‰	in Abständen von 2 Wochen	2 : 1 : 1
August-September-Oktober	1/‰	in Abständen von 2 Wochen	1 : 1 : 1
Jungpflanzen nur	0,5‰	in gleichen Abständen	3 : 1 : 1

Die Zahlen entsprechen in ihrer Reihenfolge den Anteilen von Stickstoff, Phosphor und Kali.
Innerhalb der Gattungen ist die Aufnahmefähigkeit differenziert. Die Angaben beziehen sich hier auf die gärtnerisch wichtigsten Orchideen. Sie sind jedoch für den Orchideenfreund in gleicher Weise interessant. Nährstoffbedürfnis und Salzverträglichkeit scheinen gekoppelt zu sein, die Reihenfolge vom geringsten bis zu höherem Bedarf lautet etwa: Cymbidium, Phalaenopsis, Dendrobium, Cattleya. Relativ salzempfindlich sind Paphiopedilum; von einer anorganischen Düngung ist abzuraten, selbst organischer Dünger sollte nur in mildester Form gegeben werden.
Bisher wurde nur die Ernährung in flüssiger Form besprochen. Eine Vorratsdüngung durch Zugabe von Nährstoffen in fester Form zu den Pflanzstoffen ist allgemein nicht üblich. In der Literatur sind Hinweise zu finden, daß gute Erfolge durch Horn-, Knochen- oder Blutmehl erzielt wurden, welche in geringen Mengen dem Substrat zugesetzt wurden. Für Orchideen, welche humoses Pflanzmaterial erhalten – wie Cymbidium, Coelogyne, Lycaste u.a. –, bestehen keine Bedenken. Bei denjenigen Gattungen, welche Substrat auf Osmunda-Basis erhalten, ist eine solche Düngung wegen der rascheren Zersetzung des Materials nicht vorteilhaft.
Wie vieles andere in der Orchideenpflege ist die Düngung Ansichtssache.

DAS VERPFLANZEN

Orchideen sollte man ohne zwingende Gründe nicht umpflanzen. Die Maßnahme ist jedoch notwendig, wenn der Pflanzstoff zu stark zersetzt und damit luftundurchlässig ist. Im Zweifelsfall vergegenwärtige man sich, daß er noch ein weiteres Jahr in gutem Zustand bleiben muß, wenn man sich nicht zum Umpflanzen entschließt. Ähnliche Erwägungen gelten für

Umpflanzen

den Zuwachs. Der zu erwartende Neutrieb soll auf jeden Fall noch Platz im Gefäß finden und nicht über seinen Rand hinauswachsen. Vernachlässigte Pflanzen, deren Triebe frei in die Luft ragen und viele Luftwurzeln gebildet haben, sind meist schwierig wieder in Ordnung zu bringen.

Für den Turnus und die zeitliche Vornahme des Verpflanzens bestehen einige Regeln, die allgemeine Gültigkeit haben. Sie werden jedoch individuell je nach Meinung und Erfahrung des jeweiligen Pflegers abgewandelt, ohne daß die Pflanzen Schaden nehmen, sofern sinnvoll gearbeitet wird.

Alljährlich sollten verpflanzt werden: Calanthe, Dendrobium phalaenopsis und seine Hybriden, Paphiopedilum, Pha aenopsis u. a.

Alle zwei Jahre: Cattleya, Dendrobium Oncidium, Odontoglossum u. a.

In Abständen von drei Jahren: Cymbidium, Vanda u. a.

In größeren Zeitabständen: alle kleinwachsenden horstbildenden Arten in Blockkultur.

Der Umpflanzvorgang

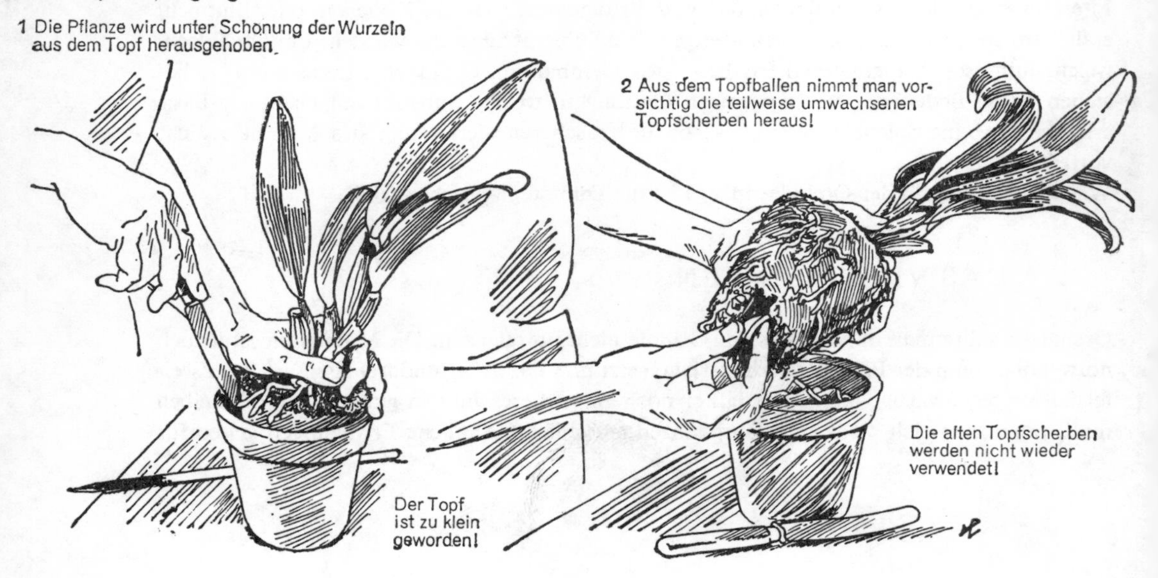

1 Cattleya aclandiae; 2 Laelia anceps; 3 Cattleya forbesii; 4 C. violacea; 5 C. warscewiczii var. van Houtte x C. warneri Ardenholms Varietät; 6 Laeliocattleya Odessa

1 Cattleya Import nach Ankunft; 2 Importpflanze von Cattleya skinneri; 3 Importstücke von Oncidium phymatochilum; 4 Oncidium leucochilum, etabliert; 5 Paphiopedilum callosum-Import nach Ankunft; 6 Paphiopedilum callosum, etabliert; 7 Importstück von Hartwegia; 8 Blockkultur kleinwachsender Orchideen

Diese Angaben können in Sonderfällen abgewandelt werden. Vorzeitige schlechte Beschaffenheit des Pflanzstoffes oder besondere Wuchsfreudigkeit werden u. U. eine Verfrühung nötig machen. Dagegen sollte keineswegs schematisch gehandelt und umgepflanzt werden, wenn es noch nicht erforderlich erscheint. Insgesamt ist bei aller Vorsicht und schonendster Behandlung der Wurzeln das Umpflanzen doch ein harter Eingriff, den man nicht ohne zwingenden Grund vornimmt. Der Zeitpunkt des Umpflanzens ist von inneren und äußeren Bedingungen abhängig und verhältnismäßig eng begrenzt. Er ist bedingt beeinflußbar durch die Umweltbedingungen, soweit sie von uns regulierbar sind. Die günstigste Zeit ist der Beginn der Wachstumsperiode mit einsetzender neuer Wurzel- und Triebbildung. Die Pflanzen überwinden die durch das Umpflanzen verursachte Störung leichter, und der Jahrestrieb wird sich meist normal entwickeln. Im allgemeinen beginnt ab etwa Mitte bis Ende Januar die Bildung neuer Wurzeln. Unter weniger günstigen Bedingungen – oder aber auch artbedingt – kann dies jedoch auch erst wesentlich später der Fall sein. Eine Beeinflussung durch verhältnismäßig niedrige Temperaturen und geringe Feuchtigkeit ist möglich; die dadurch später einsetzende Wurzel- und Triebentwicklung bedingt auch späteres Verpflanzen. Die günstigste Verpflanzzeit, die eine normale Ausbildung des Jahrestriebes gewährleistet, liegt etwa in den Monaten März bis Mai. Für Phalaenopsis galt der August als günstigster Termin; jetzt verpflanzt man nach Bedarf zu jeder Jahreszeit mit Ausnahme der Wintermonate. Paphiopedilum können bereits im Januar–Februar verpflanzt werden, jedoch auch noch im April–Mai.

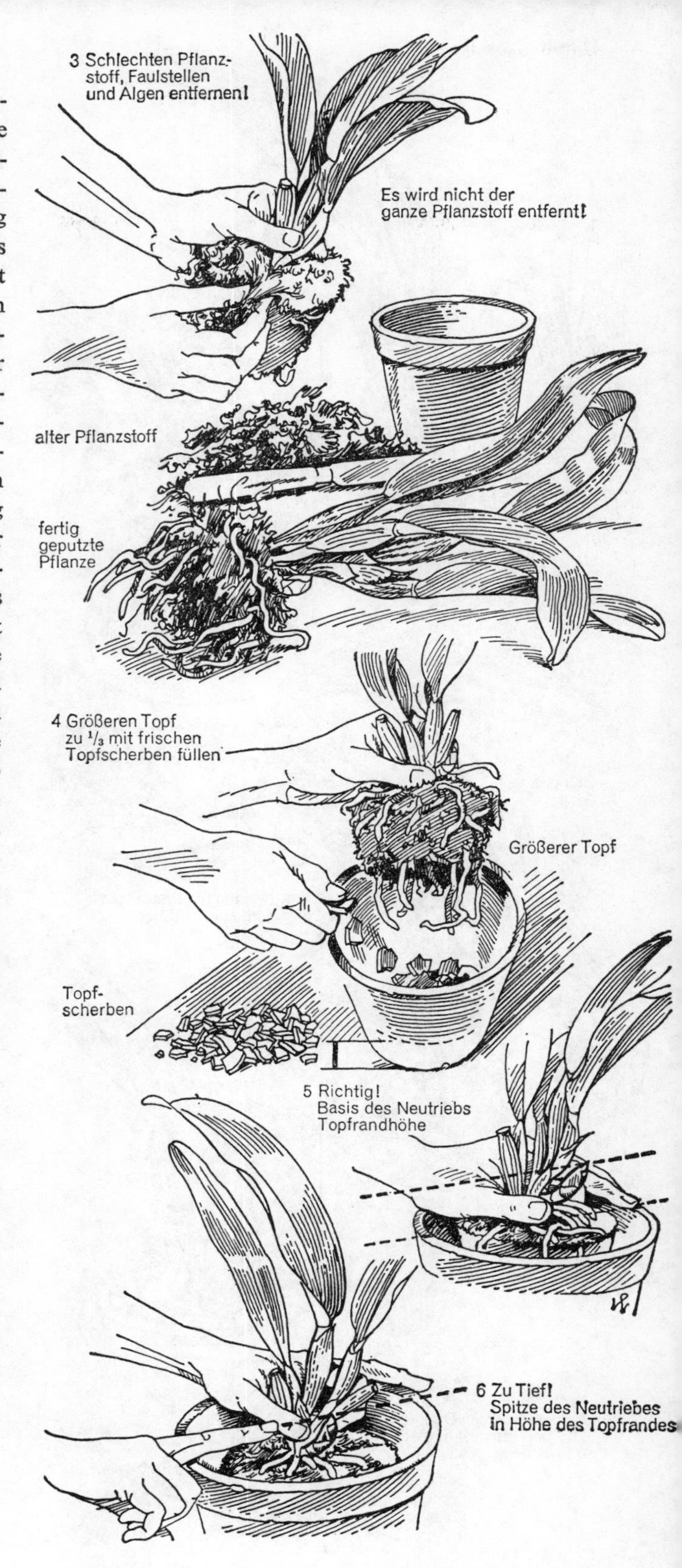

Odontoglossum crispum und die aus ihr gezüchteten Hybriden sollten im Herbst mit beginnendem Neutrieb verpflanzt werden.

Als traditionelle Regel gilt, daß das Umpflanzen erfolgen soll, wenn bei sympodial wachsenden Orchideen – also etwa bei Cattleya, Laelia, Dendrobium u.a. – der Neutrieb etwa 5 cm lang ist. Neuerdings verpflanzt man jedoch bereits vor der Triebentwicklung. Die unvermeidliche Störung bringt meist eine Wachstumshemmung, welche durch frühes Verpflanzen vermieden werden kann.

Anfängern in der Orchideenpflege – wie oft auch Fortgeschrittenen – bereitet die Technik des Umpflanzens gewisse Schwierigkeiten, meist in der Behandlung der Wurzeln. Ihre Beschädigung ist oft unvermeidlich; z.T. müssen sie gekürzt werden. Das Auslösen aus den Töpfen oder Holzkörbchen kann meist nicht ohne Verwendung des Messers geschehen. Alle anhaftenden Reste alten Pflanzstoffes und alter Wurzeln werden ausgeschüttelt bzw. abgeschnitten, ebenso geschrumpfte, überalterte Bulben. Bei Orchideen mit sympodialem Wuchs – Cattleya, Laelia, Dendrobium, Odontoglossum, Oncidium und ähnlichen – beläßt man nicht unter drei und nicht über fünf Bulben an der Pflanze. Die älteren werden als Rückbulben, sofern triebfähige Reserveaugen vorhanden sind, zu neuerlicher Entwicklung gebracht. Man pflanzt sie in kleine Töpfe, um zunächst die Wurzelbildung zu begünstigen. Im Laufe von 2–3 Jahren regenerieren sich diese Rückbulben oder Hinterstücke zu normalen Pflanzen. Es ist eine vegetative Vermehrungsart, durch die ein Pflanzenbestand langsam vergrößert werden kann.

Die Größe der Gefäße – ob Töpfe, Schalen oder Lattenkörbe – soll so bemessen sein, daß die Pflanze für ein oder zwei Jahre genügend Raum hat, sich normal zu entwickeln. Man vermeide zu große Gefäße, denn damit ist eine günstige Entwicklung keinesfalls zu fördern, sondern eher zu hemmen.

Töpfe und Schalen füllt man bis zu einem Drittel ihrer Höhe mit sauberen Topfscherben, um einen guten Wasserabzug zu sichern. Böden von Lattenkörben belegt man mit größeren flachen Topfscherben. Glasstreifen sind ebenfalls zu verwenden, aber wegen der Undurchlässigkeit weniger empfehlenswert.

Der gesäuberte Vorderteil sympodial wachsender Orchideen – wie bereits beschrieben mit 3–5 Bulben – wird nun in seiner Wurzelregion vorsichtig mit Pflanzstoff umgeben und alle Zwischenräume ausgefüllt. Dann setzt man die Pflanze mit dem so erhaltenen lockeren Ballen in das vorbereitete neue Gefäß. Dabei ist zu beachten, daß die älteste Bulbe an den Topfrand gepreßt wird und somit der Leittrieb – also die im Vorjahr gewachsene, zunächst jüngste Bulbe – sich etwa in der Mitte des Ge-

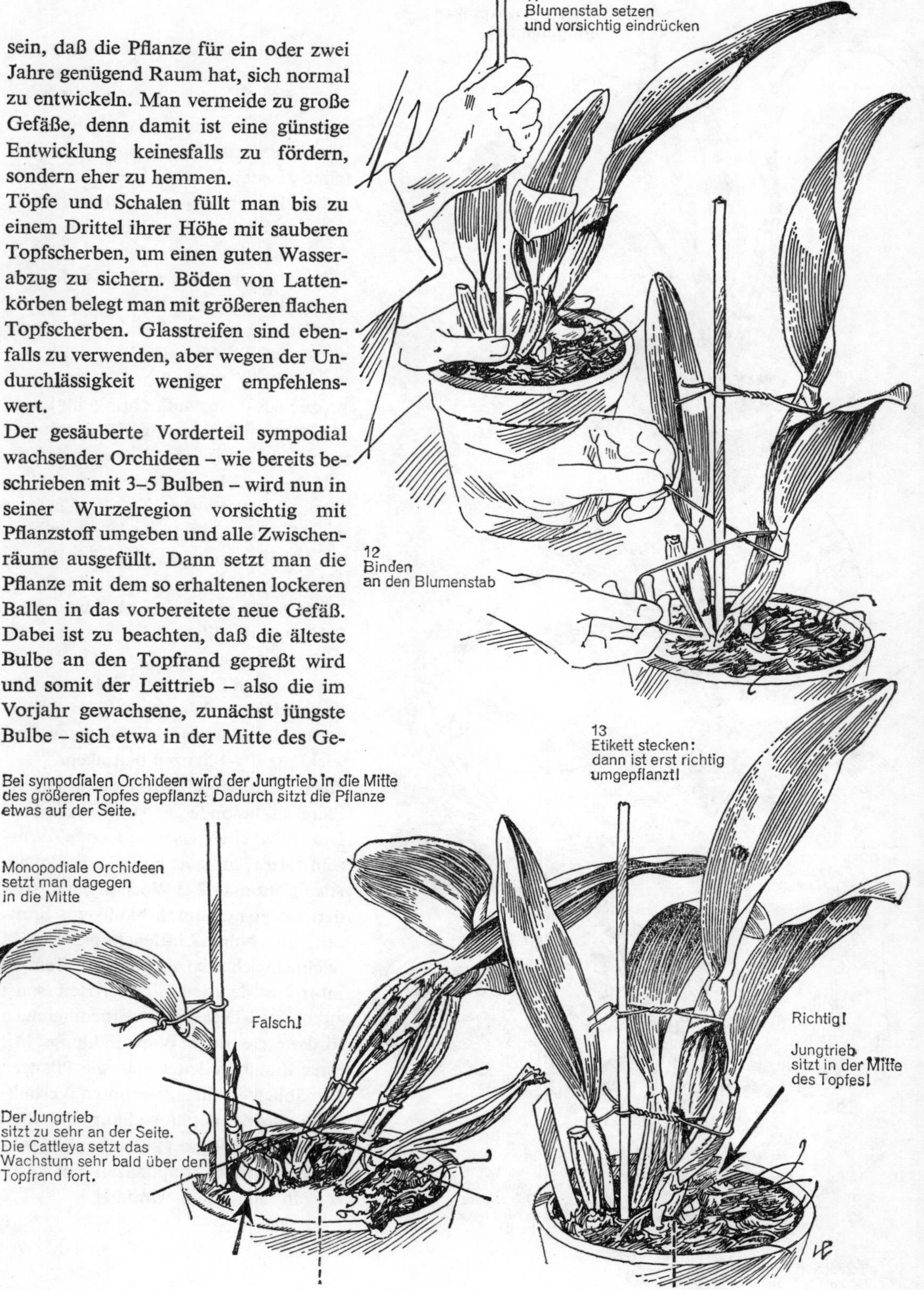

fäßes befindet. Dies ist besonders wichtig, damit die nachfolgenden Triebe genügend Platz haben. Nun wird Pflanzstoff allseitig nachgefüllt und mit einem Pflanzholz festgestopft, und zwar nach innen zu, damit keine Hohlräume entstehen. Bei sehr grobem, leicht austrocknendem Pflanzstoff beläßt man einen Gießrand, d.h., das Material schließt 1–2 cm unterhalb des Topfrandes ab. Es muß so fest gepflanzt werden, daß die Pflanze genügend Halt hat, bis sie sich durch die Wurzelbildung selbst verankert. Der natürliche Zersetzungsprozeß des Pflanzstoffes bringt im Laufe der Zeit eine Lockerung, der durch entsprechend festes Stopfen von Beginn an entgegengewirkt werden muß.

Pflanzen mit monopodialem Wuchs – wie Vanda, Renanthera, Phalaenopsis u.a. – kommen in die Mitte des Pflanzgefäßes zu stehen, da sie nicht in die Breite, sondern nur nach oben wachsen.

Bei Paphiopedilum belegt man nach dem Umtopfen gern die Oberfläche mit lebenden Sphagnumköpfen, die bei einwandfreier Wasserqualität weiterwachsen und wesentlich zur guten Entwicklung der Pflanzen beitragen.

Nach dem Umpflanzen bedürfen die Pflanzen besonderer Aufmerksamkeit. Die möglicherweise verletzten Wurzeln vertragen keine hohe Feuchtigkeit. Also gießt man 2–3 Wochen nicht, sondern sorgt nur durch häufigeres Spritzen für hohe Luftfeuchtigkeit, gibt reichlich Schatten und höhere Temperatur als den jeweiligen Arten sonst zukommt. Diese Umweltbedingungen fördern die neue Wurzelbildung. Mit ihrer Zunahme leitet man die Pflanzen allmählich in ihre gewohnten Verhältnisse über. Paphiopedilum erhalten schon früher Wasser; man beginnt sehr bald nach dem Umpflanzen mit Spritzen in stärkerem Umfang.

Auf die Blockkultur ist schon hingewiesen worden. Es verbleibt lediglich, noch die Montage zu erläutern.
Aus verschiedenen Gründen muß ein gewisses Größenverhältnis von Unterlage und Pflanze gewahrt werden. Überwiegt der Umfang der Pflanze, gibt es Schwierigkeiten durch zu starkes Austrocknen. Denn wenn das Holz- oder Rindenstück auch totes Material ist, reguliert es doch den Wasserhaushalt. Setzt man eine kleine Pflanze auf eine zu große Unterlage, so leidet die ästhetische Wirkung. Bei der Wahl des Holzes oder der Rinde muß natürlich auch eventueller Zuwachs berücksichtigt werden, der je nach Gattung oder Art recht verschieden sein kann.
Bei der Bearbeitung empfiehlt es sich, die Wurzeln mit Pflanzstoff zu umgeben, die Pflanze sodann in geeigneter Stellung auf die Unterlage zu bringen und nochmals etwas Pflanzstoff aufzulegen. Sodann befestigt man mit nichtrostendem Draht das Ganze dergestalt, daß eine Lockerung unmöglich ist. Mit fortschreitender neuer Wurzelbildung verankert sich die Pflanze selbst, indem sich die Wurzeln fest mit der Unterlage verbinden.
Die Weiterbehandlung unterscheidet sich nicht von der üblichen Art der Pflege in Töpfen oder Körben. Lediglich ist der Feuchtigkeitsbedarf größer; die freihängenden Stücke trocknen stärker aus. Häufiges Spritzen ist erforderlich, ebenso das Tauchen in Zeitabständen, die je nach den Umweltbedingungen differenziert sind. Mehr noch als bei Topfkultur ist eine Düngung – mindestens der stärker wachsenden Arten – erforderlich. Bei Zwergorchideen ist jedoch Vorsicht geboten; sie sind äußerst genügsam und kommen ohne jede Düngung aus, wenn die Wasserbeschaffenheit günstig ist.

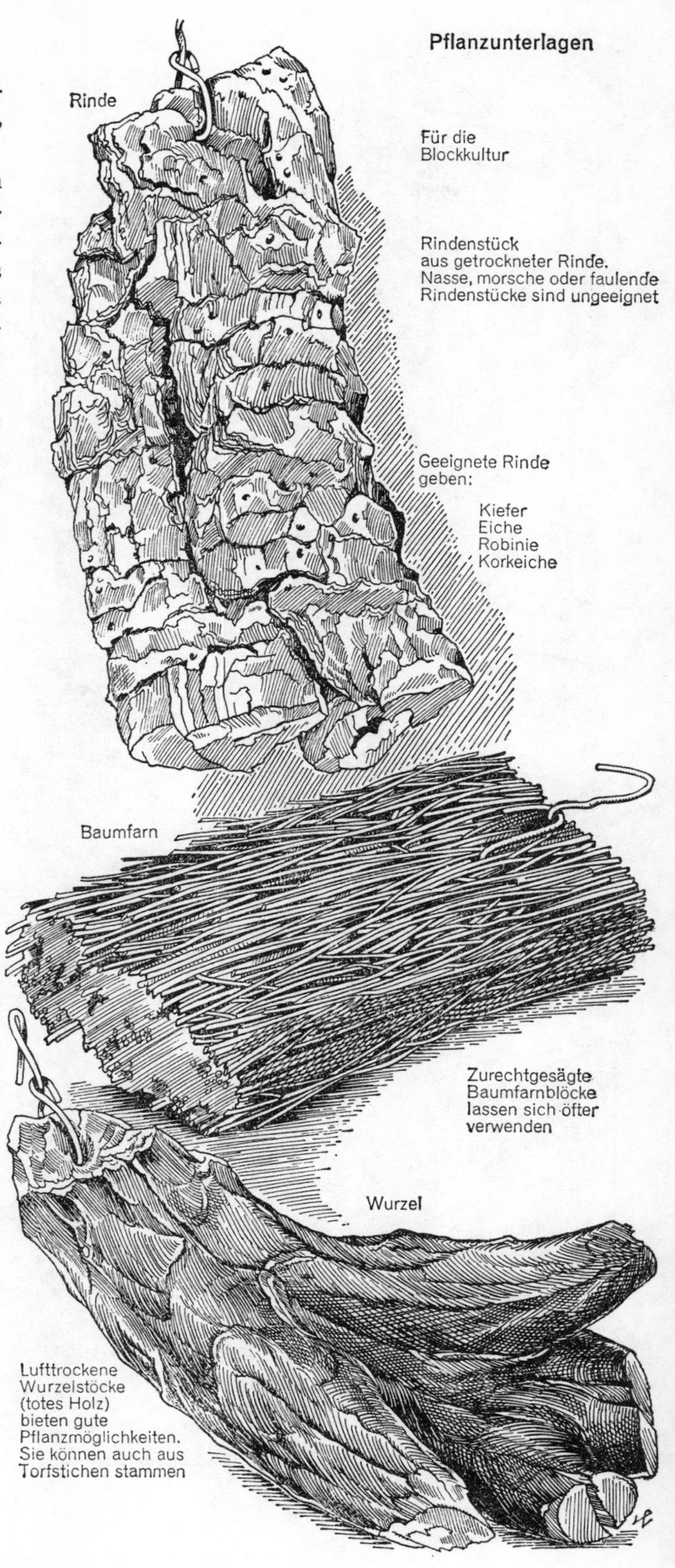

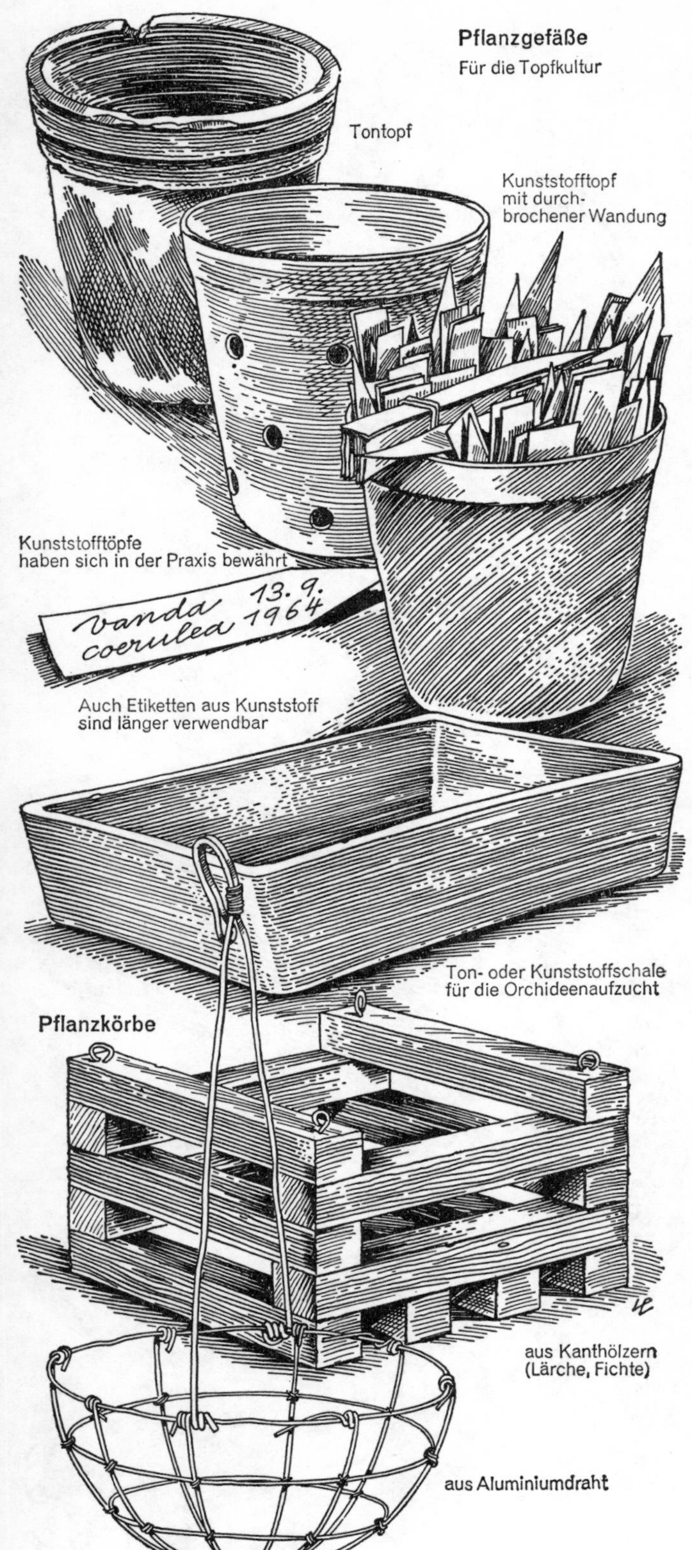

DIE PFLANZGEFÄSSE

Bei der Wahl geeigneter Pflanzgefäße entscheidet oft der individuelle Geschmack, manchmal aber auch die Lebensweise der betreffenden Art. Dies bezieht sich besonders auf die terrestrisch wachsenden Orchideen, die speziell in Ton- oder Plastiktöpfen gepflegt werden. Bei den Epiphyten ist der Spielraum größer; es kommen in Betracht:

Blockkultur
Tontöpfe, Plastikgefäße
Lattenkörbe

Die Befestigung auf Rinden-, Ast- oder Wurzelstücken gemäß der Lebensweise am heimatlichen Standort ist naheliegend. Bei vielen kleinwüchsigen Orchideen führt diese Methode allein zum Erfolg. Damit die Pflanzen möglichst lange ungestört wachsen können, ist die Unterlage dauerhaft zu wählen. Sehr gut geeignet ist Korkrinde; ihre Beschaffenheit bleibt über viele Jahre gleich. Kiefern- oder Eichenrinde ist von geringerer Beständigkeit, bleibt aber auch über Jahre brauchbar. Gut geeignet sind Abschnitte von Baumfarnstämmen; durch ihre Haltbarkeit und Porosität vielleicht die beste Unterlage. Abschnitte von alten Rebstökken bestechen durch ihren originellen Wuchs; Kiefernwurzeln aus dem Moor sind ebenfalls dekorativ und durch den Säuregehalt von Boden und Wasser haltbar. Für größere Stücke eignen sich auch Eichen- und Robinienäste, deren möglichst rauhe Rinde erhalten bleiben muß. Die Montage der Pflanzen ist in dem Abschnitt über das Verpflanzen eingehend beschrieben.

Der Tontopf hat – wie bisher – auch weiterhin in der Orchideenkultur seine volle Berechtigung. Besonders in der

1
Hinterlegen
mit Pflanzstoff
2
Pflanzstoff
vor die Wurzel legen
Block aus Baumfarn
Wie werden Orchideen
auf den Block montiert?
3
Richtige Haltung
der Pflanze:
Wasser kann aus
dem Herzen ablaufen!
4
Falsch!
Wasser läuft in das Herz
5
Drahten
auf den Block
6
Fertig!
Pflanze
und Pflanzstoff
sitzen fest auf
dem Baumfarnblock
Importierte Pflanze
„Dr. Gut Prag Ghana 64"

Erwerbsgärtnerei oder in größeren Sammlungen wird er wegen des geringen Preises noch uneingeschränkt verwendet. Spezialanfertigungen mit durchlochten Wandungen und Boden ergeben eine bessere Durchlüftung des Pflanzstoffes als bei den üblichen Tontöpfen. Auch Tonschalen in gleicher Art sind brauchbar. Ihre Haltbarkeit ist groß; sie lassen sich nach eingehender Säuberung häufiger wieder verwenden als Lattenkörbe.

Plastikgefäße in Form der Tontöpfe oder -schalen kommen in stärkerem Umfang zur Verwendung, nachdem sie anfänglich abgelehnt wurden. Die durch Wasserverdunstung in porösen Tontöpfen entstehende Auskühlung mit ihren u.U. auf die Wurzeln ungünstigen Auswirkungen entfällt beim Plastiktopf. Die Wasserhaltung ist selbstverständlich größer; man sollte Fabrikate mit durchbrochenen Wandungen gegenüber solchen ohne Aussparungen bevorzugen oder Gittertöpfe wählen, um eine stärkere Durchlüftung des Pflanzstoffes zu erreichen.

Eine gewisse Bedeutung können Schaumstofftöpfe für die Orchideenkultur erlangen. Ihre große Porosität erbringt gegenüber dem Tontopf erhöhte Temperatur des Topfballens. Die Auskühlung durch Verdunstung an der Außenseite von Tontöpfen entfällt und kann sich nicht nachteilig auf die Wurzeln auswirken. Ein kleiner Nachteil kann das geringe Gewicht des Topfes sein. Besonders wenn noch STYROMULL als Hauptbestandteil des Pflanzstoffes Verwendung findet, neigen größere Pflanzen leicht dazu, umzufallen.

Lattenkörbe haben den Vorzug, daß die Luft allseitig stark auf Pflanzmaterial und Wurzeln einwirken kann. Dies führt natürlich zu relativ raschem Austrocknen, was allerdings nicht negativ zu werten ist. Der Pflanzstoff bleibt länger gesund, die Zufuhr von Feuchtigkeit bedarf dagegen erhöhter Aufmerksamkeit. Es kann leicht geschehen, daß der Pflanzstoff äußerlich als zu trocken wirkt, das Innere jedoch noch feucht genug ist. Mit reichlichem Spritzen gleicht man diese Gegensätze aus. Es ist vorteilhaft, in gewissen Zeitabständen den Körben durch Eintauchen in Behälter mit Wasser ausreichende Feuchtigkeit zukommen zu lassen. In sommerlichen Hitzeperioden, die reichliche Lüftung erfordern, können die Körbe innerhalb kurzer Zeit völlig austrocknen, ohne daß sie durch Gießen oder Spritzen wieder genug durchfeuchtet werden.

Aus welchem Holz die Körbe hergestellt werden, ist von minderer Bedeutung. Man wählt möglichst hartes Holz von mindestens zwei Jahren Haltbarkeit. Die Verwendung von Eichenholz ist naheliegend. Doch kann von aufgehängten Eichenkörben abtropfende Gerbsäure für darunter befindliche Pflanzen verderblich werden. Manchmal werden auch die Orchideenwurzeln geschädigt, was unbedingt zu vermeiden ist.

DIE PFLANZSTOFFE

Nichts wird in der Orchideenpflege wohl individueller gewählt als die Pflanzstoffe und ihr Mischungsverhältnis. Eigenartig ist dabei die Beobachtung, daß trotz oft recht gegensätzlicher Zusammensetzung das Ergebnis gleich gut sein kann. Diese Feststellung beweist die große Vitalität der Orchideen in ihrer Gesamtheit. Auch hier kann man sagen, daß als schwierig geltende Arten gut wachsen können; sie müssen nur die zusagenden Bedingungen finden, die der Pflanzstoff entscheidend mitbestimmt.

Nachfolgend sind die Eigenschaften formuliert, welche der Pflanzstoff für Epiphyten besitzen soll.

Der häufig erwähnte Sauerstoffbedarf der Orchideenwurzeln und Bodenbakterien erfor-

dert eine lockere, gut durchlüftete Struktur des Pflanzstoffes.
Er muß für längere Zeit beständig sein, darf also nicht rasch verrotten.
Die Wasserhaltung muß ausreichend, aber nicht überhöht sein, um der Pflanze genügende Wasseraufnahme zu ermöglichen, ohne daß dauernde Nässe entsteht.
Die mineralische Ernährung der Pflanze muß bis zu einem gewissen Grad gesichert sein.
Der Pflanzstoff darf keine wurzel- oder pflanzenschädigenden Stoffe enthalten.
Sein pH-Wert soll einer leicht saueren Reaktion entsprechen. Ein gutes Pufferungsvermögen, d.h. die Fähigkeit, den Säuregrad längere Zeit möglichst konstant zu halten, ist eine weitere Forderung.
Die Pflanzen müssen durch den Pflanzstoff Halt finden, ohne daß durch das erforderliche feste Stopfen eine zu starke Verdichtung erfolgt.

Es liegt nahe, daß bei einer solch großen Zahl von Forderungen kein Pflanzstoff vorhanden ist, der als ideal anzusprechen sein dürfte. Gut sind allein Kombinationen verschiedener Medien. Ihre Wahl und das Mischungsverhältnis ist eine oft heiß umstrittene individuelle Angelegenheit der Orchideenpfleger – gleich ob aus Beruf oder Liebhaberei.
Für den Anfänger kommen allein die alten erprobten Zusammensetzungen in Betracht. Wenn trotzdem an dieser Stelle auf neuere und neueste Substrate eingegangen wird, so geschieht dies, um die Entwicklung zu zeigen und experimentierfreudige Leser zur Erprobung anzuregen.
Die wichtigsten Pflanzstoffe kurz charakterisiert:
Osmunda-Faser ist das Wurzelwerk des Königsfarns Osmunda regalis. Es ist

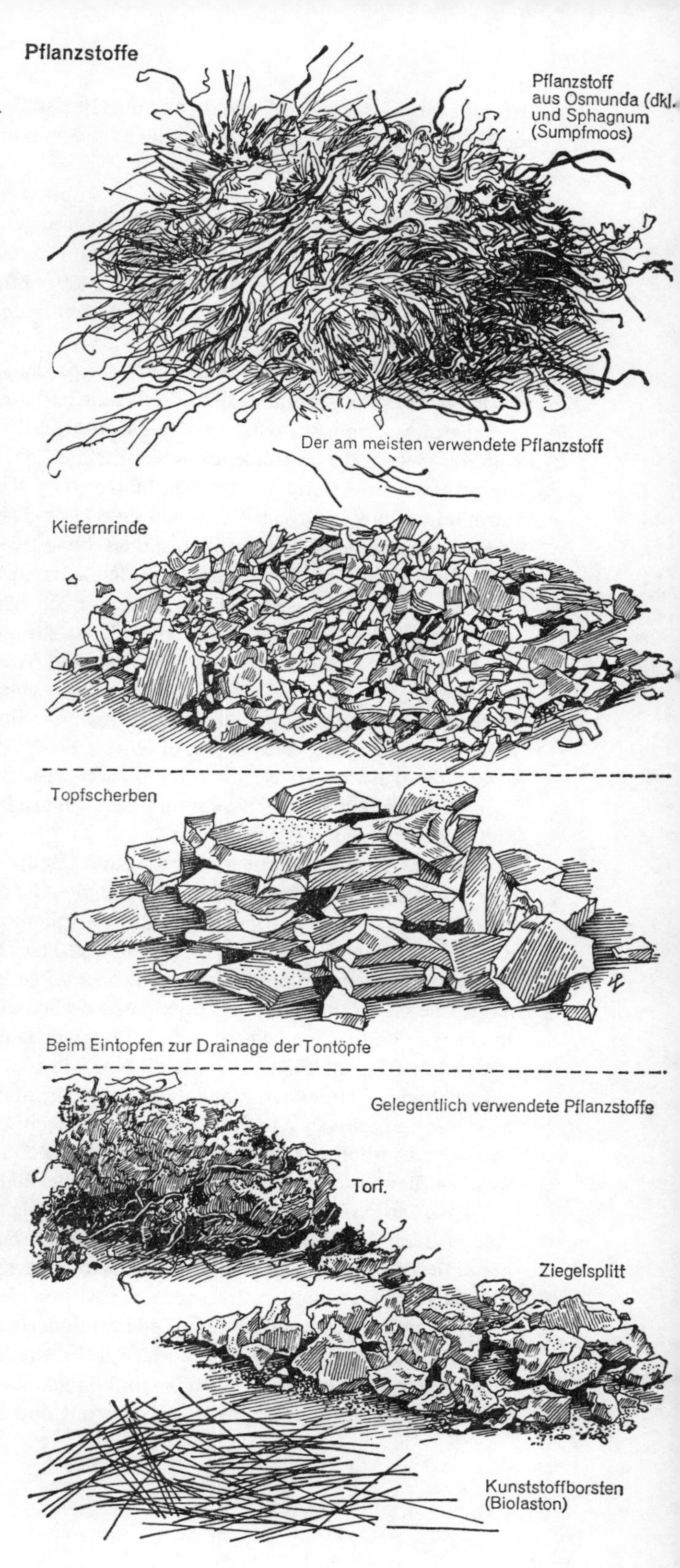

ein sehr hartes, sprödes Material von guter Beständigkeit und ausgezeichneter Durchlüftung; enthält kaum mineralische Bestandteile: Nachteile: relativ hoher Preis. International zur Zeit am meisten verwendet.
Polypodium-Fasern sind die Wurzeln des Tüpfelfarns Polypodium vulgare. Gegenüber Osmunda ein sehr feines, weiches Material von geringerer Beständigkeit und Durchlüftung, eine Beimengung erdiger Bestandteile ist kaum vermeidbar. Durch diese mineralischen Beimengungen erscheint Polypodium etwas nährstoffreicher als Osmunda. Verwendung nur noch in geringem Umfang, für Kleinorchideen jedoch unerläßliche Bedingung zur Befestigung für Blockkultur.
Sumpfmoos = Sphagnum squarrosum ist wie die vorgenannten Substrate nicht allein verwendbar, sondern wird in einem differenzierten Verhältnis gemischt. Relativ großes Wasserspeicherungsvermögen, niedriger Reaktionsgrad im saueren Bereich. Nachteile: rasch verrottend, Gefahr der Einschleppung von Schnecken.
Buchenlaub – im Herbst gesammelt und trocken aufbewahrt – ist ein guter Zusatz bis zu 20% für epiphytisch wie terrestrisch wachsende Orchideen.
Diesen „klassischen“ Pflanzstoffen stehen die in neuerer Zeit verwendeten gegenüber: Baumfarnstämme in Abschnitten zur Bepflanzung oder geraspelt als Substrat entsprechen etwa der Osmunda-Faser; die Struktur ist noch härter, insgesamt gleichmäßiger und ohne mineralische Beimengungen. Kiefernrinde ist ein gleichwertiger Ersatz für die in den USA viel verwendete Rinde einiger Tannenarten, als „Wonder-Bark“ in den Handel gebracht. Die Rinde muß von älteren Kiefern stammen, also eine gewisse Stärke besitzen. Nach maschineller Zerkleinerung erfolgt die Sortierung durch Siebe in drei Größen. Vor der Verwendung ist eine mehrstündige Wässerung in einer 1 bis 2‰igen Volldüngerlösung angebracht, um das Material etwas mit Nährstoffen anzureichern. Kiefernrinde besitzt viele Vorzüge: gute Durchlüftung, langsame Zersetzung (etwa 4 Jahre bis zum völligen Zerfall), großes Wasserhaltungsvermögen, niedrigen Preis.
Torf ist der Pflanzstoff mit großer Zukunft. Er ist schon vielfach erprobt; die Erfolge sind zum größten Teil ausgezeichnet. Seine Billigkeit ist ein wichtiger Faktor für Erwerbskulturen in großem Umfang, besonders für das Auspflanzverfahren. Zur Verwendung sollte allein weniger zersetzter Sphagnum-Torf aus jüngeren Hochmooren kommen, also ein grob-faseriges Material. Für den Orchideenfreund ist dieser Pflanzstoff weniger geeignet, da eine laufende Kontrolle des Nährstoffverhältnisses erforderlich erscheint.
In neuester Zeit kommt synthetischen Stoffen erhöhte Bedeutung zu. Das Suchen nach einem optimalem Pflanzstoff ist so alt wie die Orchideenkultur selbst. Im Laufe von etwa 100 Jahren hat sich ein fortlaufender Wandel vollzogen; er dürfte auch weiter bestehen bleiben und nie zu einem endgültigen Abschluß kommen. Derzeitig ist aufgeschäumtes POLYSTYROL von besonderem Interesse. Es ist ein leichtes, chemisch neutrales, pflanzenverträgliches Material, welches für die Orchideenkultur bereits große Bedeutung gewonnen hat und als STYROMULL oder POLYSTYROL bezeichnet wird. Die einzelnen kleinen Flocken setzen sich aus einer großen Zahl kleiner geschlossener Zellen zusammen, deren Luftanteil bis 98 Volumenprozente betragen kann. Die Flocken vermögen nur wenig Wasser – und dieses auch nur oberflächlich – zu binden. Infolgedessen wirken sie im Pflanzstoff dränierend, durchlüftend und tragen in hohem Maße durch das geminderte Wasserspeichervermögen zu einer Sicherung des richtigen Gießens bzw. stabiler Ballenfeuchtigkeit bei. Das Material ist weitaus beständiger als es organische Stoffe sein können. Es ist keiner Zersetzung unterworfen; lediglich verrotten die Zusätze anderen Materials und beeinflussen dadurch den Pflanzstoff un-

günstig. STYROMULL bzw. POLYSTYROL kann etwa zu 25–75% dem Pflanzstoff zugesetzt werden, dessen herkömmliche Bestandteile Sphagnum oder Torf und eventuell etwas Sand sind. Die Verarbeitung ist wesentlich günstiger gegenüber harten Pflanzstoffen – wie etwa Osmunda. Die hohe Luftführung der STYROMULL-Flocken bedingt eine gegenüber bisher üblichen Pflanzstoffen wesentlich höhere Temperatur des Materials. Sie kommt unmittelbar den Wurzeln zugute und überträgt sich damit auf den Gesamtzustand der Pflanze. STYROMULL enthält keinerlei Nährstoffe. Ist sein Anteil im Pflanzmaterial hoch, so erscheint eine Düngung unerläßlich. Sie erfolgt in der Vegetationszeit alle zwei Wochen etwa in der Weise wie im Abschnitt „Die *Ernährung*“ erläutert.

Biolaston ist ein Abfallprodukt von Kunststoffborsten und daher praktisch unverrottbar; dies ist der einzige erkennbare Vorteil. Nachteilig sind das fehlende Wasserhaltevermögen und andere Mängel, die sich bei der Verwendung ergeben, so auch die Abneigung mancher Gattungen gegenüber Biolaston, die deutlich ersichtlich ist.

Die Suche nach schwer verrottenden Stoffen bezog auch Koks in entsprechende Versuche ein. Er erfüllt andere geforderte Eigenschaften, wie gute Durchlüftung, ausreichendes Wasserhaltevermögen, niedrigen Preis u.a. Die Kombination mit Sphagnum ist selbstverständlich erforderlich.

Ziegelsplitt, Bimskies und andere ähnliche Stoffe sind schon mit mehr oder weniger gutem Erfolg verwendet worden. Sie haben besonders dort Berechtigung, wo bei einem völlig konstantem Pflanzmaterial systematisch gedüngt wird.

Zu diesen Pflanzstoffen werden in Zukunft weitere neue hinzukommen. Die geschichtliche Entwicklung seit Beginn der Orchideenkultur zeigt ein ständiges Suchen nach dem „idealen“ Pflanzstoff, den es jedoch nie geben wird. Von einem Medium allein können die geforderten Eigenschaften nicht erfüllt werden.

Nachstehend angeführte „Rezepte“ sollen die Kombinationsmöglichkeiten beleuchten. Einer individuellen Abwandlung nach eigenen Beobachtungen oder örtlichen Bedingungen steht nichts im Wege.

A. Substrate für Epiphyten:

1. Standardmischung, bewährt, besonders auch für den Anfänger empfehlenswert: Osmunda, Sphagnum, Buchenlaub 4:2:1.
2. Variationen, erprobt und empfehlenswert:
Osmunda, Kiefernrinde, Sphagnum, Buchenlaub 3:2:2:1.
Kiefernrinde, Sphagnum, Buchenlaub 2:2:1 (nach Elle, Celle).
Polypodium, Sphagnum, Kiefernrinde, Buchenlaub 3:3:3:1 (nach Elle, Celle).
Koks, Sphagnum 1:1.
Für kleinwachsende Orchideen zur Montage auf Rinde: Polypodium, Sphagnum 3:1.
Cymbidium-Mischung: Torf, halbverrottete Lauberde 1:1, etwas Zusatz von grobem Sand.
Nach Elle, Celle: Eichen- und Buchenlaub, Sphagnum, Kiefernrinde, Zusatz von grobbrockigem Lehm oder Rasenerde, Knochenmehl, Hornspäne.
Mischung für Coelogyne, Lycaste u.a. Gattungen und Arten, die etwas Humusanteile beanspruchen: Osmunda oder Polypodium, Sphagnum, halbverrottetes Laub 2:2:2.
Torfsubstrat für Phalaenopsis, Dendrobium phalaenopsis u.a.: Grobfaseriger Sphagnum-Torf, Zusatz je m^3 3 kg kohlensaurer Kalk, 1,5 bis 3 kg Volldünger mit Spurenelementen.

B. Substrate für terrestrisch wachsende Orchideen:

Im wesentlichen kommen hier nur Paphiopedilum in Betracht. Die verwendeten Pflanzstoffe weisen in ihrer Zusammensetzung fast noch größere Gegensätze auf als die Epiphytenmischungen.
Standardmischung, als universell anwendbar zu empfehlen: Osmunda, Polypodium, Sphagnum, Buchenlaub 2:1:2:1.
Mischung für robust wachsende Arten und Hybriden: Osmunda, Sphagnum, grobfaserige Rasenerde 2:2:1.
Torfsubstrat: grobfaseriger Sphagnum-Torf, Sand, Zusatz je m^3 1,5 bis 3 kg Volldünger mit Spurenelementen.
Mischung für Calanthe: Osmunda, Polypodium, Sphagnum, Rasenerde, Kuhdünger 1:1:2:2:1.

Mischung sowohl für epiphytisch wie terrestrisch wachsende Orchideen:

A: 1 bis 3 Volumenteile STYROMULL bzw. POLYSTYROL, 1 Teil Sphagnum
B: 2 Volumenteile STYROMULL bzw. POLYSTYROL, 1 Teil Torf, 1 Teil Sphagnum

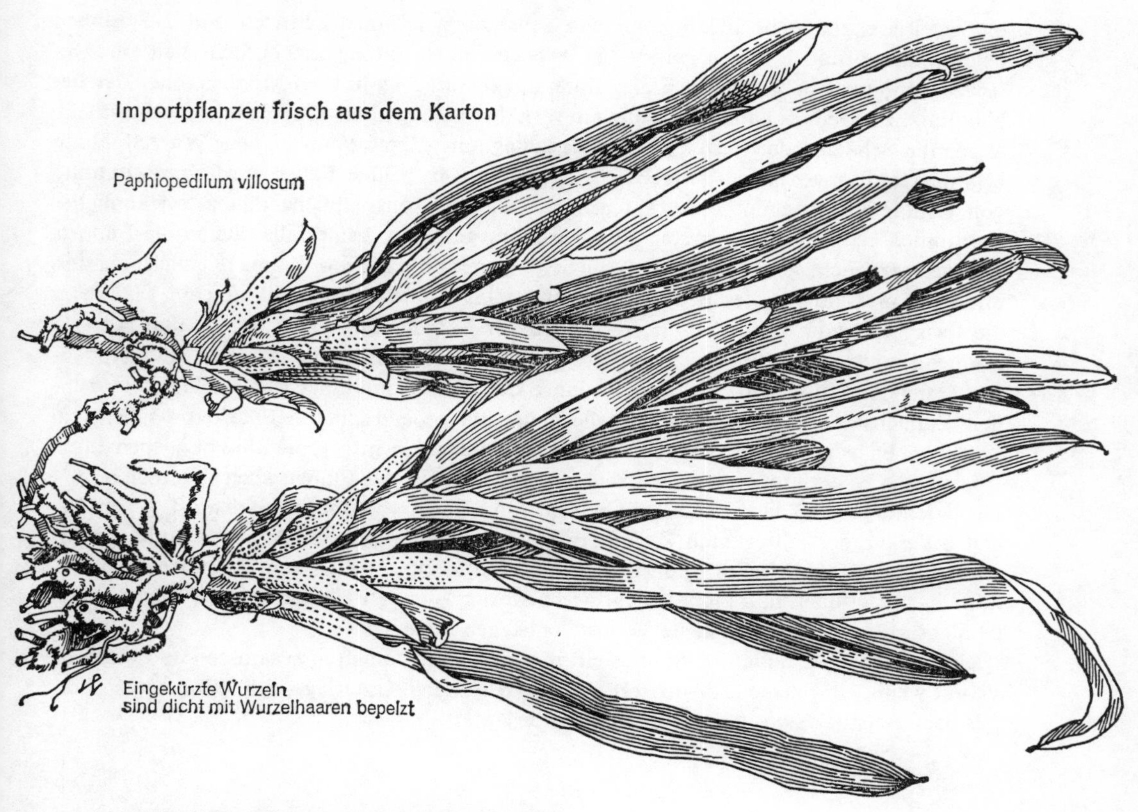

Die Behandlung von Importpflanzen

Die Einfuhr aus den Heimatgebieten war lange Zeit die einzige Möglichkeit, eine Orchideensammlung anzulegen. Auch heute wird noch importiert, zweifellos aber im geringerem Umfang und mit besonderer Zielsetzung. Die lange Entwicklung aus Samen gezogener Pflanzen entfällt; Importe blühen meist innerhalb eines Jahres. Sie sind reinerbig, was für Züchter u. U. von besonderer Bedeutung sein kann. Schließlich verbindet sich mit ihnen der Reiz des Ursprünglichen, Unberührten. Dies spricht den Orchideenfreund und Sammler besonders an. Die Beschäftigung mit Pflanzen aus fernen Zonen bringt sie uns näher.
Es gibt zwei Möglichkeiten des Importes. Bei der üblichen Form werden die Pflanzen am heimatlichen Standort gesammelt und auf dem schnellsten Wege nach Europa gebracht. Sie reisen heute per Schiff oder als Luftfracht nur relativ kurze Zeit und kommen meist in gutem Zustand an. Bei der anderen Form der Einfuhr werden die Pflanzen in ihrem Heimatland „etabliert", d. h. nach dem Sammeln erst einige Wochen oder Monate auf den Transport vorbereitet und dann auf den Weg gebracht. Dies ist besonders wichtig bei Arten ohne nennenswerte Bulbenbildung. Da aber solche verhälnismäßig geringes Gewicht haben, ist ihr Transport per Luftfracht leicht möglich und preislich durchaus diskutabel. Die Stücke werden nach dem Eintreffen zunächst von beschädigten oder abgestorbenen Wurzeln und Blättern befreit. Auch auf eventuell vorhandene Schädlinge sind die Pflanzen zu prüfen und Bekämpfungsmaßnahmen durchzuführen. Größere zusammenhängende Horste werden zweck-

mäßigerweise aufgeteilt, indem man den Teilstücken je einen Leittrieb und 2–3 Bulben beläßt. Ältere Bulben haben gerade bei Importen noch mit ziemlicher Sicherheit gute Reserveaugen; man hebt also auch die Hinterstücke auf. Es gibt zwei Möglichkeiten der Behandlung. Entweder pflanzt man sofort in verhältnismäßig kleine Töpfe ein, oder die Stücke werden in Schalen oder Kisten in frisches Sphagnum gelegt. Wenn die neue Wurzelbildung beginnt, topft man dann – wie beschrieben – ein. In beiden Fällen wird eine Mischung von Osmunda-Sphagnum etwa 1:1 benutzt oder der sonst übliche Pflanzstoff ähnlicher Zusammensetzung. In der ersten Zeit wird nur gespritzt; keinesfalls dürfen die Importpflanzen zu feucht gehalten werden. Sie benötigen für die Eingewöhnung reichlich Schatten und viel Luft. Unter diesen Bedingungen setzt bald reichliche Wurzelbildung ein. Man spürt die fortschreitende Akklimatisation auch an der Entwicklung neuer Triebe und bemerkt staunend, welch große Energien in den meist sehr unscheinbar aussehenden Importpflanzen gespeichert sind. Oft ist schon im Jahre der Einfuhr mit einer Blütenbildung zu rechnen. Zunächst sollte jedoch das Bestreben ausschlaggebend sein, die Pflanzen möglichst zu kräftigen. Es ist mindestens bei schwächeren Exemplaren richtiger, die Blütenknospen durch Ausbrechen zu entfernen, so schmerzlich der Verzicht auf das Blühen auch sein mag.

Die Orientierung auf die veränderten Umweltbedingungen – besonders auf den z. T. gegensätzlichen Verlauf der Jahreszeiten – erfolgt rasch, da meist in den Frühjahrsmonaten importiert wird. Eine Einfuhr frischer Importpflanzen – also solcher, die in den Heimatgebieten unmittelbar gesammelt und nicht vorkultiviert wurden – in den Herbst- oder Wintermonaten ist nicht ratsam, da empfindliche Verluste entstehen können.

Kleinwachsende Arten läßt man ungeteilt in größeren Exemplaren zusammen und montiert sie mit wenig oder keinem Pflanzstoff auf eine beständige Unterlage, z.B. Rinde oder Wurzel- bzw. Aststücke, wie bei der Blockkultur erläutert.

SCHÄDLINGE UND KRANKHEITEN

Bei der Pflege von Orchideen kommt ein Schädlingsbefall fast zwangsläufig zustande. Er kann im Gewächshaus wie auch im Pflanzenfenster oder an einem anderen Standort bemerkbar werden, oft ohne daß man sich die Ursache erklären kann. Bei genauer Prüfung ergibt sich aber doch, daß die Pflanzen durch unsachgemäße Behandlung geschwächt wurden und damit die natürlichen Abwehrkräfte nicht in dem nötigen Umfang aktiv sein konnten. Eine Pflanze, welche in einer ihr völlig zusagenden Umwelt wächst, wird kaum Schäden zeigen, es sei denn, tierische oder pilzliche Schädiger sind eingeschleppt worden und haben sich unerwünscht verbreitet. Eine laufende Kontrolle der Pflanzen ist wichtig, da frühzeitiges Erkennen die Bekämpfung erleichtert. Erfreulicherweise gibt es verhältnismäßig wenige Schädlinge und Krankheiten.

Tierische Schädlinge

Blattläuse treten an jungen, weichen Trieben gelegentlich auf; sie sind grün, sehr beweglich und weich, infolgedessen leicht zu bekämpfen.
Schmier- oder Wolläuse sind kenntlich durch ihre weiß-wollige Schutzsubstanz. Die Tiere schützen damit die Eier und die Jungen. Eine sichere Bekämpfung ist durch mechanische Säuberung der Schlupfwinkel, durch öfteres Auspinseln, möglich. Spritz- oder Stäubemittel sind meist unwirksam, da sie die Schutzschicht nicht durchdringen. Mit einem scharfen Wasserstrahl wirkt man allenfalls einer Ausbreitung entgegen.
Schildläuse können sehr unangenehm werden. Sie sind nur im Jugendstadium beweglich und dann auch relativ leicht zu bekämpfen. Sobald sie sich an geeigneter Stelle festgesetzt haben, erhärtet der Schild, und übliche Bekämpfungsmittel versagen. Auch hier ist eine mechanische Reinigung mit Bürste oder Pinsel das sicherste Mittel zur Vernichtung. Spritzungen in Abständen von 4–8 Wochen vernichten noch weiche Jungtiere, so daß bei einiger Aufmerksamkeit auch diese gefürchteten Schädiger unter Kontrolle zu halten oder völlig zu vernichten sind. Bei Vernachlässigung der Pflanzen kann der Schildlausbefall verheerend wirken und völligen Verlust herbeiführen. Befallen werden bevorzugt hartblättrige Orchideen, wie Cattleya, Cymbidium, Bifrenaria, Lycaste, Odontoglossum, Oncidium, Vanda u.a.
Spinnmilben sind wesentlich kleinere, schwer erkennbare Schädiger und deshalb besonders gefährlich. Die sogenannte Rote Spinne ist bei Dendrobium, Phalaenopsis u.a. weich-

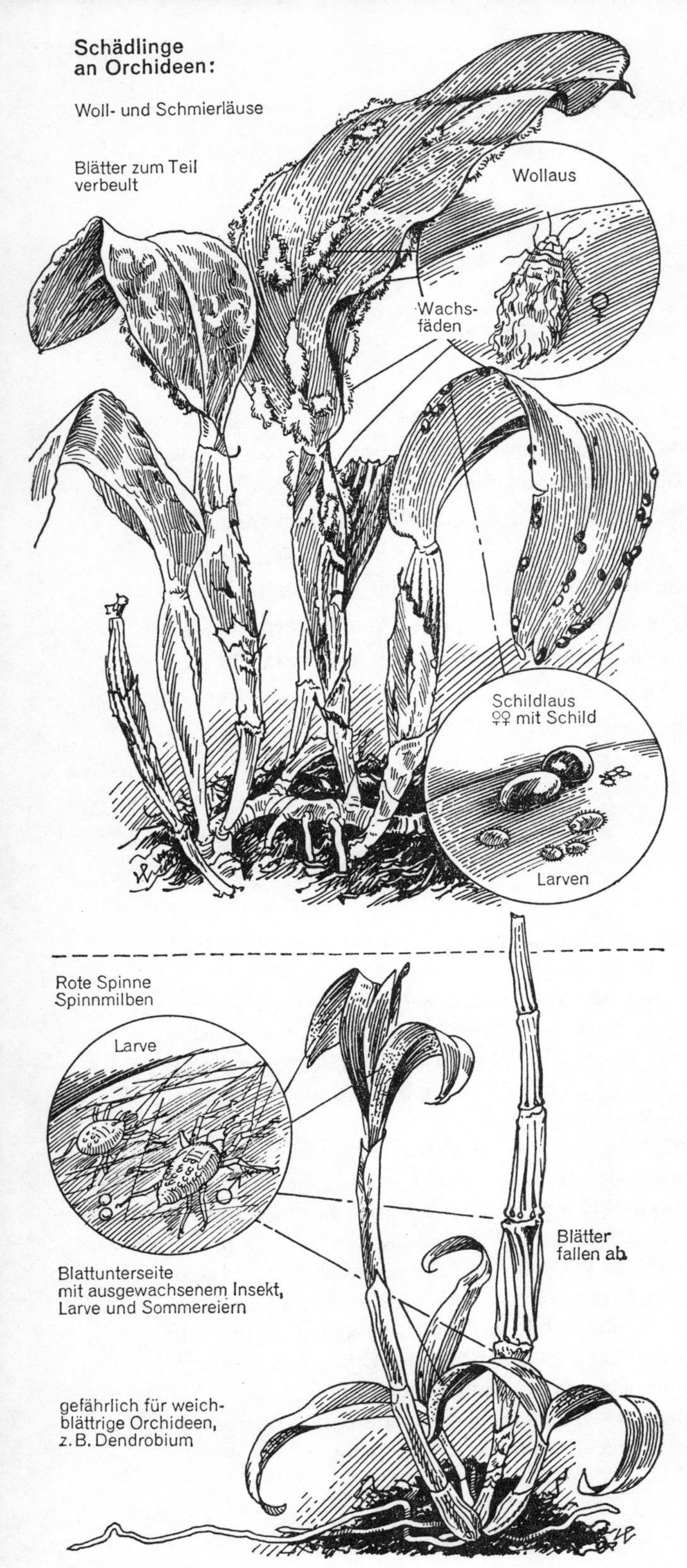

blättrigen Orchideen gefürchtet. Speziell die Unterseite der Blätter ist Aufenthaltsort der winzig kleinen rötlichen Tiere. Durch den Befall nehmen die Blätter eine zunächst graue, dann gelbbraune Farbe an und fallen schließlich ab. Feuchte Luft und nicht überhöhte Wärme vermindern die Ausbreitung, vorbeugende Spritzungen in häufigeren Abständen unterbinden sie völlig. Manchmal ist ein Wechsel des Spritzmittels nötig, da sich bei dauernder Verwendung eines einzigen resistente Stämme des Schädigers entwickeln können. Sind nur einzelne Pflanzen vorhanden, so genügt schon das häufigere vorsichtige Abwaschen der Blätter als Vorbeugungsmaßnahme. Ungenügende Luftfeuchte ist die wesentliche Ursache für einen Befall.

Weichhautmilben, an anderen Pflanzen häufig zu beobachten, können durch Saugen an den Blüten- oder Blattknospen von Paphiopedilum Verkrüppelungen oder Stieldeformationen hervorrufen. Diese Schädiger sind mit einem entsprechenden Spritzmittel leicht zu bekämpfen.

Blasenfüße (Thrips), ebenfalls sehr klein, von schwarzer bis blaßgelber Farbe, schädigen durch Saugen an den Blättern, Blütenknospen oder Blüten. Die Blüten werden braunfleckig oder verkrüppeln, die Blätter zeigen eine fahle, silbrigschimmernde oder korkartige Verfärbung.

Wurzelmilben treten sekundär an schwächlichen, kränkelnden Pflanzen auf. Sie fressen die Wurzeln innen aus und zerstören sie dadurch. Bekämpfung durch Abspritzen der Wurzeln beim Umpflanzen mit einem scharfen Wasserstrahl und anschließendes Eintauchen in eine Brühe, wie sie normal zur Milbenbekämpfung verwendet wird.

1 Großblütige Paphiopedilum-Hybride; **2** Cattleya trianae var. 'The Premier'; **3** Cattleya warscewiczii 'Frau Melanie Beyrodt'; **4** Cattleya dowiana aurea

1 Paphiopedilum insigne; **2** P. leyburnense

Schnecken – und zwar Nacktschnecken und kleine Gehäuseschnecken – zählen zu den häufigst ermittelten Schädigern an Wurzelspitzen, jungen Trieben, Knospen und Blüten. Sie können schwere Enttäuschungen bereiten, da sie meist unbeobachtet bleiben und die frohen Erwartungen auf Blüherfolge in einer Nacht zunichte machen. Die Kontrolle der Pflanzen bei Dunkelheit und das Ablesen der Tiere ist ein sicheres Mittel zur Vernichtung. Die im Handel befindlichen Schneckenköder erfordern am Morgen nach Auslegung eine Kontrolle, da die Tiere nur bewegungsunfähig werden und sich nach einigen Stunden wieder erholen; sie müssen rechtzeitig aufgesammelt werden.

Kellerasseln schädigen besonders durch Fraß an den Wurzelspitzen, wodurch die Pflanze schließlich völlig vernichtet werden kann. Den Tieren so wenig wie möglich Unterschlupf zu geben, ist erstes Gebot der Bekämpfung. Also peinlichste Sauberkeit! Unter ausgelegten Kartoffelscheiben, deren Unterseiten leicht ausgehöhlt werden, sammeln sich die Tiere, so daß man sie ablesen und vernichten kann.

Ameisen schädigen sekundär, da sie Schildläuse von einer Pflanze zur anderen verschleppen. Im Handel befindliche Präparate zur Bekämpfung sind u. U. nur bedingt wirksam. Ausgelegte Obstreste oder andere von Ameisen angenommene Lebensmittel, wie Brot, Fleisch usw., wirken als Köder und ermöglichen ihre Vernichtung.

Bakterien und Pilzkrankheiten:

Schwarzfäule; öfter bei Cattleya, Laeliocattleya und Laelia feststellbar und als „Schwarzbeinigkeit“ und „Umfallen“ in Sämlingskulturen gefürchtet.

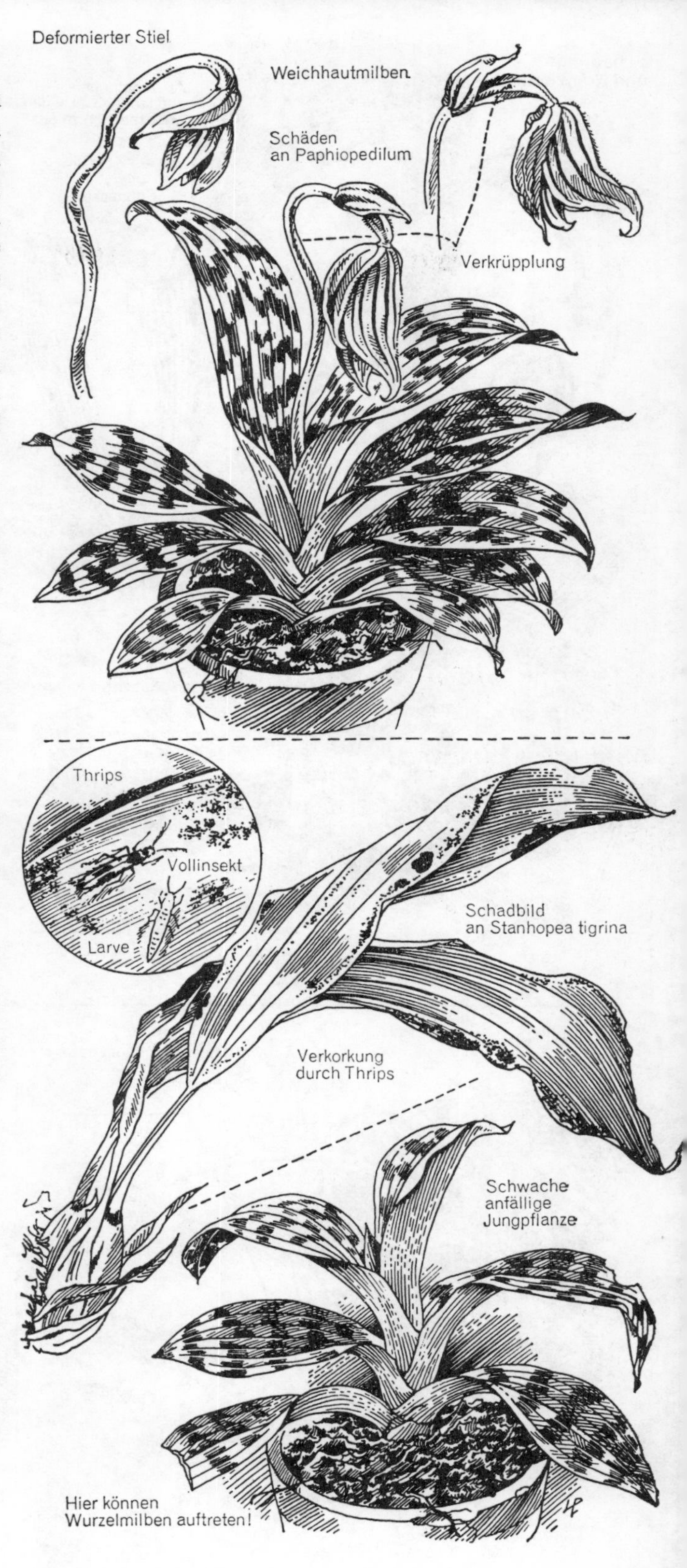

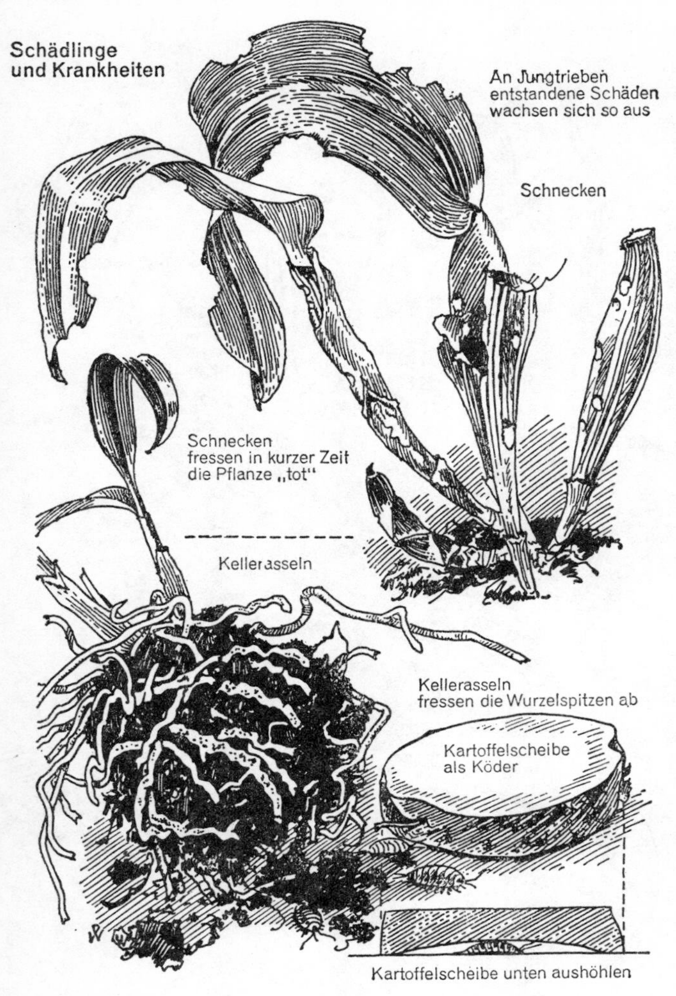

Durch Überspritzen der Pflanzen werden die Pilzsporen leicht verbreitet. Hohe Luftfeuchtigkeit und starkes Wässern begünstigen einen Befall. Junge Pflanzen werden über Nacht schwarz, wenn sie nicht rechtzeitig am Nachmittag abtrocknen. Besonders große Empfindlichkeit besteht bei ihnen nach der Übertragung auf neues Substrat. Große Pflanzen sind meist nicht mehr zu retten, wenn sich an den Blättern dunkelbraune bis schwärzliche Faulstellen zeigen. Das kranke Gewebe wird weichfaul, die Gewebszerstörung greift blitzschnell auf Bulben und Wurzeln über. Bei rechtzeitigem Erkennen hilft allenfalls sofortiges Abschneiden der kranken Teile und Überleitung der Pflanze in trockene, bewegte Luft. Bei vernunftgemäßer Lüftung ist diese Erscheinung kaum zu befürchten.

Brennfleckenkrankheiten erkennt man an kreisförmigen oder unregelmäßig geformten, jedoch scharf begrenzten braunen Flecken. Sie entwickeln sich von Millimetergröße bis zu 2 cm Durchmesser oder mehr und bewirken u. U. Absterben der Blätter und Bulben. Die

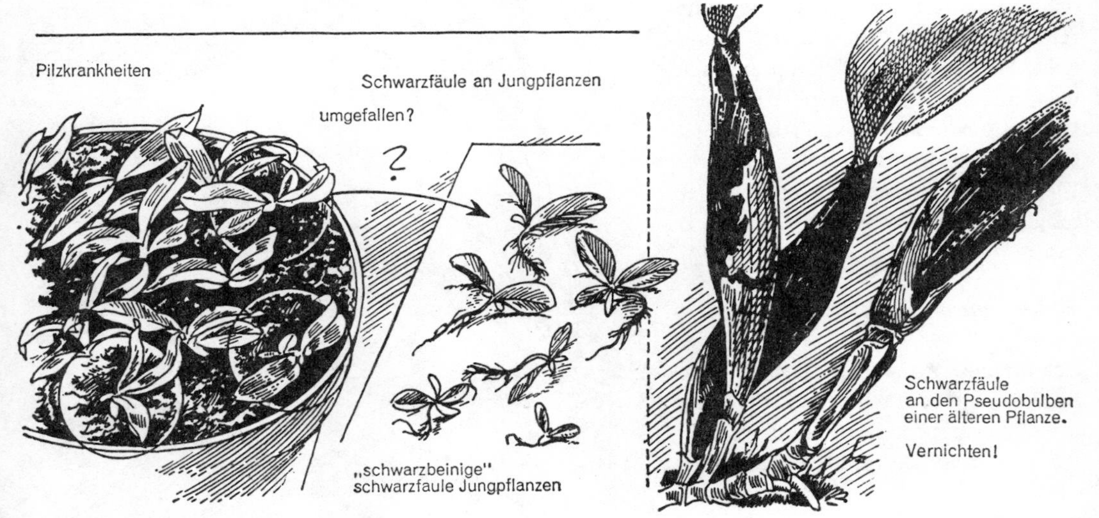

Erreger sind Pilze verschiedener Gattungen. Ihr Umsichgreifen wird durch zu hohe Temperatur und Luftfeuchtigkeit, Lichtmangel, zu häufiges Spritzen mit Wasser und übertriebene Ernährung begünstigt. Man begegnet der Weiterverbreitung durch sofortiges Entfernen der kranken Teile und Spritzen mit fungiziden – also pilztötenden – Mitteln und der Schaffung normaler Umweltbedingungen.

Viruskrankheiten sind bei Orchideen noch relativ selten. Bekannt ist die Schwarzstrichelkrankheit (Cymbidium-Strichelvirus) an Cymbidium. Die Bekämpfung ist zunächst nur möglich durch völlige Vernichtung befallener Pflanzen und ständiges Freihalten von Blattlausbefall, da die Blattläuse Überträger der Viren sein können.

Die Pflanzenschutzmittel wurden nicht namentlich erwähnt. Sie werden ständig verbessert und vervollkommnet und unterscheiden sich in ihrer Anwendung bei Orchideen nicht von der bei anderen Pflanzen üblichen Art. Eine ausgesprochene Empfindlichkeit gegen bestimmte Mittel – wie bei anderen Gewächsen z.T. bekannt – besteht bei Anwendung nach Vorschrift nicht.

Problematisch ist für den Orchideenfreund allein die Anwendung der z.T. hochgiftigen Mittel in bewohnten Räumen. Zu behandelnde Pflanzen müssen ins Freie oder in abseits gelegene Räumlichkeiten gebracht werden, um jede Gefahr für Menschen auszuschließen. Eine vorbeugende Behandlung in gewissen Zeitabständen (je nach Erreger verschieden) ist stets besser als zu zögern, bis Schäden erkennbar sind.

Abschließend sei zusammenfassend gesagt, daß vernunftgemäße Pflege und möglichst günstig gestaltete Umweltbedingungen die besten Voraussetzungen für gesunde Pflanzen sind.

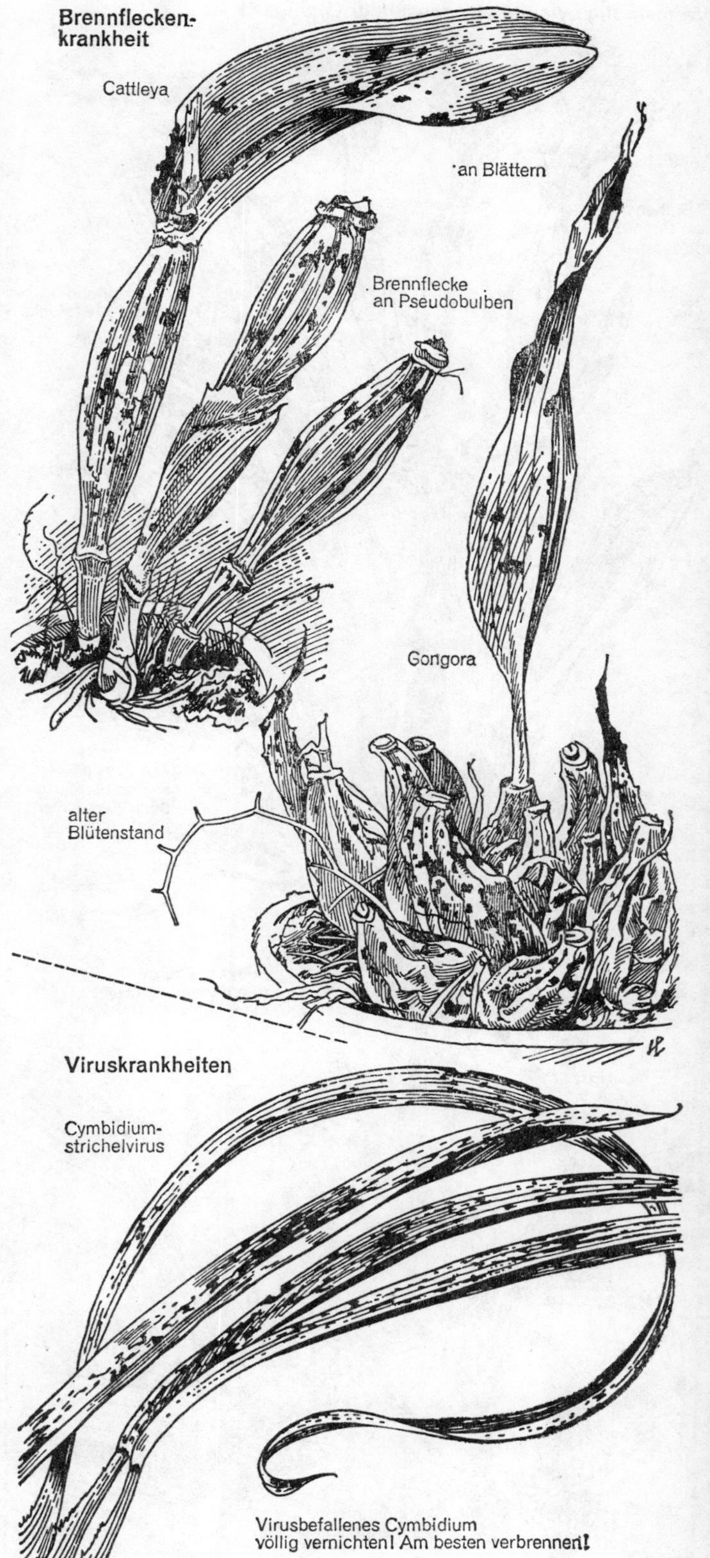

Vermehrung sympodial wachsender Orchideen

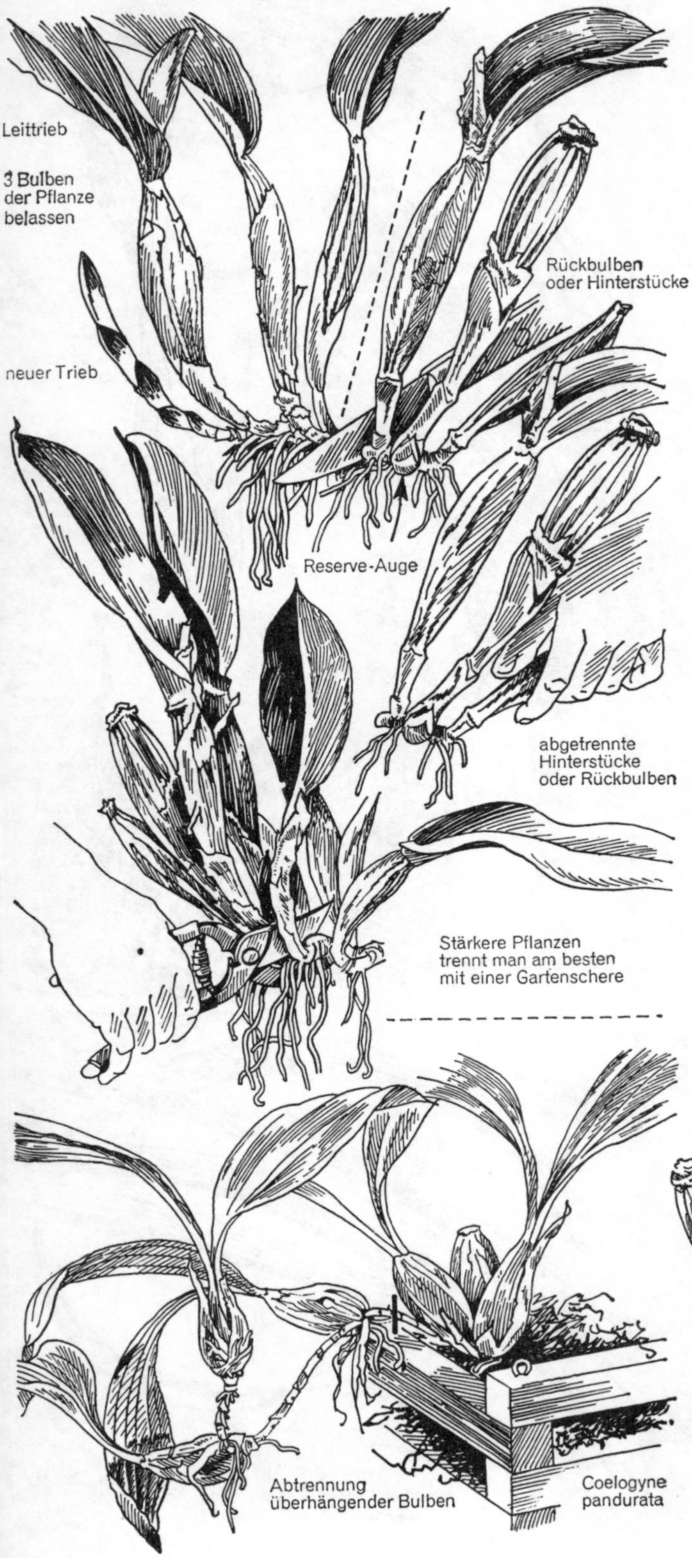

Leittrieb

3 Bulben der Pflanze belassen

Rückbulben oder Hinterstücke

neuer Trieb

Reserve-Auge

abgetrennte Hinterstücke oder Rückbulben

Stärkere Pflanzen trennt man am besten mit einer Gartenschere

Abtrennung überhängender Bulben

Coelogyne pandurata

DIE VERMEHRUNG

Wird eine Vergrößerung des Bestandes aus eigenem Pflanzenmaterial gewünscht, so kann man vegetativ oder durch Samen vermehren. Die vegetative Vermehrung ist naheliegend und weit weniger schwierig als die Aufzucht aus Samen. Beide Methoden sind in der Folge getrennt erörtert.

Die vegetative Vermehrung

Die bei krautartig wachsenden Pflanzen sehr ergiebige Art einer Bestandserhöhung durch Stecklinge entfällt bei Orchideen. In Betracht kommt fast allein die Teilung umfangreicherer Stücke beim Umpflanzen. In Abschnitt „Das Verpflanzen“ sind die Einzelheiten erläutert; sie seien kurz wiederholt. Den sympodial wachsenden Orchideen beläßt man bei einer Teilung 3–5 Bulben einschließlich des Leittriebes. Restlich verbleibende Bulben werden als Hinterstücke oder Rückbulben neu aufgepflanzt. Sie regenerieren sich im Laufe von 2–3 Jahren zu blühfähigen Pflanzen, sofern überhaupt Reserveaugen vorhanden sind oder waren. Der Formenkreis von Dendrobium phalaenopsis und seine Hybriden ist etwas aus-

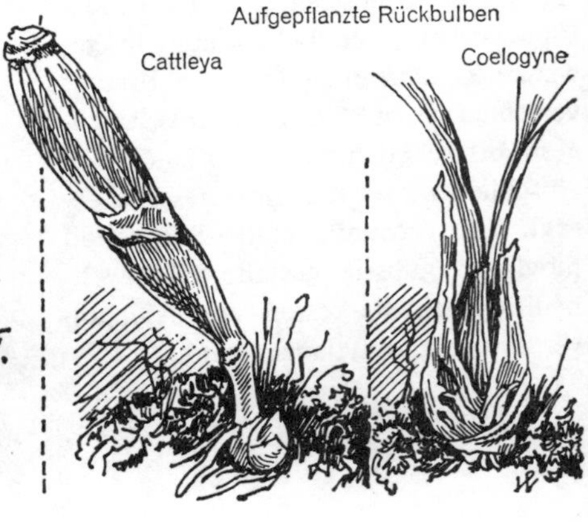

Aufgepflanzte Rückbulben

Cattleya

Coelogyne

Vermehrung

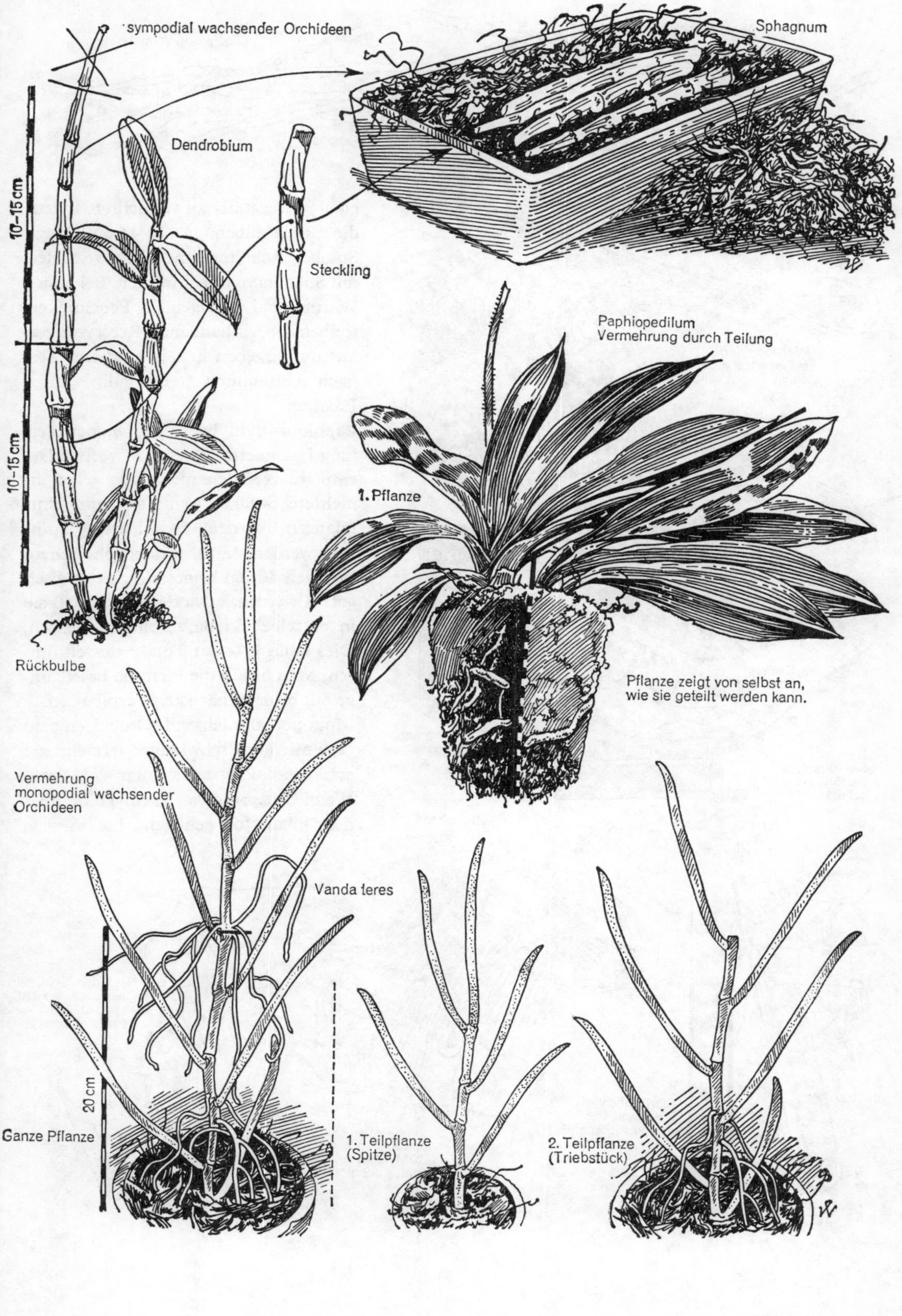

sympodial wachsender Orchideen

Sphagnum

Dendrobium

10–15 cm

Steckling

Paphiopedilum
Vermehrung durch Teilung

10–15 cm

1. Pflanze

Rückbulbe

Pflanze zeigt von selbst an,
wie sie geteilt werden kann.

Vermehrung
monopodial wachsender
Orchideen

Vanda teres

20 cm

Ganze Pflanze

1. Teilpflanze
(Spitze)

2. Teilpflanze
(Triebstück)

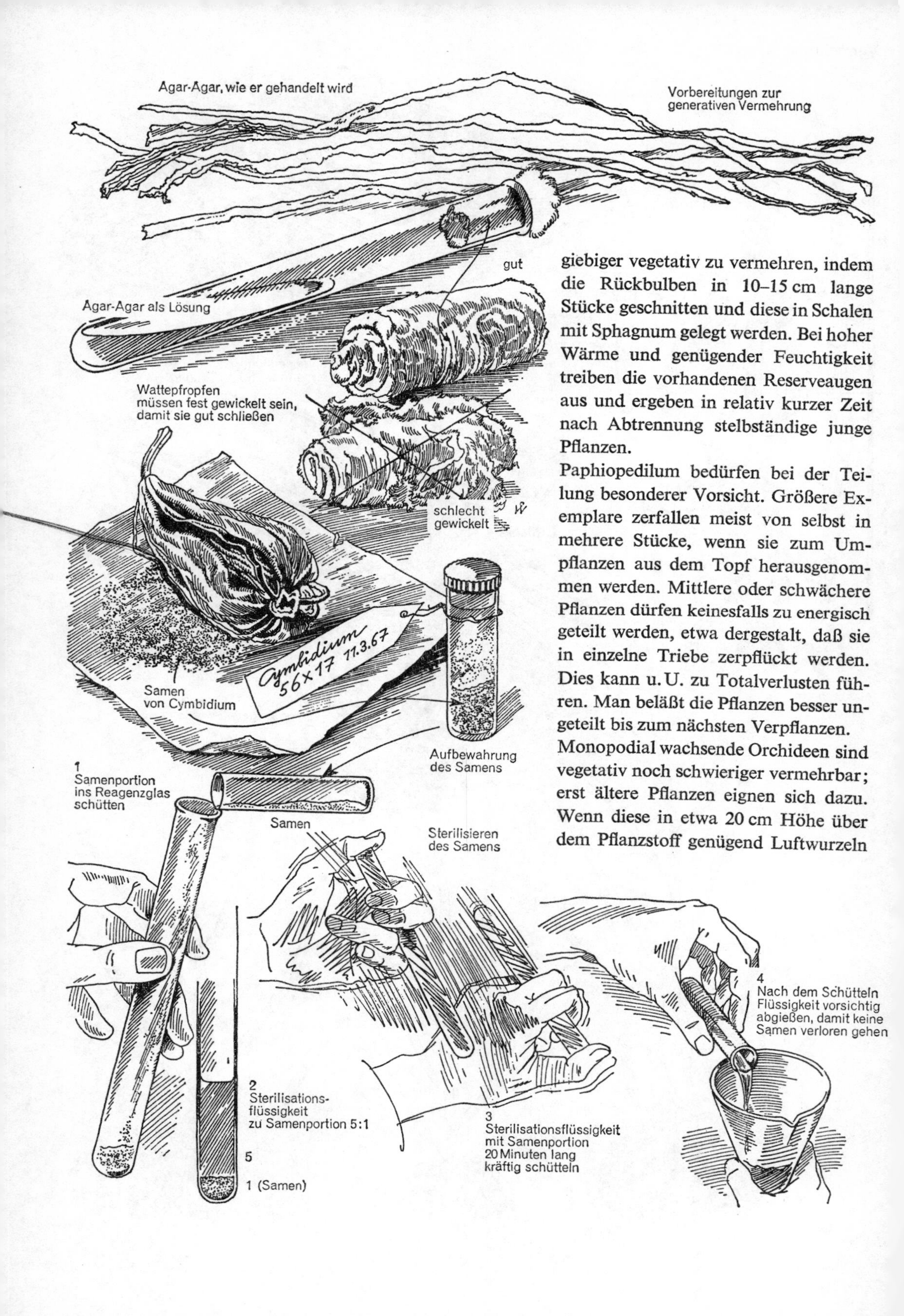

giebiger vegetativ zu vermehren, indem die Rückbulben in 10–15 cm lange Stücke geschnitten und diese in Schalen mit Sphagnum gelegt werden. Bei hoher Wärme und genügender Feuchtigkeit treiben die vorhandenen Reserveaugen aus und ergeben in relativ kurzer Zeit nach Abtrennung stelbständige junge Pflanzen.

Paphiopedilum bedürfen bei der Teilung besonderer Vorsicht. Größere Exemplare zerfallen meist von selbst in mehrere Stücke, wenn sie zum Umpflanzen aus dem Topf herausgenommen werden. Mittlere oder schwächere Pflanzen dürfen keinesfalls zu energisch geteilt werden, etwa dergestalt, daß sie in einzelne Triebe zerpflückt werden. Dies kann u. U. zu Totalverlusten führen. Man beläßt die Pflanzen besser ungeteilt bis zum nächsten Verpflanzen.

Monopodial wachsende Orchideen sind vegetativ noch schwieriger vermehrbar; erst ältere Pflanzen eignen sich dazu. Wenn diese in etwa 20 cm Höhe über dem Pflanzstoff genügend Luftwurzeln bilden, kann man das obere einwandfrei beblätterte Stück durch einen glatten Schnitt absetzen und neu einpflanzen. Der verbliebene untere Teil treibt nach einigen Monaten neu aus; die Triebe kräftigen sich im Laufe von 2–3 Jahren zur Blühreife. Diese Vermehrungsart ist möglich bei Vanda, Renanthera, Aerides, Angraecum und ähnlich wachsenden Gattungen. Bei Phalaenopsis ist jedoch größte Vorsicht erforderlich; erst sehr alte Stücke lassen sich auf diese Weise trennen und ergeben dann für beide Teile ein befriedigendes Weiterwachsen.

Die generative Vermehrung

Die Aufzucht aus Samen ist bei Orchideen an besondere Bedingungen gebunden und in der Arbeitsweise äußerst kompliziert. Nur wenige Orchideenfreunde befassen sich deshalb damit. Trotzdem sollen die Grundlagen und die Methode in möglichst einfacher Form beschrieben werden. Zweifellos ist es die interessanteste Arbeit um Orchideen. Mit nichts anderem ist man ihrer Entwicklung so unmittelbar verbunden. Durch die Besonderheit der Aussaat bieten sich bei ihnen alle Stadien der Keimung, welche sich bei anderen Pflanzen im Dunkeln der Erde vollziehen, dem Auge unmittelbar dar. Auch die Weiterentwicklung gibt Anlaß zu einer gegenüber anderen Pflanzen viel engeren Bindung. Es erscheint nicht übertrieben, wenn die Aufzucht aus Samen als Krönung allen Bemühens um Orchideen bezeichnet wird. Ein Erfolg ist nicht leicht zu erringen. Es gehört ein überdurchschnittliches Maß an Einfühlungsvermögen, Geduld und Ausdauer dazu und auch die Fähigkeit, Mißerfolge hinzunehmen, ohne den Mut zu verlieren.
Orchideen leben in Gemeinschaft mit mikroskopisch kleinen Wurzelpilzen. Sie finden sich in den nach außen liegenden, sogenannten Pilzwirtzellen der Wurzelspitzen und sind damit geschützt gegen die Gefahren der Umwelt. Diese mit Symbiose bezeichnete Abhängigkeit zweier völlig gegensätzlicher Formen pflanzlichen Lebens gibt es anderweitig innerhalb des Pflanzenreiches nur in geringem Umfang. Orchideensamen besitzen keinerlei Nährgewebe, welches üblicherweise die erste Ernährung des keimenden Embryos ermöglicht. Diese Funktion übernehmen bei Orchideen die Wurzelpilze. Ihre Hyphen wachsen durch besondere Einlaßzellen in den durch Feuchtigkeit gequollenen Samen ein. Sie vermitteln die Aufnahme organischer Stoffe dadurch, daß sie in den Embryozellen „verdaut" werden. Dieser Prozeß setzt sich später mit den in den inneren Wurzelzellen zu dichten Knäueln angehäuften Pilzhyphen als beständige Wechselwirkung fort. Nur in den außen liegenden Zellen der Wurzelrinde bleiben sie geschützt und funktionsfähig.
Die Wechselbeziehungen zwischen Orchideen und Wurzelpilzen wurden zu Beginn dieses Jahrhunderts von dem französischen Forscher Noel Bernard erforscht; im Jahre 1904 veröffentlichte er seine Erkenntnisse. Es entwickelten sich daraus zwei Richtungen in den Aussaatmethoden. Die erste setzte das Vorhandensein der Wurzelpilze als bestimmenden Faktor für die Keimung voraus. Aus der Wachstumszone der Wurzeln isolierte man den Wurzelpilz und züchtete ihn in Reinkulturen. Damit wurden geeignete Nährböden geimpft und nach Entwicklung der Hyphen mit Samen beschickt. Diese Methode ist äußerst zeitaufwendig und wird kaum noch angewendet. Allgemein gebräuchlich ist die asymbiotische Methode. Dem Nährboden werden die erforderlichen Nährstoffe beigefügt, die Funktion der Wurzelpilze durch Beigabe bestimmter Zuckerarten ersetzt. Von besonderer Bedeutung ist die völlige Sterilität sowohl des Nährbodens wie auch des Samens.
In der Zusammensetzung des Nährbodens gibt es Varianten. Die angeführten klassischen

Rezepturen von Burgeff und Knudson haben heute noch Gültigkeit. Es bestehen unwesentliche Abwandlungen, die oft individueller Meinung des jeweiligen Züchters entsprechen. Zusätze von Vitaminen und Wuchsstoffen sind möglich, komplizieren jedoch die Arbeitsweise und sollen hier unerörtert bleiben. Dargestellt ist die einfachste Form. Sie gestattet die Arbeit ohne Labor, dessen Vorhandensein an und für sich Bedingung ist.

Die Nährböden

Original-Rezept BURGEFF Eg-I

Nährlösung A:

Kalziumnitrat $Ca(NO_3)_2$	1,00 g
Ammoniumsulfat $(NH_4)_2SO_4$	0,25 g
Magnesiumsulfat $MgSO_4 \cdot 7\,H_2O$	0,25 g
Eisen(Ferro-)sulfat aus Alkohol gefällt $(FeSO_4 \cdot 7\,H_2O)$	0,02 g

Nährlösung B:

Kaliumphosphat K_2HPO_4	0,25 g
Saures Kaliumphosphat KH_2PO_4	0,25 g
Glukose	10,00 g
Lävulose	10,00 g
Agar-Agar	10–12–15 g

1000 ccm Wasser

Original-Rezept KNUDSON

Auf 1000 ccm Wasser:

Magnesiumsulfat $MgSO_4\ 7\,H_2O$	0,25 g
Kalziumnitrat $Ca(NO_3)_2\ 4\,H_2O$	1,00 g
Ammoniumsulfat $(NH_4)_2SO_4$	0,50 g
Dikaliumphosphat K_2HPO_4	0,25 g
Eisensulfat $FeSO_4$	0,025 g
Sacharose	20 g
Agar-Agar	8 g

Arbeitsweise

Der Nährbodenansatz wird kurz aufgekocht, damit der Agar-Agar vollkommen flüssig ist. Längeres Kochen ist wegen des Wasserverlustes zu vermeiden. Die Abstimmung des pH-Wertes erfolgt mittels Indikatorpapieres. Eine Korrektur ist möglich durch tropfenweisen Zusatz von Schwefel- oder Salpetersäure nach der saueren Seite oder Natronlauge bei zu hohem Säuregehalt. Sodann wird der Nährboden heiß in die Gefäße eingefüllt. Verwendet werden Reagenzgläser verschiedener Stärke oder Erlenmeyerkolben von 250 und 500 ccm Inhalt. Als Verschluß dienen Wattepfropfen. Sie sind aus den in Streifen geschnittenen Bahnen so zu wickeln, daß ein Gasaustausch möglich ist, eine Fremdinfektion durch einwandernde Bakterien jedoch ausgeschlossen erscheint, also dicht genug, aber nicht zu fest. Zellstoff ist ebenso verwendbar. Eine weitere Verschlußart sind Stopfen aus Naturgummi. Ein eingesetztes dünnes, knieförmig gebogenes Glasrohr ermöglicht hier den Gasaustausch. Als Filter dient mit Pikrionsäure getränkte Watte,

1 Paphiopedilum Dorama; **2** P. Renton × Bahram; **3** P. King Arthur 'Alexanderae'; **4** P. Weser

1 Ansellia africana; **2** Calanthe veratrifolia; **3** Lycaste skinneri; **4** Brassia gireoudiana; **5** Sophrolaeliocattleya Psyche; **6** Stanhopea tigrina; **7** Masdevallia ignea; **8** Miltonia-Hybriden

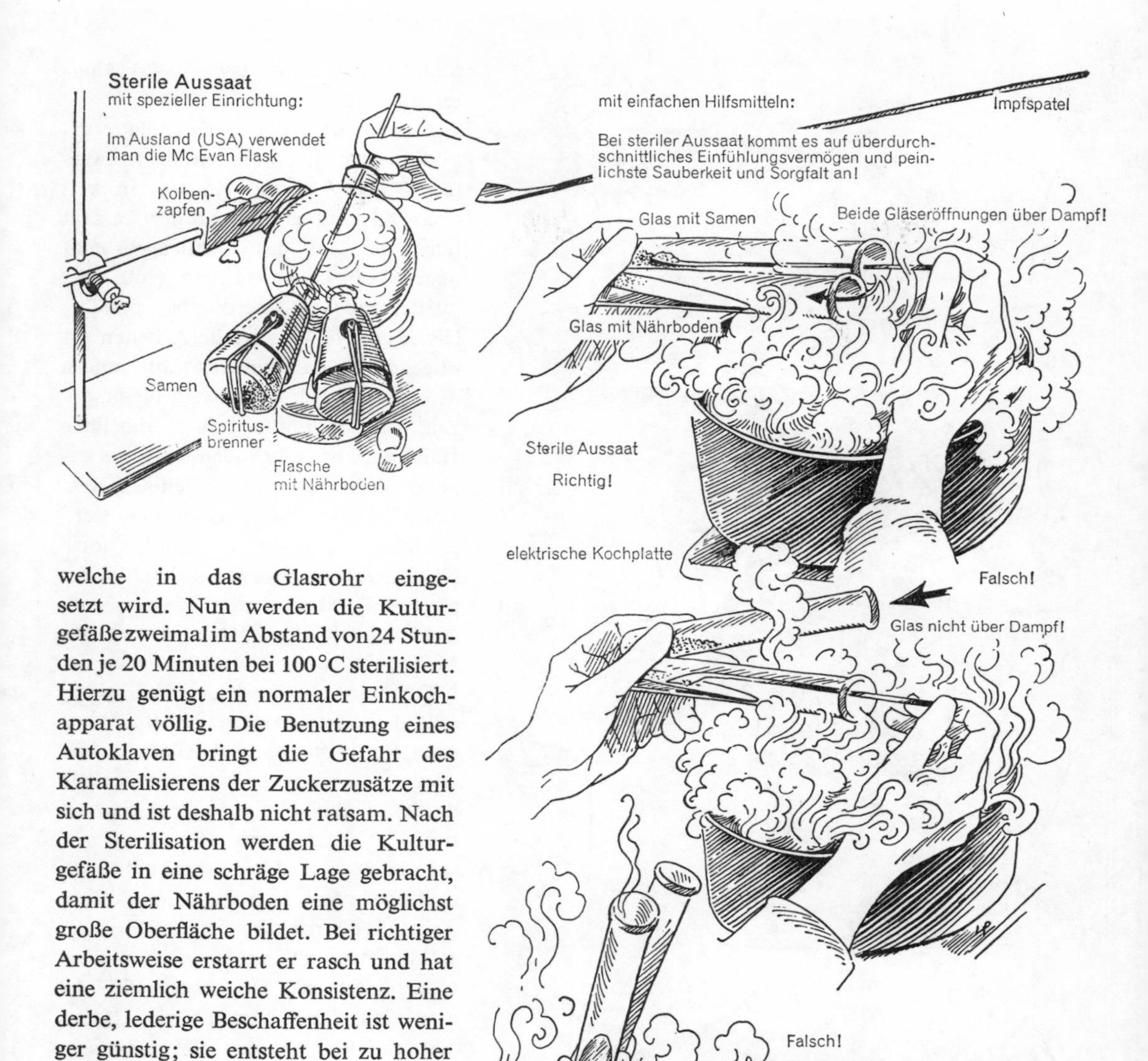

welche in das Glasrohr eingesetzt wird. Nun werden die Kulturgefäße zweimal im Abstand von 24 Stunden je 20 Minuten bei 100°C sterilisiert. Hierzu genügt ein normaler Einkochapparat völlig. Die Benutzung eines Autoklaven bringt die Gefahr des Karamelisierens der Zuckerzusätze mit sich und ist deshalb nicht ratsam. Nach der Sterilisation werden die Kulturgefäße in eine schräge Lage gebracht, damit der Nährboden eine möglichst große Oberfläche bildet. Bei richtiger Arbeitsweise erstarrt er rasch und hat eine ziemlich weiche Konsistenz. Eine derbe, lederige Beschaffenheit ist weniger günstig; sie entsteht bei zu hoher Agar-Agar-Zugabe.

Orchideensamen kann vor Öffnung der Kapsel steril geerntet werden. Da trotzdem eine Infektion möglich ist, soll diese Methode nicht erörtert werden. Es gibt einige Sterilisationsverfahren. Das einfachste ist die Behandlung mit Chlorkalk. 10 Gramm frischer Chlorkalk wird in 140 ccm Wasser gelöst, der Aufguß filtriert. In einem kleinen Reagenzglas übergießt man den Samen mit einigen Kubikzentimetern Filtrat und

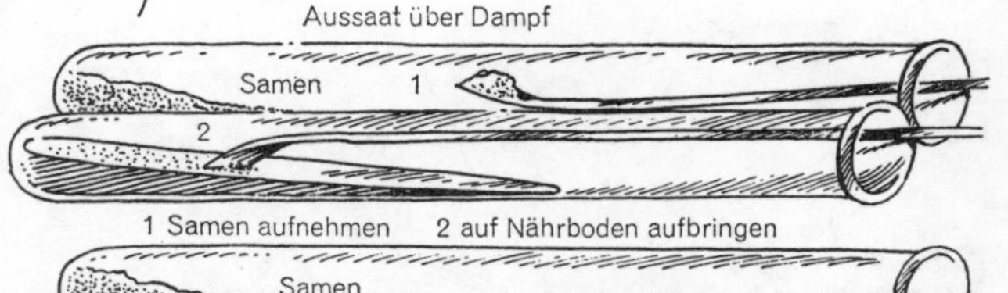

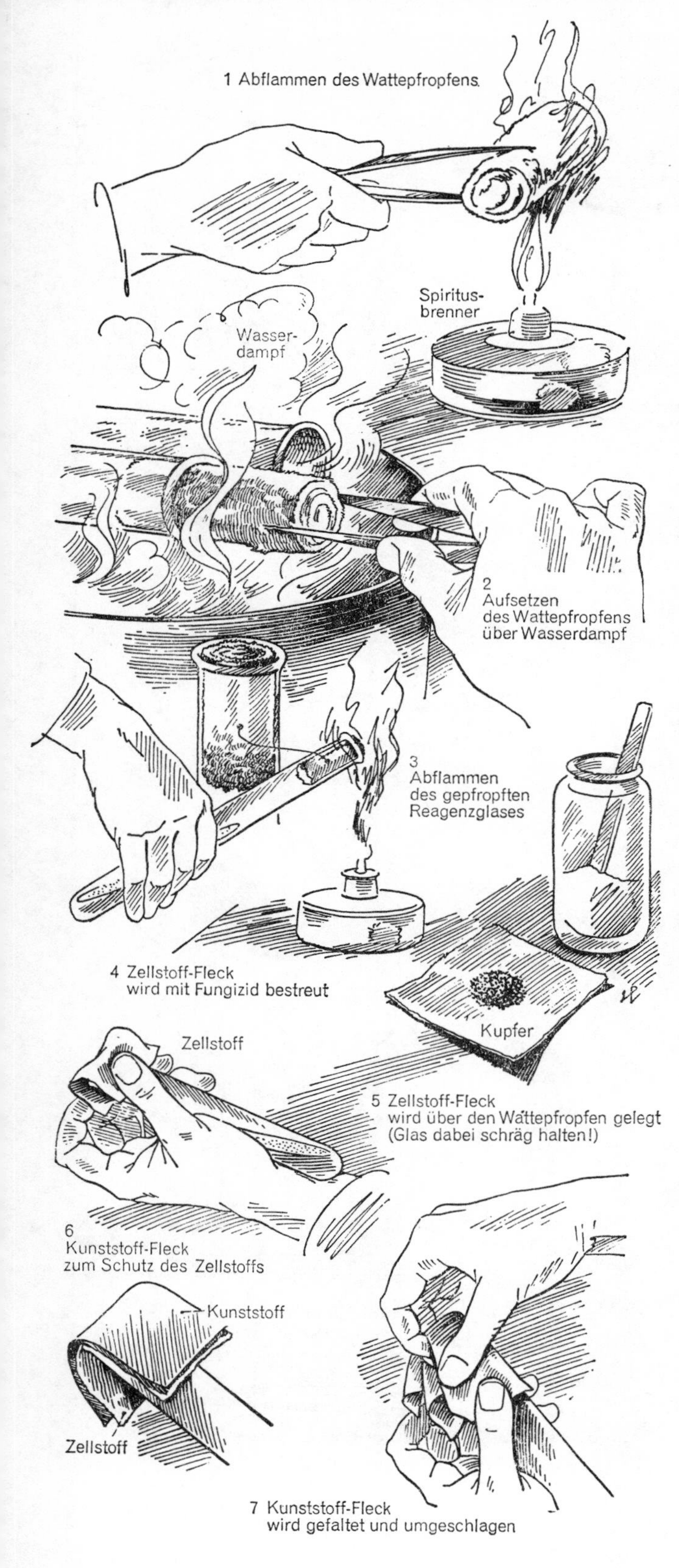

schüttelt das Ganze etwa 10–20 Minuten gut durch.

Auf einer elektrischen Kochplatte erhitzt man in einem breiten, flachen Gefäß Wasser bis zum Kochen, in welchem Zustand es während der Aussaat oder während des Übertragens auf neuen Nährboden bleiben muß. Der aufsteigende Wasserdampf gewährleistet eine für das sterile Arbeiten genügende Keimfreiheit der Luft, sofern dieselbe möglichst unbewegt bleibt.

Zur Aussaat nimmt man in die linke Hand ein mit Nährboden – wie vorstehend geschildert – vorbereitetes Reagenzglas, sowie das Glas mit dem sterilen Samen, von dem die Sterilisationsflüssigkeit abgegossen wurde. Mit der rechten Hand wird mittels eines genügend langen Impfspatels eine kleine Menge Samen auf der Oberfläche des Nährbodens möglichst gleichmäßig verteilt, der Wattepfropfen über einer Gas- oder Spiritusflamme abgeflammt und wieder aufgesetzt. Er kommt so weit in das Glas, daß ein geringer Zwischenraum zwischen seiner Oberkante und der des Reagenzglases entsteht. Als Abdeckung kommt nun eine dünne Schicht Zellstoff, die zur Abwehr eindringender Bakteriensporen mit einem Fungizid eingepudert wird. Den Abschluß bildet eine Kappe aus dünner Folie. Dieses Material verdient den Vorzug gegenüber Papier, da es die Wasserverdunstung aus dem Nährboden weitgehend verhindert.

Paphiopedilum erhalten einen kalkfreien Nährboden nach folgendem Rezept:

Original-Rezept Thomale Detert = P_1

Kaliumnitrat KNO_3	0,250 g
Ammoniumsulfat $(NH_4)_2SO_4$	0,050 g

Magnesiumsulfat	
$MgSO_4 \cdot 7\,H_2O$	0,200 g
Monokalziumphosphat	
$Ca(H_2PO_4) \cdot H_2O$	0,180 g
Kalziumsulfat	
$CaSO_4 \cdot 2\,H_2O$	0,080 g
Eisensulfat	
$FeSO_4 \cdot 7\,H_2O$	0,005 g
Saccharose	20,000 g
Polyvitaminkonzentrat	1,000 g
Pepton	3,000 g
Agar-Agar	15,000 g
Wuchsstoff „66 f“	0,100 g
Dest. Wasser	1000,000 g
	pH 5–5,2

Dem Nährboden für Phalaenopsis und Vanda müssen Vitamine zugesetzt werden in Form von Nicotinsäureamid, Polybion oder ähnlichen Präparaten. Da diese z.T. nicht kochfest sind, ist die Herstellung solcher Nährböden auf die hier beschriebene Art problematisch. Die vorgenannten Varianten der Rezepturen beeinflussen jedoch die Technik des geschilderten Aussaatverfahrens nicht.

Die verschlossenen Kulturgefäße erhalten einen geeigneten Platz bei Temperaturen um +22°C, einer Luftfeuchte von 60–80% und diffusem Licht. Die Unterbringung in einem geschlossenen Behälter ist unerläßlich. Trockene Zimmerluft würde einen zu starken Wasserverlust des Nährbodens bewirken und damit die Entwicklung der jungen Pflanzen stark hemmen. Um die Wachstumsfaktoren möglichst genau regulieren zu können, verwendet man am besten einen allseitig geschlossenen Glaskasten mit zusätzlicher Heizung und Beleuchtung. Die Luftfeuchte wird durch Betätigung einer beweglichen Deckplatte reguliert. Auf dem Boden des Behälters befindet sich ein flaches Gefäß mit Wasser zur Verdunstung. Die Aussaatgefäße soll-

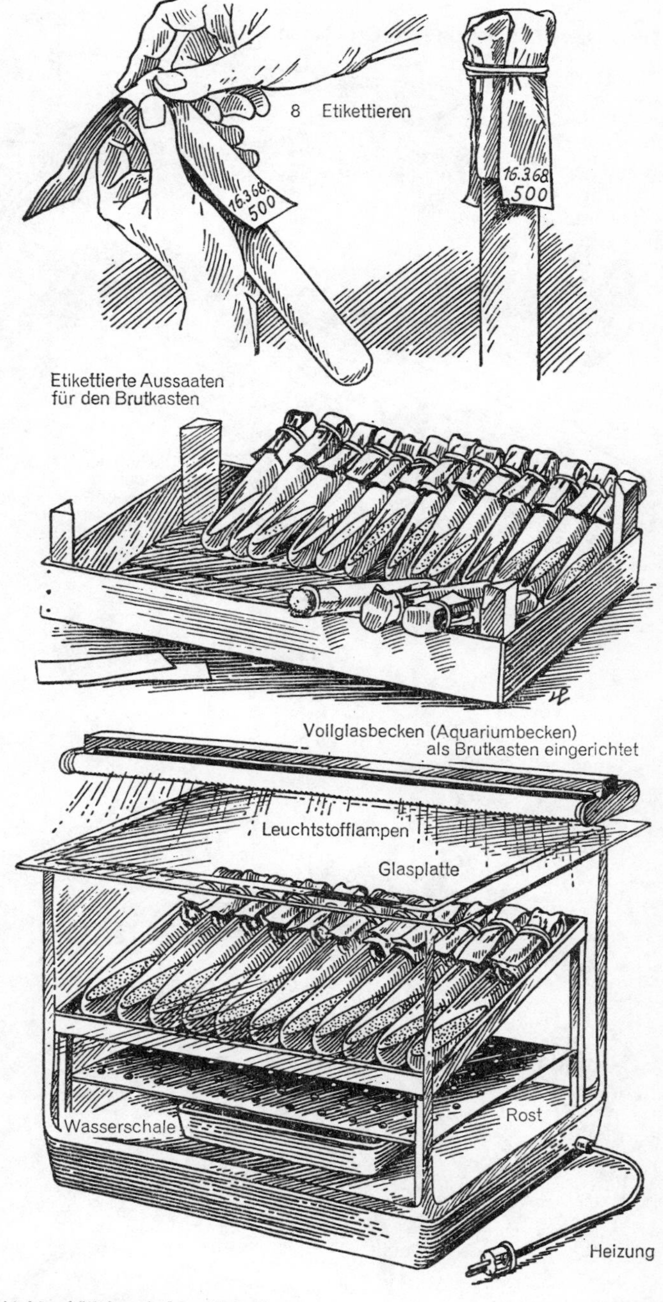

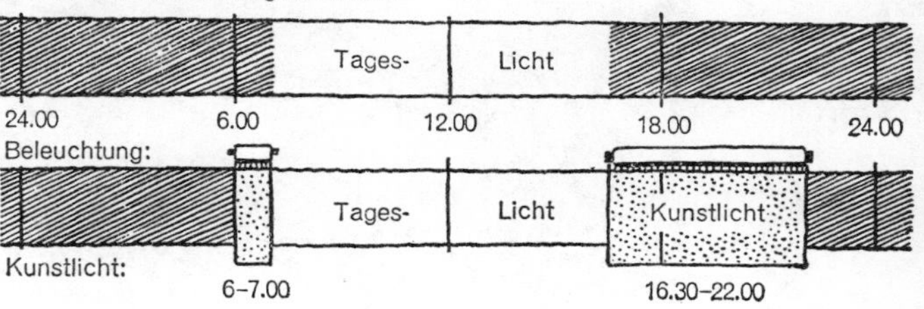

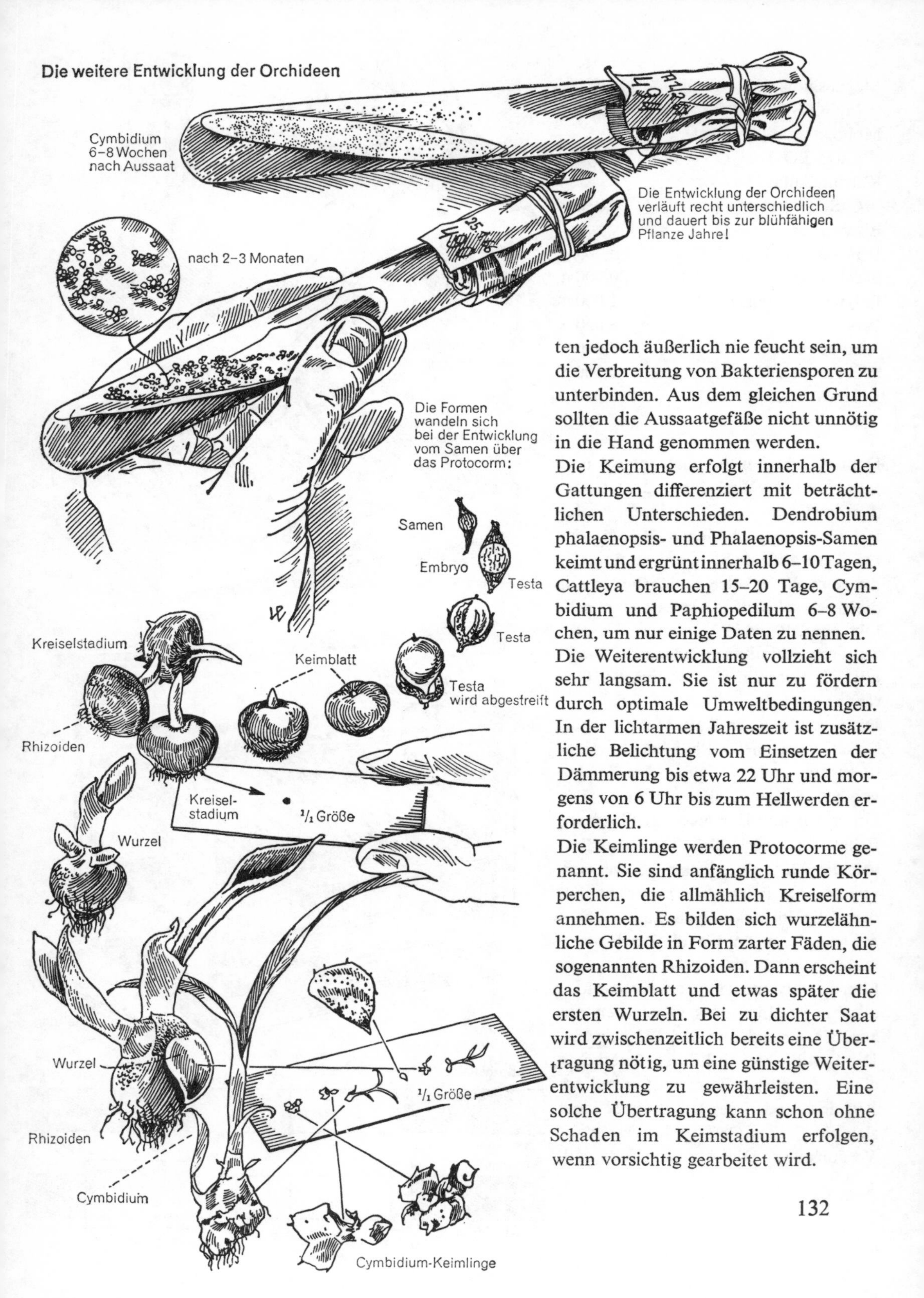

ten jedoch äußerlich nie feucht sein, um die Verbreitung von Bakteriensporen zu unterbinden. Aus dem gleichen Grund sollten die Aussaatgefäße nicht unnötig in die Hand genommen werden.

Die Keimung erfolgt innerhalb der Gattungen differenziert mit beträchtlichen Unterschieden. Dendrobium phalaenopsis- und Phalaenopsis-Samen keimt und ergrünt innerhalb 6–10 Tagen, Cattleya brauchen 15–20 Tage, Cymbidium und Paphiopedilum 6–8 Wochen, um nur einige Daten zu nennen.

Die Weiterentwicklung vollzieht sich sehr langsam. Sie ist nur zu fördern durch optimale Umweltbedingungen. In der lichtarmen Jahreszeit ist zusätzliche Belichtung vom Einsetzen der Dämmerung bis etwa 22 Uhr und morgens von 6 Uhr bis zum Hellwerden erforderlich.

Die Keimlinge werden Protocorme genannt. Sie sind anfänglich runde Körperchen, die allmählich Kreiselform annehmen. Es bilden sich wurzelähnliche Gebilde in Form zarter Fäden, die sogenannten Rhizoiden. Dann erscheint das Keimblatt und etwas später die ersten Wurzeln. Bei zu dichter Saat wird zwischenzeitlich bereits eine Übertragung nötig, um eine günstige Weiterentwicklung zu gewährleisten. Eine solche Übertragung kann schon ohne Schaden im Keimstadium erfolgen, wenn vorsichtig gearbeitet wird.

Das Pikieren

Diese Art der Vereinzelung junger Pflanzen erfolgt bei Orchideen durch die Übertragung auf neue Nährböden, weil sie in der geschlossenen Atmosphäre der Glasgefäße zunächst rascher wachsen. Benutzt werden die gleichen Nährböden wie sie für die Aussaat verwendet wurden. Wieder ist völlige Sterilität erste Voraussetzung für den Erfolg. Die Arbeitsweise ähnelt der bei der Aussaat. Man hält beide Gläser in der linken Hand über dem Dampfgefäß, nimmt mit einem langstieligen Spatel eine kleine Menge der jungen Pflanzen auf und überträgt sie, ohne die Glaswände zu berühren, auf den neuen Nährboden. Nach vorsichtiger Verteilung auf der gesamten Fläche sollten die Protocorme so viel Platz haben, daß sie bis zur Übertragung ins Freie wachsen können. Jetzt – und später noch mehr – zeigt sich, daß eine engere Gemeinschaft die Entwicklung stärker fördert als weiter Stand.

Dieser erste Teil der Entwicklung endet dann, wenn sich die jungen Pflanzen drängen und keinen Raum zur Ausbreitung haben. Eine Übertragung in die freie Atmosphäre sollte keinesfalls zu früh erfolgen. Immer wieder lehrt die Erfahrung, daß die Sämlinge um so besser anwachsen, je kräftiger sie sind. Eine genauere Angabe, in welchem Alter übertragen werden soll, ist nicht möglich, da innerhalb der Gattungen wesentliche Unterschiede in der Entwicklung bestehen. Einfluß haben auch die Nährböden und die Umweltbedingungen; ihre Auswirkungen können gerade bei der Aufstellung im Zimmer wesentliche Unterschiede erbringen. Man kann etwa 8–12 Monate nach Aussaat damit rechnen, daß die Übertragung erfolgen muß.

Pikieren in Schalen:

Nach dem Ausheben des Pflanzloches mit Zeige- und Mittelfinger wird die Pflanze gesetzt.

Sie wird leicht angedrückt

Fertig pikierte Pflanzschale (Cattleya, 24 Monate)

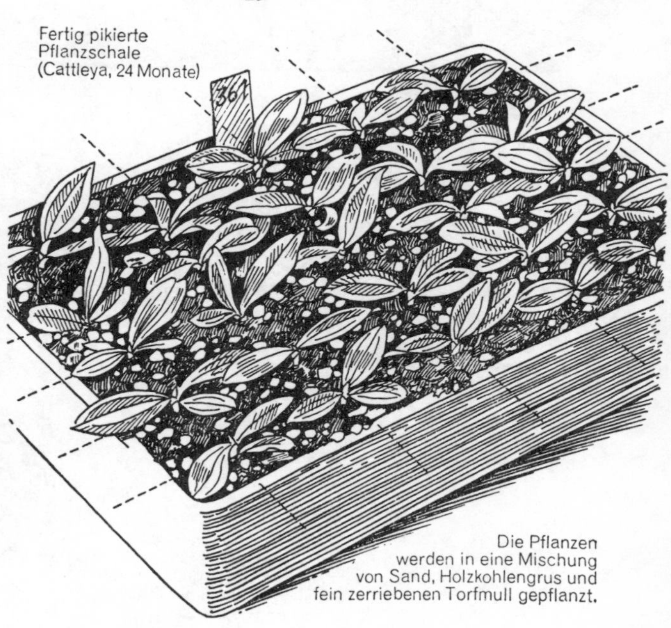

Die Pflanzen werden in eine Mischung von Sand, Holzkohlengrus und fein zerriebenen Torfmull gepflanzt.

Damit sich jede Pflanze gleichmäßig entwickeln kann, wird trotz des Engstandes eine klare Ordnung in der Pflanzschale angestrebt.

3–5 Monate nach der Aussaat erkennt man mehr und mehr grüne Blättchen. Bald stehen die Orchideenpflänzchen zu dicht und müssen umgepflanzt (pikiert) werden.
Pikieren
Das Pikieren wird wie die Aussaat über Dampf vorgenommen. Dabei nimmt man zuerst die vorderen, später die hinteren Pflanzen und bringt sie in ein vorbereitetes Glas mit Nährboden.
Locker verteilte Jungpflanzen nach dem Pikieren.
Die Pflanzen werden locker aufgebracht. Ihre Wurzeln fassen bald Fuß; die Pflanzen richten sich auf.
8–10 Monate nach der Aussaat beginnen die Pflanzen allmählich das Glas auszufüllen
Plastetopf
12–15 Monate nach der Aussaat: Die Pflanzen stehen wiederum zu eng. Es wird Zeit, sie umzupflanzen!
15 Monate
Sie werden in Gemeinschaftstöpfe pikiert. Um ein günstiges Kleinklima zu schaffen, werden sie relativ eng gepflanzt.

Pikieren in größere Gemeinschaftstöpfe

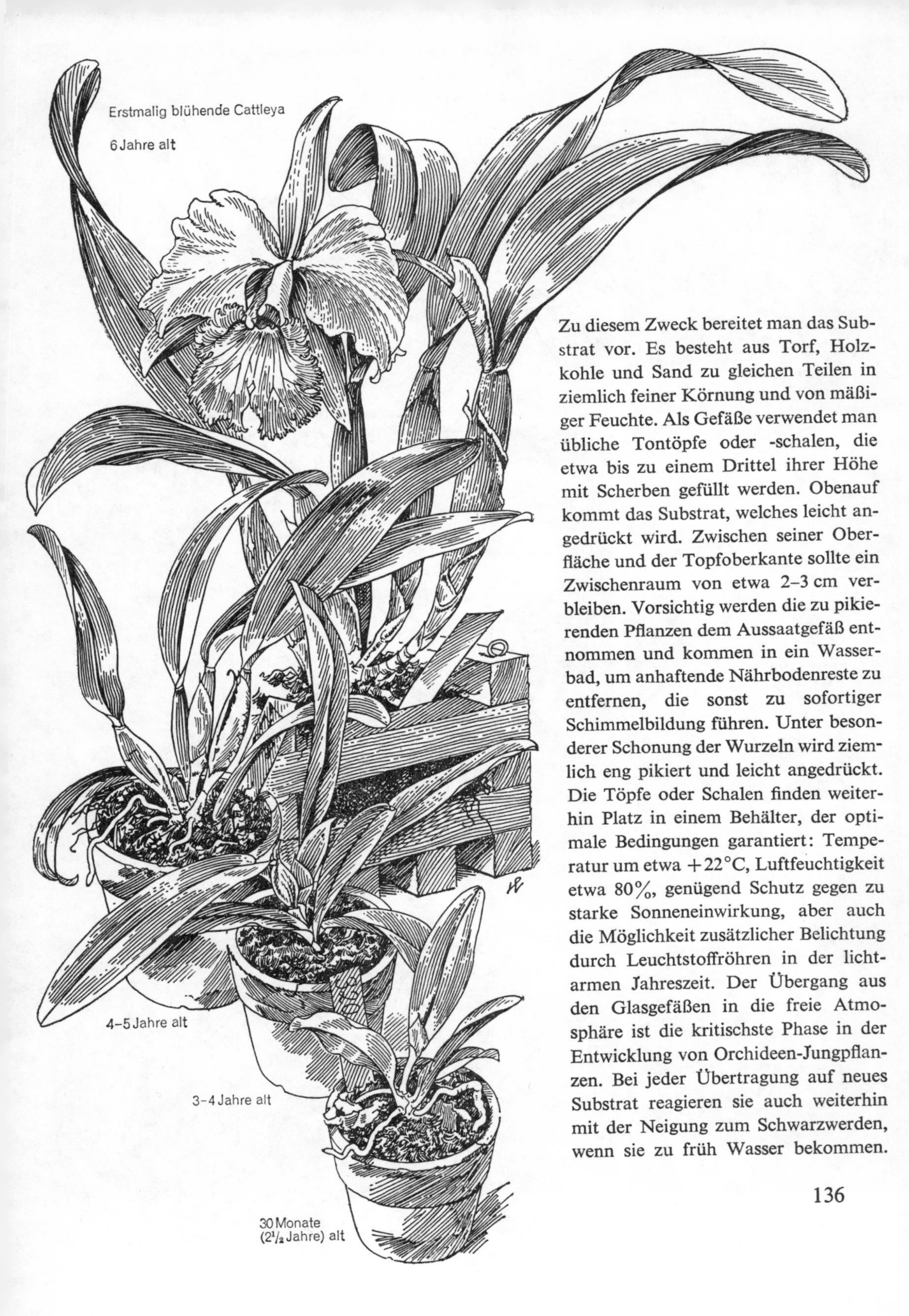

Zu diesem Zweck bereitet man das Substrat vor. Es besteht aus Torf, Holzkohle und Sand zu gleichen Teilen in ziemlich feiner Körnung und von mäßiger Feuchte. Als Gefäße verwendet man übliche Tontöpfe oder -schalen, die etwa bis zu einem Drittel ihrer Höhe mit Scherben gefüllt werden. Obenauf kommt das Substrat, welches leicht angedrückt wird. Zwischen seiner Oberfläche und der Topfoberkante sollte ein Zwischenraum von etwa 2–3 cm verbleiben. Vorsichtig werden die zu pikierenden Pflanzen dem Aussaatgefäß entnommen und kommen in ein Wasserbad, um anhaftende Nährbodenreste zu entfernen, die sonst zu sofortiger Schimmelbildung führen. Unter besonderer Schonung der Wurzeln wird ziemlich eng pikiert und leicht angedrückt. Die Töpfe oder Schalen finden weiterhin Platz in einem Behälter, der optimale Bedingungen garantiert: Temperatur um etwa +22°C, Luftfeuchtigkeit etwa 80%, genügend Schutz gegen zu starke Sonneneinwirkung, aber auch die Möglichkeit zusätzlicher Belichtung durch Leuchtstoffröhren in der lichtarmen Jahreszeit. Der Übergang aus den Glasgefäßen in die freie Atmosphäre ist die kritischste Phase in der Entwicklung von Orchideen-Jungpflanzen. Bei jeder Übertragung auf neues Substrat reagieren sie auch weiterhin mit der Neigung zum Schwarzwerden, wenn sie zu früh Wasser bekommen.

1 Gomesa crispa; **2** Sobralia macrantha; **3** Dendrobium phalaenopsis; **4** Paphiopedilum glaucophyllum; **5** Vanda teres; **6** Huntleya burtii; **7** Vanda burgeffii; **8** Disa uniflora; **9** Bulbophyllum falcatum

1 Cattleya Frucht; **2** Cattleya-Sämlinge in Erlenmeyer-Kolben; **3** Entwicklungsreihe Cattleya; **4** Paphiopedilum-Jungpflanzen; **5** Paphiopedilum im ersten Gemeinschaftstopf; **6** Cattleya im zweiten Gemeinschaftstopf

Die kleinen Pflanzen werden dann innerhalb kurzer Zeit, oft über Nacht, völlig schwarz und funktionsunfähig – sie sind verloren. Man sollte erst 10 bis 12 Tage nach dem Pikieren leicht anzufeuchten beginnen und dann im weiteren Verlauf zu normaler, d.h. stets mäßiger Feuchtigkeit übergehen. Nie dürfen selbst einwandfrei sich entwikkelnde Jungpflanzen feucht in die Nacht kommen, es gibt unweigerlich Verluste. Allgemein gilt – wie bei großen Pflanzen – auch in der Jungpflanzenanzucht der Grundsatz, lieber häufiger spritzen als zuviel gießen.
Das nächste Stadium verbringen die Pflanzen im Gemeinschaftstopf von etwa 7 cm Durchmesser, welcher 4 bis 5 Pflanzen aufnimmt. Es ist der Übergang zum Selbständigwerden des Einzellebewesens. Zu früh vereinzelte Pflanzen entwickeln sich langsamer, also erhält man die engere Gemeinschaft noch längere Zeit. Das Substrat ist noch das gleiche wie beim ersten Pikieren, ebenso die Aufstellung.
Sind die Jungpflanzen so weit erstarkt und gut bewurzelt, daß sie sich drängen, vereinzelt man sie in 5-cm-Töpfe. Ein kleineres Format ist nicht zu empfehlen, besser sollten dann nochmals Gemeinschaftstöpfe gewählt werden. Die Zusammensetzung des Substrates kann dem für große Pflanzen verwendeten gleichkommen, nur daß es entsprechend weniger grobfaserig sein muß, also Osmunda, Sphagnum, Kiefernrinde etwa 2:1:1. Gleich gute, u.U. bessere Ergebnisse sind zu erzielen mit Torf, Koks, Kiefernrinde, Sphagnum etwa 2:1:1:1. Eine Scherbenlage zwecks besseren Wasserabzugs ist auch schon bei kleinen Töpfen erforderlich. Nach dem Eintopfen ist wiederum Vorsicht mit der Feuchtigkeit geboten, erhöhte Luftfeuchtigkeit genügt für die ersten

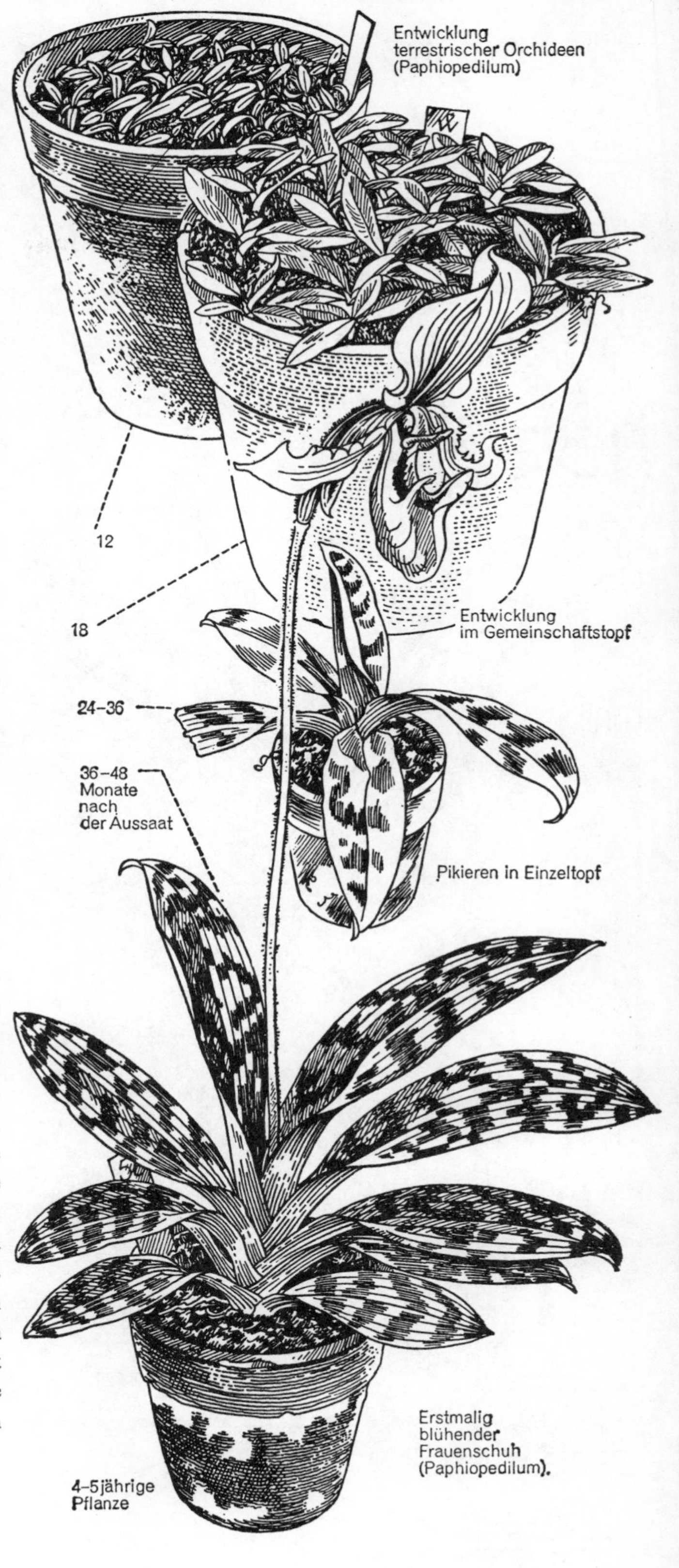

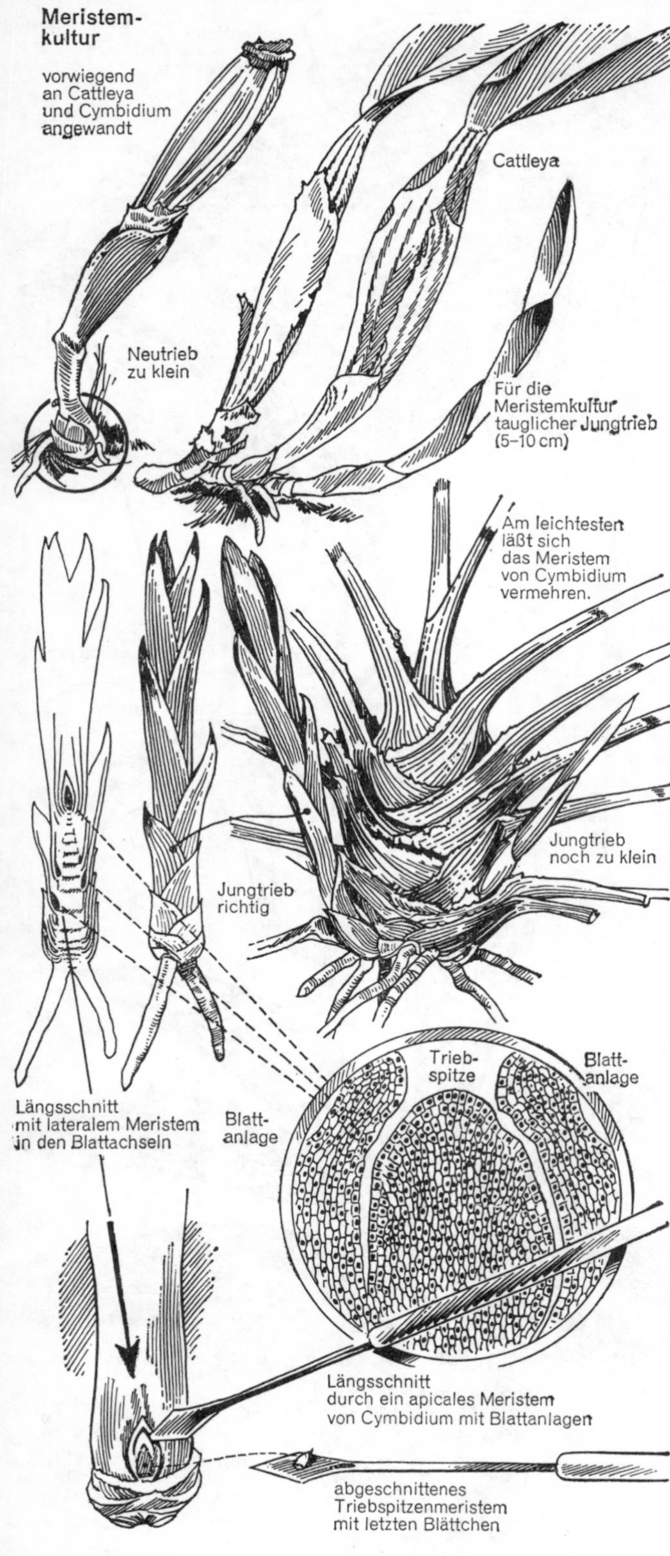

10–12 Tage, dann beginnt man mit leichtem Spritzen und gibt erst mehr Wasser, wenn die neue Wurzelbildung einsetzt.

Gleiches gilt für das bei Jungpflanzen jährlich erforderliche *Umtopfen.* Mit zunehmender Größe ist der Pflanzstoff gröber und durchlässiger zu wählen, er ist dem für erwachsene Pflanzen verwendeten anzugleichen. Die Topfgrößen steigern sich in beschränktem Umfang. Es ist besser, ein zu kleines als ein zu großes Gefäß zu verwenden, da erfahrungsgemäß in letzterem Fall die Entwicklung eher gehemmt als gefördert wird.

Allgemein werden Jungpflanzen in laufendem Wachstum gehalten. Erst mit vorgeschrittener Entwicklung zu erster Blüte leitet man eine Ruhezeit gemäß derjenigen älterer Pflanzen ein.

Wenn man die Pflege von Orchideen als die hohe Schule des Gärtners bezeichnet, wie es häufig geschieht, so bedeutet die Aussaat und Anzucht zweifellos die höchste Steigerung und letzte Erfüllung. Meist ist es ein enttäuschungsreicher Weg; die Einblicke in die Gesetzmäßigkeiten der Natur sind jedoch allein schon lohnend – wieviel mehr noch Erfolge, welche sich bei Verständnis und Beharrlichkeit einstellen.

Die Meristemkultur

In neuester Zeit hat eine vegetative Vermehrungsmethode besondere Bedeutung gewonnen. Sie ist technisch äußerst kompliziert und allgemein für den Orchideenfreund nicht anwendbar, da sie hauptsächlich Laboratoriumsarbeit erfordert. In mancherlei Hinsicht ist diese Vermehrungsmethode in ihren Auswirkungen jedoch von besonderem

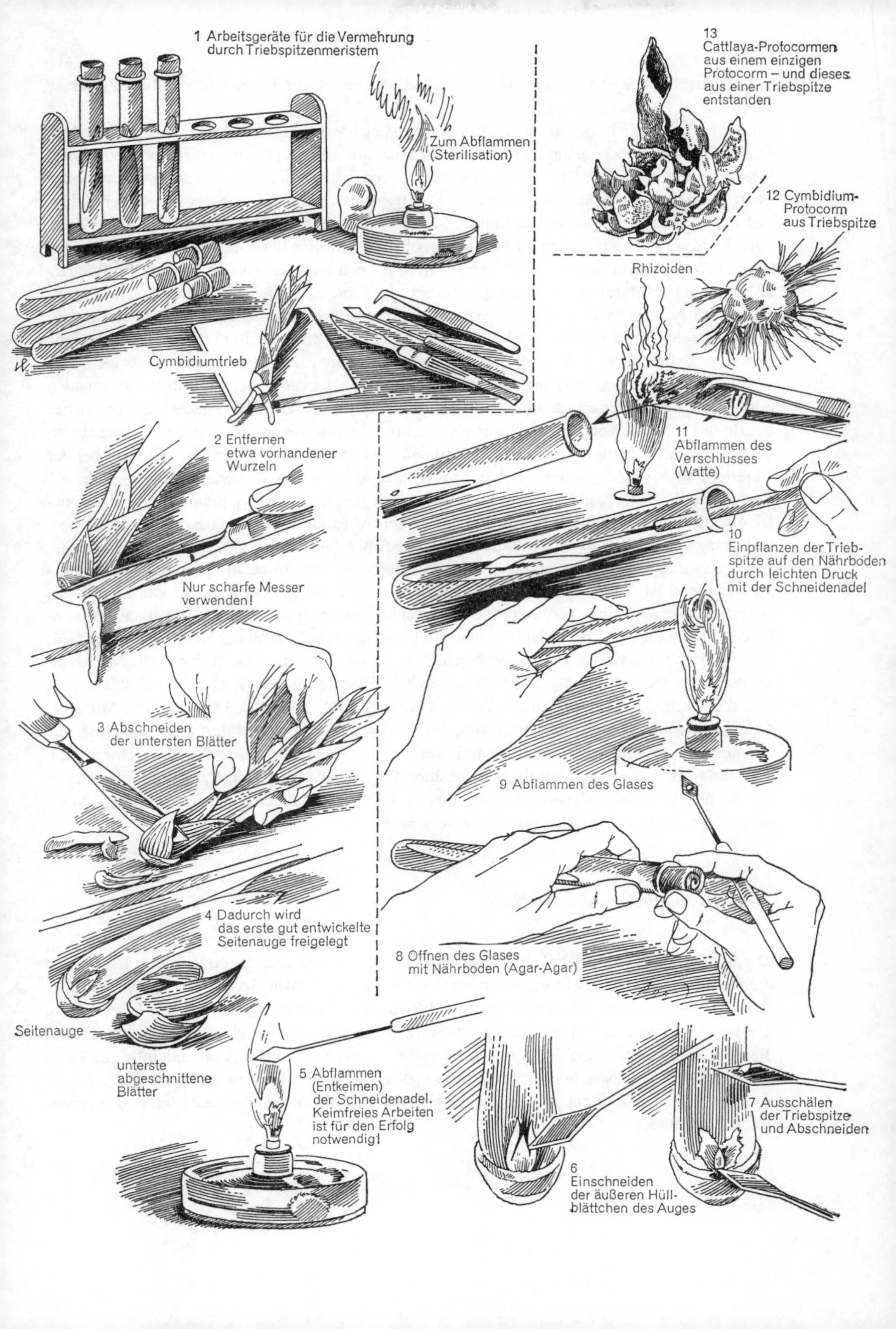
1 Arbeitsgeräte für die Vermehrung durch Triebspitzenmeristem
Zum Abflammen (Sterilisation)
Cymbidiumtrieb
13 Cattlaya-Protocormen aus einem einzigen Protocorm – und dieses aus einer Triebspitze entstanden
12 Cymbidium-Protocorm aus Triebspitze
Rhizoiden
11 Abflammen des Verschlusses (Watte)
2 Entfernen etwa vorhandener Wurzeln
Nur scharfe Messer verwenden!
10 Einpflanzen der Triebspitze auf den Nährboden durch leichten Druck mit der Schneidenadel
9 Abflammen des Glases
3 Abschneiden der untersten Blätter
4 Dadurch wird das erste gut entwickelte Seitenauge freigelegt
8 Öffnen des Glases mit Nährboden (Agar-Agar)
Seitenauge
unterste abgeschnittene Blätter
5 Abflammen (Entkeimen) der Schneidenadel. Keimfreies Arbeiten ist für den Erfolg notwendig!
7 Ausschälen der Triebspitze und Abschneiden
6 Einschneiden der äußeren Hüllblättchen des Auges

Interesse. Infolgedessen ist es angebracht, mindestens die Grundlagen und die Technik dieser Methode zu erörtern.
Im Verlauf der Züchtungsarbeit an Orchideen steigerten sich die Erfolge in zunehmendem Maße. Die Verschiedenartigkeit der Nachkommen aus einer Kreuzung wurde immer größer, je komplizierter sie war. Die jeweilig besten Pflanzen, welche dem Zuchtziel nahekamen oder es erfüllten, wurden fixiert. Meist waren es sehr wenige Exemplare aus der Masse der vielen, welche einer Samenkapsel entstammten. Sie standen stets hoch im Kurs und stellten Klone dar, die nun fortlaufend durch Teilung vermehrt und infolge der Unergiebigkeit vegetativer Vermehrung bei den meisten Orchideen weiterhin hoch bewertet wurden. Selbst die Wiederholung einer erfolgreichen Kreuzung erbringt nicht mit absoluter Sicherheit gleiche Ergebnisse, weil häufig Varietäten einer Art mit erhöhter Chromosomenzahl verwendet werden. Die u. U. sehr große Verschiedenartigkeit der Nachkommen ist bedingt durch die sehr große Zahl der Erbanlagen, welche die Arten und noch mehr die komplizierten Hybriden aufweisen. Die aus ihnen entstehenden Kombinationen bei neuerlicher Hybridisation ergeben eine Vielseitigkeit der Erscheinungsformen, die verwirrend sein kann, genetisch aber sicher begründet ist. Der Versuch, hochwertige Züchtungsergebnisse durch Samen echt weiter zu vermehren, muß erfolglos bleiben. Die in ihnen ruhenden Erbeigenschaften bedingen bei der Vereinigung mit einer anderen Art oder Hybride gänzlich verschiedene Nachkommen.
Einige von ihnen werden über dem Durchschnitt liegen, die große Mehrzahl wird u. U. unbefriedigend sein; vielleicht in ihrem Wert nicht den Aufwendungen der langen Entwicklungszeit entsprechen. Kommerziell kann dies von großer Bedeutung sein, beispielsweise dann, wenn als gestecktes Zuchtziel neben anderen Eigenschaften ein bestimmter Blühtermin ausschlaggebend ist. Liegt dieser bei den Nachkommen in weiten Grenzen, so kann damit die Absatzmöglichkeit stark gemindert sein. Ähnliche Erwägungen können in bezug auf Blütenfarbe, Größe und Form der Blüten oder andere Eigenschaften maßgeblich bestimmend für den Wunsch sein, völlige erbgleiche Nachkommen zu erzielen. Dies ist durch die Meristemkultur in theoretisch unbegrenzter Zahl möglich. Einschränkend ist allerdings festzustellen, daß die Methode zunächst nur bei Cattleya, Cymbidium, Calanthe, Dendrobium, Miltonia, Odontoglossum, Odontonia, Oncidium, Vuylstekeara und Zygopetalon anwendbar ist. Bei Paphiopedilum und allen monopodial wachsenden Orchideen, wie Vanda, Renanthera, Phalaenopsis, u. a. ist das Verfahren nicht durchführbar oder noch nicht ermittelt. Inzwischen wurde für die durch Meristemvermehrung erzielten Jungpflanzen die Bezeichnung „Mericlones“ geprägt und hat sich international eingeführt.

Grundlagen der Methode

Die Kultivierung von pflanzlichem Gewebe unter sterilen Bedingungen ist schon seit einigen Jahrzehnten bekannt. Bei Orchideen wird sie jedoch erst in neuester Zeit angewandt. Der französische Forscher Morel berichtete 1960 über erfolgreiche Versuche mit Cymbidium, Phajus, Miltonia und Cattleya. In den darauffolgenden Jahren erzielten Wissenschaftler und Berufszüchter weitere Erfolge, die Mericlones werden in ständig zunehmendem Maße Handelsobjekte. Die inzwischen blühfähig gewordenen Pflanzen der ersten Vermehrungen sind in allen Eigenschaften der Mutterpflanze gleich; es ist die endgültige Bestätigung des erwarteten Ergebnisses.

Bei allen Pflanzen existiert ein ziemlich einzigartiger Typus einer Zelle mit allen Fähigkeiten des Wachstums zu einer vollständigen Pflanze. Dieses als „Meristem" bezeichnete Bildungsgewebe findet sich im Sproß- und Wurzelvegetationspunkt und ist stets zu einer Kern- und Zellteilung befähigt. Es setzt die Weiterentwicklung einer Pflanze stetig in den jedem Lebewesen gesteckten Grenzen fort. Bei Orchideen mit sympodialem Wuchs, also solchen, die Pseudobulben bilden, endet die Funktion des Hauptmeristems zu einem bestimmten Zeitpunkt der Entwicklung. Ein Seitenmeristem an der Basis der Pseudobulbe entwickelt nach einer mehr oder minder langen Ruhezeit der gesamten Pflanze einen neuen Trieb, der ihre weitere Existenz in fortlaufend gleichem Rhythmus garantiert. In der Fachsprache ist dieser Vorgang als Entwicklung des ruhenden Auges bezeichnet. Das apicale Meristemgewebe – auch als Spitzenmeristem bezeichnet – ist besonders ausgeprägt entwickelt, weil es den Vegetationspunkt darstellt, der in erster Linie wächst. Unterhalb des apicalen Meristemgewebes befinden sich bei den sympodial wachsenden Orchideen Reserveaugen, welche im Falle der Verletzung des Spitzenmeristems das Weiterleben der Pflanze garantieren. Diese zwei, drei oder fünf ruhenden Vegetationspunkte bezeichnet man als laterale Meristeme. Sie können in gleicher Weise wie das apicale Meristem zur Vermehrung benutzt werden. Durch sterile Isolierung und Übertragung auf ein Nährmedium ist es möglich, Meristemgewebe zur Weiterentwicklung zu bringen und durch fortlaufende Teilung der sich bildenden Protocorme eine theoretisch unbegrenzte Zahl neuer Pflanzen zu erzielen, die alle Eigenschaften der Mutterpflanze aufweisen.

Technik der Methode

An der am sichersten und leichtesten durchzuführenden Meristemvermehrung von Cymbidium sollen nachfolgend die erforderlichen Maßnahmen dargestellt werden.
Als Ausgangsmaterial dienen die neuentstehenden Triebe von erwachsenen Pflanzen oder von Rückbulben. Die Länge des Triebes soll etwa 8–10 cm betragen. In einem möglichst keimfreien Raum entfernt man auf steriler Unterlage zunächst die äußersten Blätter bis das erste ruhende-Auge sichtbar wird. Es wird wie die nächstfolgenden freigelegten mit einem kleinen, sehr scharfem Skalpell aus dem Vegetationskegel herausgeschnitten und sofort auf vorbereitetes Nährmedium übertragen. Sofern die Luft völlig ruhig und das Objekt trocken bleibt, ist eine Desinfizierung nicht erforderlich. Andernfalls ist ein Eintauchen der isolierten Augen für einige Sekunden in 75% Äthylalkohol erforderlich. Die verbleibende Spitze des Vegetationskegels wird von eventuell verbliebenen Blättern befreit, in einer Stärke von etwa 2 mm abgeschnitten und wie die anderen Gewebsteile übertragen.
Als Nährmedium sind die für die Aufzucht aus Samen angewandten Rezepte brauchbar, speziell der Nährboden nach Knudson III oder ähnlichen Varianten. Die in der üblichen Art (siehe: Generative Vermehrung!) vorbereiteten und verschlossenen Reagenzgläser werden bei konstanter Temperatur von +22° und mindestens 12 Stunden Licht gehalten. In einem Zeitraum von einigen Wochen vergrößern sich die Gewebsteile, ergrünen und werden zu kleinen kugelförmigen Gebilden, den sogenannten Protocormen. An ihrer Peripherie werden Rhizoide gebildet, welche die selbständige Wasseraufnahme ermöglichen, später entwickeln sich Wurzeln und Blätter. Häufig teilt sich das Protocorm fortlaufend weiter. Durch Teilung dieser Klumpen ist die hohe Vermehrungsquote möglich, da sich der Vorgang nach jeder Teilung wiederholt. Er wird wesentlich gefördert, wenn die Reagenzgläser nach erfolg-

ter Beschickung auf einer Apparatur in dauernder Bewegung gehalten werden, um die Polarisation aufzuheben. Etwa 2 Umdrehungen in der Minute genügen. Die Bewegung ist bei Cymbidiumvermehrung nicht unbedingt nötig, bei allen anderen bisher mit dieser Methode erfolgreich vermehrten Orchideen jedoch Bedingung.

Sobald eine Teilung der Protocorme nicht mehr durchgeführt wird, bilden sie Wurzeln und Blätter. Mit der Erreichung eines gewissen Umfanges der jungen Pflanzen ist eine Übertragung auf normales Pikiersubstrat vorzunehmen. Die Weiterbehandlung ist dann die gleiche wie bei der Sämlingsaufzucht angegeben.

Voraussetzung für Erfolge ist eine vollkommen sterile Arbeitsweise. Die vorstehend in knappen Worten gegebene Darstellung der Methode gibt einen annähernden Begriff der Schwierigkeit, welche bei Cattleya noch gesteigert ist. Bei diesen liegen die Ergebnisse nur bis etwa 50% gegenüber Cymbidium.

Abschließend ist festzustellen, daß die Meristemvermehrung eine ideale Sicherung erzielter züchterischer Erfolge darstellt. Eine Steigerung bedeutet sie jedoch nicht. Diese bleibt weiterhin einer planmäßig gelenkten Züchtung vorbehalten.

GENETIK

Kritische Leser werden die Frage stellen, ob die Behandlung dieses Themas überhaupt hier Berechtigung hat. Genetik ist die Wissenschaft von der Vererbung. Eine Darlegung der Problematik erscheint für die meisten Leser als unnötiger Ballast bei der Behandlung der Orchideen. Bis zu einem gewissen Grade mag diese Meinung richtig sein; aber das Streben nach der Vervollkommnung unseres Wissens soll darunter nicht leiden.

Die Vererbungslehre mit ihren Gesetzen ist eine der interessantesten Wissenschaften. Sie ist kein fest umrissenes, eng begrenztes Gebiet, sondern greift über in die Biologie, die Zytologie, Physiologie, Biochemie, Morphogenesis, in die Evolution und letztlich in die Praktiken moderner Züchtungsarbeit. Sie führt uns an die geheimsten und rätselvollsten Dinge des Lebens heran, an Vorgänge, die sich in allen Erscheinungsformen der belebten Natur in unvorstellbarer immerwährender Konsequenz vollziehen – unserem Auge verborgen und doch bestimmend für uns selbst und unsere Umwelt.

Johann Gregor Mendel, Abt des Klosters in Brünn, beschäftigte sich um 1865 mit Kreuzungsversuchen an Gartenpflanzen, hauptsächlich Erbsen und Bohnen. Er entwickelte daraus die Mendelschen Gesetze der Vererbung als Grundlagen der modernen Vererbungslehre; Mendel erkannte die Gesetzmäßigkeit in der Aufspaltung einer Bastardnachkommenschaft in bestimmte Zahlenverhältnisse. Sie lassen sich vorausberechnen, wenn die Anzahl der beteiligten Erbunterschiede bekannt ist. Das Verhalten der einzelnen Eigenschaften einer Elternpflanze kann sehr verschieden sein. Diejenigen Erbfaktoren, welche sichtbar weitergegeben werden, bezeichnet man als „dominant". Andere bleiben verdeckt, sind also nicht sichtbar und führen die Bezeichnung „rezessiv".

Die Vererbung ist die Übertragung der Eigenschaften eines Individuums auf seine Nachkommen. Sie geschieht nicht gleichmäßig; die Weitergabe einer elterlichen Eigenschaft kann an alle oder nur an einen größeren oder kleineren Teil der Nachkommen erfolgen. Die Ursache können genetisch gleiche oder ungleiche Anlagen oder aber die Auswirkungen von Umwelteinflüssen sein.

Mit dieser Auffassung der modernen Biologie nähern wir uns immer mehr dem Kernpunkt unserer Betrachtungen, dem geheimnisvollen Walten unsichtbarer Kräfte in allem Lebendigen.

Die Träger der Erbeinheiten, *Gene* genannt, sind die Chromosomen, Hauptbestandteile des Zellkerns, der in jeder lebenden Zelle eines Organismus vorhanden ist. Jedes Chromosom, an sich schon winzig klein, trägt wiederum eine bedeutende Anzahl von Genen. Im Durchschnitt haben alle Individuen einer Art die gleiche Chromosomenzahl; es ist auch möglich, daß alle Arten einer Gattung die gleiche Anzahl aufweisen. Meist sind jedoch innerhalb der Arten einer Gattung unterschiedliche Chromosomenzahlen feststellbar. Dies ist sogar auch in Sonderfällen innerhalb der Einzelindividuen einer Art möglich und bedingt ein verändertes Erscheinungsbild – manchmal auch nicht. Ist es jedoch der Fall, so können solche Pflanzen mit abweichender Chromosomenzahl durch verändertes Aussehen gärtnerisch bedeutungsvoll sein. Sie treten relativ häufig gerade bei solchen Orchideen auf, die schon lange im Blickpunkt des Interesses stehen. Unsere modernen Paphiopedilum-Hybriden besitzen meist eine zweimal so hohe Chromosomenzahl wie normal. Dies bewirkt bei dieser Gattung besonders große, ansehnliche Blüten, also sehr erwünschte Merkmale, welche den Wert der Pflanze wesentlich steigern können.

Von den Anfängen der Orchideenzüchtung an bis in die neuere Zeit arbeiten die Züchter rein intuitiv, z.T. auch heute noch. Die Erscheinungsform einer Pflanze, äußerlich erkennbare Eigenschaften waren allein maßgebend für die Auswahl der Elternpflanzen. Einer der primitivsten Grundsätze rein empirischer Züchtungsarbeit ist die Wahl von Partnern mit besonders großen, auffallend gefärbten Blüten oder anderen Eigenschaften, die wertvoll erscheinen. Zweifellos wurden bedeutende Erfolge erzielt; es stellten sich jedoch auch Mißerfolge ein. Kreuzungen besonders vielversprechender Partner blieben unfruchtbar oder erbrachten keinen keimfähigen Samen – ohne daß zunächst eine Ursache ersichtlich war. Erst die fortschreitenden Erkenntnisse der Genetik leiteten die Züchtung auf eine wissenschaftliche Basis. Die Kenntnis der Chromosomenzahlen ist wichtigste Voraussetzung für die Wahl der Elternpflanzen und ergibt im voraus die Sicherheit für das Gelingen einer Kreuzung. Die Chromosomenzählung ist eine sehr komplizierte Arbeit, die nur unter einem Mikroskop mit starker Vergrößerung vorgenommen werden kann. In der Phase der Teilung des Zellkernes sind die Chromosomen allein erkennbar. Diese Teilung erfolgt fortlaufend in großem Umfang an vegetativen Wachstumspunkten – wie Wurzel- oder Blattspitzen, neuen Trieben – und wird

mit *Mitosis* bezeichnet. Bei der anderen, weit schwierigeren Methode, welche das Stadium der Reduktionsteilung bei der Bildung von Gameten, den Geschlechtszellen, erfaßt, die *Meiosis*, dienen Blütenknospen in der ersten Zeit der Entwicklung als Untersuchungsmaterial.
Die Grundchromosomenzahl einer Gattung oder Art wird mit diploid = $2x$ bezeichnet. Erhöhen sich die Chromosomensätze, so spricht man von Polyploidie. Sie kann wesentlich gesteigert sein und hat bestimmte Auswirkungen auf die Pflanzen.

Einige wesentliche Charakteristiken sind nachfolgend angeführt:

diploid = 2 x: Standardfall der Natur. Diese Pflanzen zeigen eine gewisse äußerliche und innerliche Harmonie. Sie besitzen eine große Vitalität, weitgehende Ausgeglichenheit im Äußeren und sind meist in hohem Maße fertil, also fruchtbar.

tetraploid = 4 x: Solche Exemplare kamen ursprünglich durch außergewöhnliche Einwirkungen zustande, welche eine Verdoppelung der Chromosomenzahl mit sich brachten. In hohem Maße eignen sie sich für die Züchtung, da sie meist gutes Wachstum und große Blüten vereinen. Sie sind überwiegend fertil und durch die erhöhte Chromosomenzahl bei der Übertragung guter Eigenschaften äußerst einflußreich.

triploid = 3 x: Infolge der meist vorhandenen Sterilität eignen sie sich nicht als Kreuzungspartner. Ein geringer Erfolg ist dann zu erwarten, wenn eine triploide Pflanze mit dem Pollen einer äußerst vitalen Art belegt wird. Viele moderne, hochwertige Hybriden sind tripoloid. Solche Pflanzen sind sehr produktiv und in jeder Beziehung leistungsfähig. Nur lassen sich ihre guten Eigenschaften meist nicht generativ weiter übertragen, obwohl sie sich äußerlich geradezu als Partner anbieten.

pentaploid = 5 x: Pflanzen mit dieser noch höheren Stufe der Polyploidie kommen relativ selten vor. Infolge der Anordnung der Chromosomen ist eine einheitliche Entwicklung der Nachzuchten nicht zu erwarten; sie sind meist schwierig zu annehmbarer Entwicklung zu bringen.

aneuploid: So nennt man abnorme Typen mit ungeraden Chromosomensätzen. Die Pflanzen sind von einer gewissen Regellosigkeit in jeder Hinsicht gekennzeichnet. In der Züchtung können ihre schwierig zu haltenden Nachkommen durch ungewöhnliche Erscheinungen überraschen oder aber durch Lebensuntüchtigkeit enttäuschen. Zweifellos ist eine solche Arbeit äußerst interessant, wenn das Risiko nicht gescheut wird.
Diese kurzen und einfachen Ausführungen über die Bedeutung der Genetik in der Orchideenzüchtung sollen in diesem Rahmen genügen.

Die Züchtung

Seit im Jahre 1856 in England die erste von Menschenhand gezüchtete Orchidee bekann wurde, entwickelte sich die Züchtungsarbeit zu einer weltumspannenden Angelegenheit. Die Zahl der seit dieser Zeit entstandenen Hybriden nur annähernd anzugeben erscheint fast unmöglich. Viele der in den Anfangszeiten entstandenen Züchtungen sind heute verschollen und vergessen. Ein großer Teil von ihnen ist in „Sanders List of Orchids Hybrids“ registriert. Damit wurde die Pionierarbeit auf diesem Gebiet der Nachwelt erhalten. Es ist eine rein empirische Entwicklung, ein Tasten und Suchen nach neuen Wegen und Möglich-

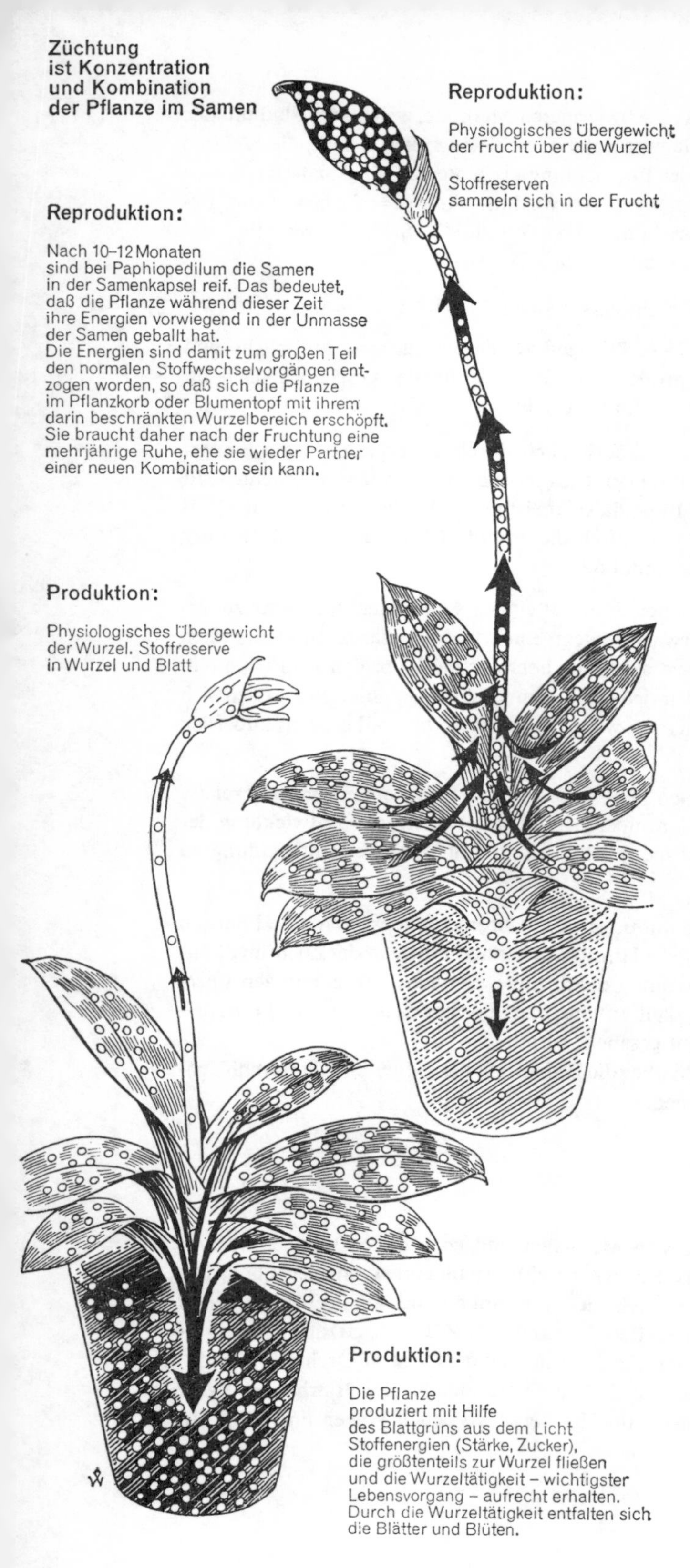

keiten. Heute arbeitet man im internationalen Maßstab in den maßgeblichen Zuchtbetrieben auf wissenschaftlicher Basis nach den neuesten Erkenntnissen der Genetik.

Es erscheint fast abwegig, im Rahmen dieses Buches über die Züchtung zu schreiben. Die Schwierigkeit der Aufzucht und die lange Entwicklungszeit ermutigen nicht zu Versuchen. Das Interesse an Orchideen steigert sich jedoch beständig, und ein Grundwissen um Züchtungsfragen möchten viele Liebhaber besitzen. Dieser oder jener wird vielleicht zu Versuchen angeregt und bei Geduld und Ausdauer zu Erfolgen kommen. Zweifellos ist eine solche Arbeit ungeheuer interessant, und man kann ihr bedingungslos verfallen; sie ist schöpferisch und gestaltend – aber sie darf nicht nur Spielerei sein. Eine Kreuzung zu versuchen oder auch schon zur Erhaltung einer Art die Bestäubung vorzunehmen ist verlockend. Man sollte sich jedoch vergegenwärtigen, daß die Entwicklung einer Frucht für die Pflanze nachteilig sein kann. Infolge der sehr langen Reifezeit ist meist die Ruheperiode nicht einzuhalten, und die Samenproduktion in sehr großem Umfang, wie bei Orchideen üblich, stellt eine bedeutende Leistung für die Pflanze dar.

Die Platzfrage ist ein weiterer Umstand, der eingehender Überlegung bedarf. In der Entwicklung von Orchideen aus Samen liegt eine ungeheure Dynamik. Aus den winzigen Pflänzchen der ersten Stadien erwachsen in mehr oder weniger langen Zeiträumen Exemplare mit entsprechendem Platzbedarf, der meist größer ist, als der verfügbare Raum. Entweder mindert sich damit die Qualität, oder man muß überzählige Mengen vernichten – eine Maßnahme, zu der sich kaum so rasch jemand entschließen kann.

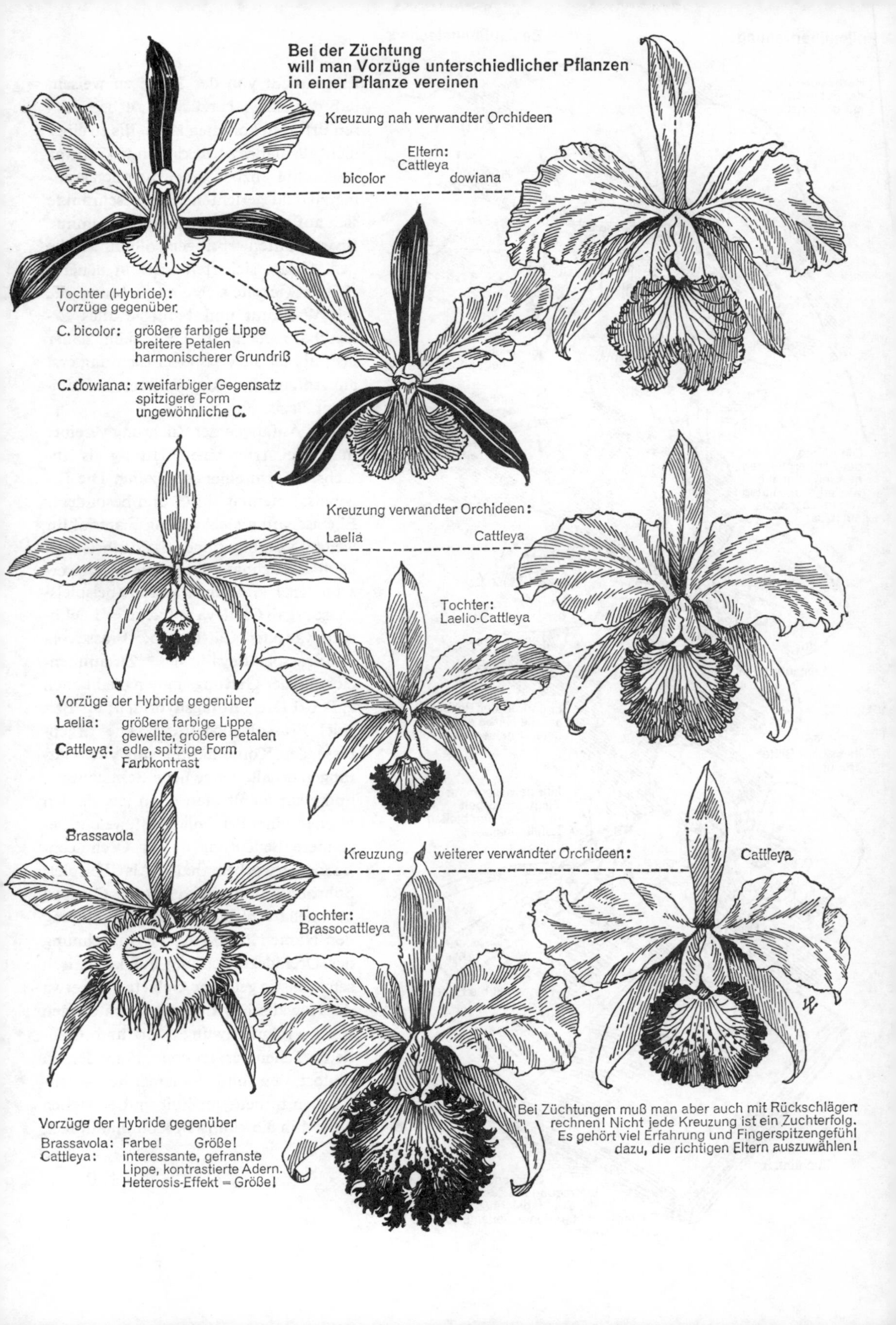

Bei der Züchtung
will man Vorzüge unterschiedlicher Pflanzen
in einer Pflanze vereinen
Kreuzung nah verwandter Orchideen
Eltern:
Cattleya
bicolor
dowiana
Tochter (Hybride):
Vorzüge gegenüber
C. bicolor: größere farbige Lippe
breitere Petalen
harmonischerer Grundriß
C. dowiana: zweifarbiger Gegensatz
spitzigere Form
ungewöhnliche C.
Kreuzung verwandter Orchideen:
Laelia
Cattleya
Tochter:
Laelio-Cattleya
Vorzüge der Hybride gegenüber
Laelia: größere farbige Lippe
gewellte, größere Petalen
Cattleya: edle, spitzige Form
Farbkontrast
Brassavola
Kreuzung weiterer verwandter Orchideen:
Cattleya
Tochter:
Brassocattleya
Vorzüge der Hybride gegenüber
Brassavola: Farbe! Größe!
Cattleya: interessante, gefranste
Lippe, kontrastierte Adern.
Heterosis-Effekt = Größe!
Bei Züchtungen muß man aber auch mit Rückschlägen
rechnen! Nicht jede Kreuzung ist ein Zuchterfolg.
Es gehört viel Erfahrung und Fingerspitzengefühl
dazu, die richtigen Eltern auszuwählen!

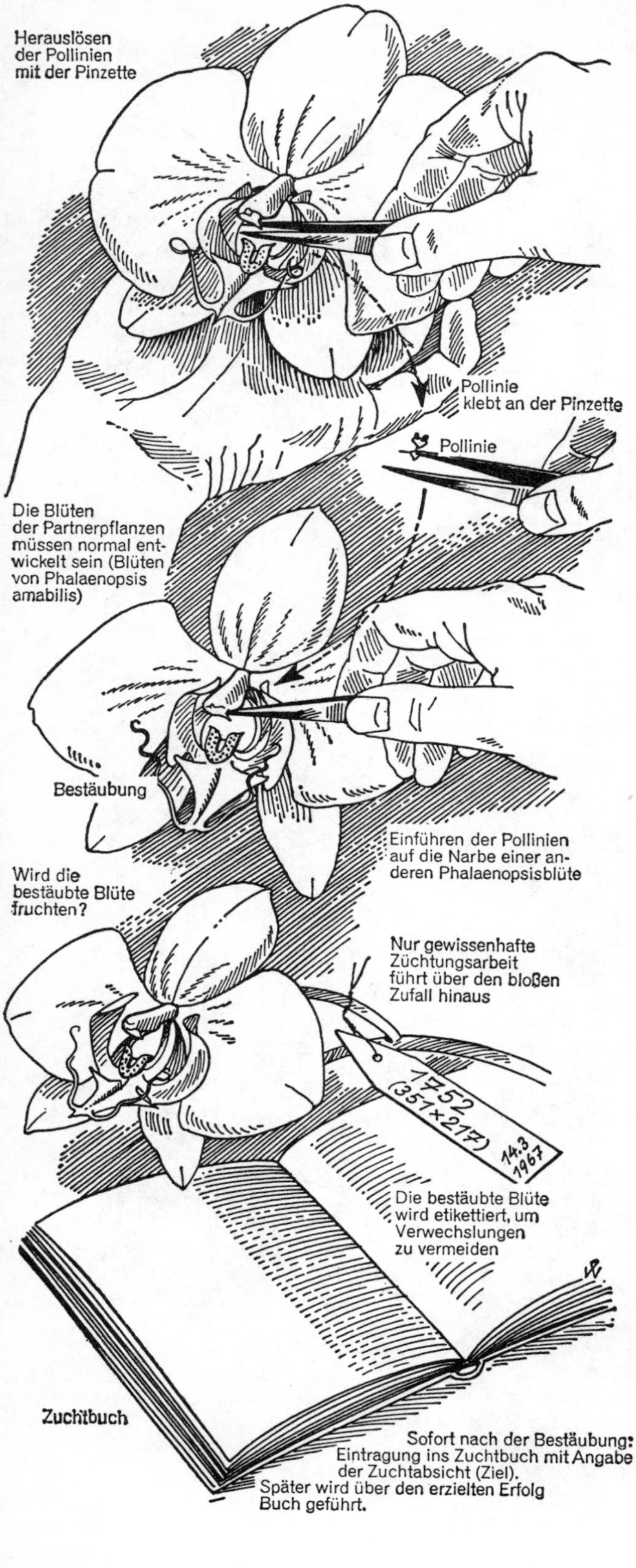

Pollenübertragung. Bestäubungstechnik

Herauslösen der Pollinien mit der Pinzette

Pollinie klebt an der Pinzette

Pollinie

Die Blüten der Partnerpflanzen müssen normal entwickelt sein (Blüten von Phalaenopsis amabilis)

Bestäubung

Einführen der Pollinien auf die Narbe einer anderen Phalaenopsisblüte

Wird die bestäubte Blüte fruchten?

Nur gewissenhafte Züchtungsarbeit führt über den bloßen Zufall hinaus

1752 (351×217) 14.3 1967

Die bestäubte Blüte wird etikettiert, um Verwechslungen zu vermeiden

Zuchtbuch

Sofort nach der Bestäubung: Eintragung ins Zuchtbuch mit Angabe der Zuchtabsicht (Ziel). Später wird über den erzielten Erfolg Buch geführt.

Es ist nicht von der Hand zu weisen, daß der Liebhaberzüchter zu besonderen Erfolgen kommen kann. Bis zu einer nicht allzulange zurückliegenden Zeit war die Orchideenzüchtung wesentlich kommerziell ausgerichtet. Man beschränkte sich auf Kombinationen, die bestimmte Eigenschaften erbringen sollten, welche den Absatz sicherten. Erst in neuerer Zeit entwickelte sich eine Richtung, die mit Wagemut und Fantasie alles Erdenkbare versucht. Es scheint daher fast, als sei die Orchideenzüchtung erst am Anfang ihrer Entwicklung auf breitester Basis.

In den Anfängen der Züchtung vereinte man zwei Arten einer Gattung als einfachste Form einer Kreuzung. Die Ergebnisse dienten auf Grund besonderer Eigenschaften als Ausgangsmaterial für weitere Kombinationen. Bald führte man auch Kreuzungen zwischen Arten verschiedener Gattungen durch; beispielsweise ergab Cattleya × Laelia = Laeliocattleya oder Cattleya × Brassavola = Brassocattleya. Diese Zusammenziehung der Gattungsnamen bleibt auch z. T. bei Dreigattungshybriden; als Beispiel Brassolaeliocattleya. Die Ergebnisse der Kombination von vier Gattungen erhalten eine neue Bezeichnung, und zwar wählt man dann jeweils den Namen einer Persönlichkeit, welche besondere Bedeutung in der Orchideenkunde erworben hat. Als Beispiel: Sphronitis × Brassavola × Cattleya × Laelia erhielt als neue Bezeichnung den Namen Potinara. Die Ausdehnung der Orchideenzüchtung auf klimatisch sehr günstig gelegene Gebiete – wie etwa die Hawaiischen Inseln – brachte einen weiteren Aufschwung. Dort und in anderen Teilen der Tropen – besonders in Südostasien und Südamerika – entstanden in neuester Zeit und entstehen weiterhin die kühnsten Kombinationen, von denen man früher positive Ergebnisse nie erwartet hätte. Die Umweltbedingungen tragen wesentlich zum Gelingen bei oder sind überhaupt ausschlaggebend für Erfolge, welche in Europa nicht zu erzielen sind.

Manche Orchideenfreunde haben eine prinzipielle Abneigung gegen Hybriden, und zwar mit gewisser Berechtigung. Sie lieben die Arten in ihrer von Menschenwillen unberührten Reinheit. Zweifellos liegt darin ein besonderer Reiz. In Anbetracht der Tatsache, daß manche Orchideenarten um Aussterben begriffen sind, ist es Aufgabe der Züchter, im internationalen Maßstab dafür zu sorgen, selektierte Formen dieser Arten zu vermehren und sie damit der Nachwelt zu erhalten.

Gegenüber der relativ strengen Auffassung mancher Orchideenfreunde ist die Hybridisation zu verteidigen. Viele Züchtungen weisen Eigenschaften auf, welche die reinen Arten nicht besitzen. Zu nennen sind augenfällig besonders in Erscheinung tretende Veränderungen der Form, Größe, Farbe, Blütezeit, Haltbarkeit und andere Faktoren. Weitere – aber nicht unmittelbar ersichtliche – positive Eigenschaften können Verbesserungen der Wuchseigenschaften, Blühwilligkeit und Anpassungsfähigkeit an veränderte Umweltbedingungen sein. Der Reiz des Neuen, Unbekannten ist der Anlaß zu solcher Züchtungsarbeit oder der Pflege ihrer Ergebnisse. Manchen Orchideengattungen fehlt ein bestimmter Farbton, der jedoch erstrebenswert ist. Durch Einbeziehung anderer Gattungen in die Züchtungsarbeit ist es möglich gewesen und wird es weiterhin sein, einen solchen Mangel auszugleichen. Als Beispiel sei hier nur erwähnt, daß durch die Verbindung von Cochlioda mit Odontoglossum crispum rote und orange

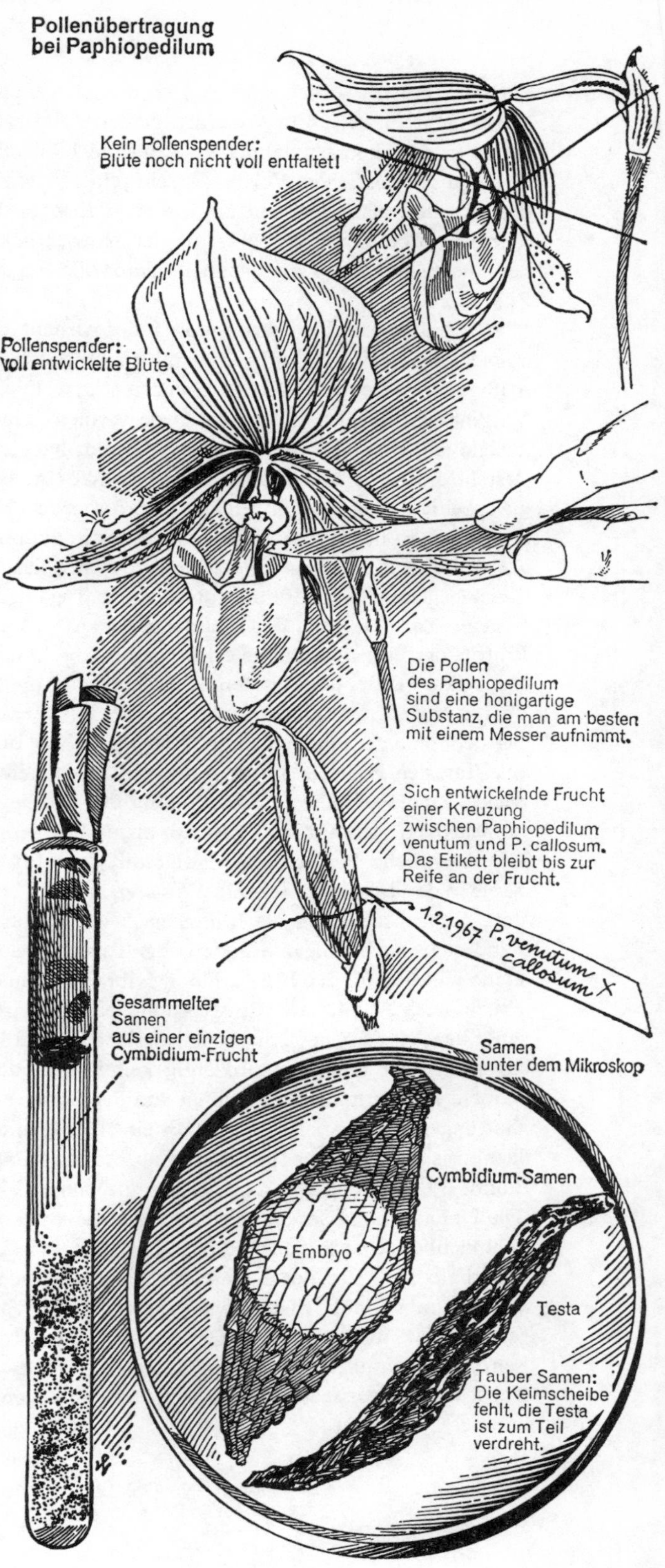

Farbtöne erzielt worden sind, welche die letztgenannte, unvergleichlich schöne Art in der Natur nicht aufweist. Zur Verteidigung der Hybridisation sei noch angeführt, daß erst durch sie zu jeder beliebigen Jahreszeit genügend blühende Orchideen zur Verfügung sind. Dies ist bei ausschließlichem Vorhandensein reiner Arten nicht oder nur bedingt der Fall. In Anbetracht der allseitigen und umfassenden Erfolge der internationalen Züchtungsarbeit erscheint es überhaupt abwegig, von der Notwendigkeit ihrer Verteidigung zu sprechen. Sie hat eine bedeutende Vergangenheit, glanzvolle Gegenwart und eine mehr als aussichtsreiche Zukunft.

Die Technik der Pollenübertragung in der Absicht, eine Kreuzung durchzuführen, ist relativ einfach. Sie zu einem Erfolg zu gestalten, ist jedoch weitaus schwieriger. Es bestehen Gesetzmäßigkeiten, die dieser Arbeit Grenzen setzen. Die Vielgestaltigkeit der Familie mit einem Vorkommen in allen Zonen der Erde verbietet eine allseitige Bastardisierung. Ausschlaggebend ist jedoch die Genetik; ihren Grundzügen ist ein besonderer Abschnitt gewidmet.

Besteht die Absicht, zur Erhaltung einer Art eine Bestäubung durchzuführen, so sind zwei gleichzeitig blühende Pflanzen nahezu erforderlich. Die Belegung einer Narbe mit Pollen derselben Blüte oder Pflanze – also eine Selbstbestäubung – kann u. U. zu Mißerfolgen führen. Zu einer Kreuzung sind beide Partner in möglichst gleichem Blühstadium zu wählen. Die Geschlechtsreife einer Blüte beginnt einige Tage nach dem Erblühen und endet in einer befristeten Zeit – je nach der Blühdauer der Art. Die Bestäubung sollte möglichst bald nach Eintritt der Geschlechtsreife erfolgen. Im Abschnitt „Was sind Orchideen?“ ist der Blütenbau erläutert. Bei den meisten Orchideen trägt die Säule an ihrer Spitze die Pollinien offen oder in einer Kappe eingebettet. Mit einer Pinzette lassen sie sich leicht auslösen und auf die Narbenhöhle der anderen Blüte übertragen. Eine dort vorhandene weiche Substanz hält die übertragenen Pollinien sofort fest. Bei Paphiopedilum ist die Narbe durch den Schuh verdeckt. Zu ungehinderter Übertragung der bei dieser Gattung gebildeten Pollenmasse von honigartiger Substanz ist der Schuh abzuschneiden.

Die eigentliche Befruchtung erfolgt mit dem Einwachsen der Pollenschläuche durch die Säule in den Fruchtknoten, ein Vorgang, welcher bei Orchideen Wochen und Monate erfordert. Zunächst welken die Blüten nach der Bestäubung mehr oder weniger rasch, jedoch mindestens nach einigen Stunden oder Tagen. Das Anschwellen des Fruchtknotens ist noch keine Gewähr für den Erfolg. Häufig gibt es Enttäuschungen, wenn eine normal vorgebildete Frucht nach 2–3 Monaten Entwicklungszeit gelb wird und abfällt. Selbst das völlige Ausreifen einer Frucht ergibt noch nicht die Aussicht auf Erfolg. Der gebildete Samen erweist sich u. U. als nicht oder nur geringprozentig keimfähig, oder die Frucht enthält überhaupt keinen Samen. Die normale Entwicklung von der Bestäubung bis zur Samenreife ist innerhalb der Gattungen differenziert. Sie umfaßt einen Zeitraum von 3–15 Monaten; Dendrobium phalaenopsis und Phalaenopsis 3–4, Cattleya und Paphiopedilum 10–12, Cymbidium 12–14, Vanda 15–18 Monate, um nur einige zu nennen

Die Untersuchung des Samens unter dem Mikroskop bei mäßiger Vergrößerung ergibt Aufschluß über seine Beschaffenheit. Normal entwickelte Samen zeigen deutlich den Embryo innerhalb der Testa, der Samenhülle. Tauber Samen weist keine Verdickung auf, sondern ist gleichförmig dunkel, meist etwas gekrümmt oder verdreht. Das Vorhandensein des Embryos ist jedoch keine unbedingte Gewähr für einen Keimerfolg; überalterter Samen verändert sein Aussehen nicht. Die Keimfähigkeit ist mit etwa 5–6 Monaten eng begrenzt; eine möglichst baldige Aussaat nach der Reife ist empfehlenswert.

MONATLICHER ARBEITSKALENDER

Der Jahresverlauf mit den gegensätzlichen Klimaeinflüssen unserer Breiten erfordert Pflegemaßnahmen zu einem bestimmten Zeitpunkt, wenn sie sich für die Pflanzen günstigst auswirken sollen. Allerdings sei von vornherein vor einer schematischen Befolgung nachstehender Vorschläge gewarnt. Eine Abstimmung auf die örtliche Lage, den Standort der Pflanzen und die oft recht erheblichen Klimaschwankungen ist unbedingt erforderlich. Wesentlich bestimmend ist der Zustand der Pflanzen. Ein absolut sicheres Schema in der Behandlung, nach dem besonders der Anfänger begreiflicherweise sucht, gibt es nicht. Es könnten Beweise genug genannt werden, daß u. U. Pflegemaßnahmen, welche im Gegensatz zu den allgemeinen Erfahrungswerten durchgeführt werden, auch zu Erfolgen führen. Allerdings ist dann nicht ein kurzer Zeitraum als Kriterium anwendbar, sondern eine Folge von Jahren, die dann erst bei so langlebigen Pflanzen – wie es Orchideen sein können – entscheidend sind.
Überschaut man den Rhythmus, welchen der Klimaverlauf dem pflanzlichen Leben einprägt, so kann man unabhängig vom Kalenderjahr eine Periodizität festlegen. Es mag persönliche Auffassung sein, ob man die Ruhezeit zuerst oder zuletzt in diesen ewigen Kreislauf einbezieht. Immerhin ist sie ein entscheidender Faktor für fast alle Orchideen, gleich in welcher Form sie sich äußert. Dem allgemeinen Empfinden nach gebührt doch wohl dem einsetzenden Wachstum – etwa von Februar bis April – die Priorität. Es folgt die Periode höchster Entwicklung von Mai bis Juli. Die Monate August und September sind die Zeit des Reifens, des Triebabschlusses, der mit Oktober sein Ende erreicht. Dann folgt die Ruhezeit von November bis Januar. Aber dies ist eine grobe Einstufung – unendlich fein, in kleinsten Nuancen differenziert ist der individuelle Rhythmus. Er kann bei Pflanzen gleicher Art schon wesentliche Verschiebungen aufweisen. Deshalb sei nochmals gesagt, daß die Hinweise des Arbeitskalenders nur Anhaltspunkte geben können. Man kann immer nur wieder raten, ständig zu beobachten, aus Fehlern zu lernen und damit zu mehr oder weniger umfangreichem Wissen zu kommen, aus dem die Sicherheit entsteht, das Richtige zu tun.

Januar:

Die gesamten Pflegemaßnahmen beschränken sich wesentlich auf die Abstimmung der Wachstumsfaktoren zur Großwetterlage. Die Temperaturen sollen etwa folgende Werte aufweisen (gelegentliche Schwankungen kürzerer Dauer um 2–3° sind tragbar):

K: tags +13°, nachts +10°C,
T: tags +16–18°, nachts +15–16°C,
W: tags +21°, nachts +19–21°C.

Sofern die Pflege im Gewächshaus erfolgt, kann die Temperatur wesentlich beeinflußt werden durch Niederschläge und Wind. Stärkerer Temperaturrückgang bei nächtlichem Aufklaren muß berücksichtigt werden. Bei langanhaltendem trübem, kaltem Wetter ist besondere Vorsicht mit der Feuchtigkeit geboten. In allen Temperaturbereichen darf nachts kein Feuchtigkeitsüberschuß vorhanden sein. Eventuell notwendige Bewässerung muß in den Vormittagsstunden erfolgen. Vernebelung von Wasser am Nachmittag zur Erhöhung der Luftfeuchtigkeit in der warmen Abteilung ist noch möglich, wenn die Heizwärme das Abtrocknen der Pflanzen bis zum Abendstand gewährleistet. Je niedriger die Temperatur, desto weniger Feuchtigkeit, dies ist die Devise für die kühl zu haltenden Orchideen.

Cattleya/Laelia: Temperaturen mäßig, um vorzeitigen Triebbeginn zu verhüten = tags +16–18°C, nachts +12–15°C. Ballentrockenheit unbedingt vermeiden. Pflanzen, welche Knospen zeigen, etwas feuchter halten, um gute Entwicklung derselben zu sichern.

Cymbidium: Mäßig feucht, keinesfalls zu naß; Pflanzen mit Knospen normal feucht halten, nie warm stellen, weil sonst Verlust der Knospen durch Gelbwerden zu befürchten ist. Luftfeuchtigkeit ist auch für ruhende Pflanzen unerläßlich.

Paphiopedilum: Nur geringe Einschränkung der Feuchtigkeit. Temperaturen innerhalb der drei Bereiche wie allgemein angegeben, für Pflanzen im Knospenstadium zu einwandfreier Blütenbildung etwas erhöht.

Phalaenopsis: Gleichbleibend hohe Temperatur, keine Ruhezeit, kein starkes Austrocknen, sonst besteht Gefahr für die Pflanze; Knospenbildung sollte unter stärkstem Licht erfolgen, weil sonst Gelbwerden unvermeidlich ist.

Dendrobium: Völlige Ruhe innerhalb der Temperaturbereiche, Wärme je nach Herkunft differenziert, Feuchtigkeit mäßig bis gering, Luftfeuchtigkeit ausreichend, Schutz vor Roter Spinne und Thrips.

Hartbulbige Oncidium, Odontoglossum und ähnliche Orchideen brauchen wenig Wärme und Wasser.

Laubabwerfende Orchideen, wie Calanthe, Catasetum u.a. sind völlig trocken zu halten.

Paphiopedilum der wärmeren Sektion können – sofern ohne Blüten oder Knospen – verpflanzt werden; Feuchtigkeit danach gering, häufiges Spritzen oder Nebeln ist erforderlich.

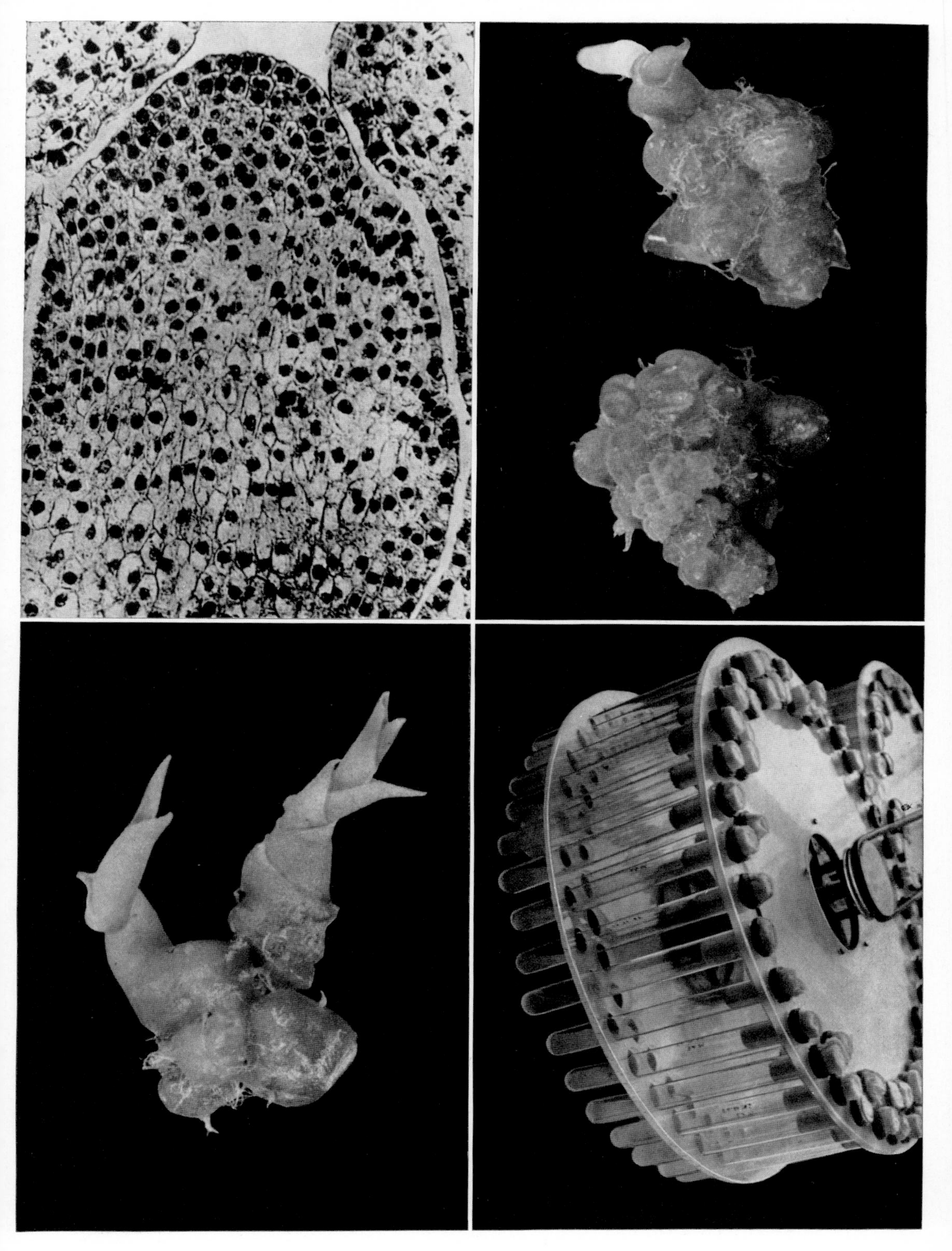

1 Querschnitt durch das Spitzenmeristem; **2** Protocorm-Klumpen von Cymbidium;
3 Protocorme von Cymbidium mit beginnender Blattbildung; **4** Rotor

1 Odontoglossum grande; **2** Oncidium sarcodes

Unter günstigen Voraussetzungen sind gegen Mitte bis Ende des Monats die ersten Ansätze zu neuem Wurzelwachstum erkennbar. Es ist ein sichtbares Zeichen, daß die schwierigste Zeit überwunden ist – erfreulich für den mit seinen Pflanzen engstens verbundenen Pfleger.

Februar:

Fall sich der Monat Februar stärker betont winterlich anläßt, werden die allgemeinen Pflegemaßnahmen gegenüber Januar kaum verändert. Jedoch kann eine winterliche Hochdruckwetterlage mit Kälte stärkere Unterschiede in den Temperaturen erbringen. Die Sonneneinstrahlung bewirkt bereits ein Ansteigen der Wärme unter Glas, während u. U. sehr kalte Nächte starke Auskühlung mit sich bringen. Der Regulierung der Heizung, gleichgültig unter welchen Bedingungen Orchideen gepflegt werden, ist größte Aufmerksamkeit nach der einen wie anderen Seite zu widmen. Läßt sich dennoch stärkerer nächtlicher Temperaturrückgang nicht vermeiden, so sind die Feuchtigkeitsgaben darauf abzustimmen, also gering zu halten. Immer noch ist für die direkt im Zimmer gepflegten Pflanzen die kritischste Zeit durch die hohe Lufttrockenheit unseres Wohnklimas. Eine Abschirmung durch Abdeckung mit Folie ist zu erwägen. Zusätzliche Belichtung ist weiterhin angebracht. Sie soll von beginnender Dämmerung bis etwa 22 Uhr gewährt werden; wirksam wird sie jedoch nur dann, wenn die anderen Wachstumsfaktoren in angemessenem Verhältnis stehen. Eine längere Belichtungsdauer ist selbstverständlich erforderlich, wenn das Tageslicht nicht ausreicht, um das Existenzminimum zu sichern. Die Knospenbildung bzw. -weiterentwicklung wird durch Zusatzlicht wesentlich begünstigt, u. U. überhaupt erst gesichert.
Gegen Mitte bis Ende des Monats steigert sich die Sonnenintensität merklich. An exponierten Stellen ist gegebenenfalls schon leichte Schattierung in den Mittagsstunden erforderlich, besonders für Paphiopedilum und Phalaenopsis.

Cattleya/Laelia: Mit Ausnahme knospiger und blühender Pflanzen ruhen die Arten und Hybriden noch. Durch erhöhte Luftfeuchtigkeit an sonnigen Tagen leitet man gegen Ende des Monats angedeutet die Wachstumsperiode ein.

Cymbidium: Blühende bzw. knospige Pflanzen brauchen normale Feuchtigkeit, die Temperatur ist durch Frischluftzufuhr relativ niedrig zu halten. Vorsicht vor evtl. einfliegenden Hummeln; bei Blütenbesuch lösen sie die Pollinien aus, was dem Verlust der Blüten gleichkommt. Nichtblühende Pflanzen sind weiterhin kühl und mäßig feucht zu halten.

Paphiopedilum: Erforderliches Verpflanzen muß nun durchgeführt werden, soweit nicht Knospenansatz vorhanden ist. Man vermeidet zu hohe Ballenfeuchtigkeit ebenso wie starkes Austrocknen. Die Pflanzen müssen so rechtzeitig gespritzt werden, daß sie bis zum Abend abgetrocknet sind.

Phalaenopsis: Gleichmäßige Feuchte und genügend Licht sind Voraussetzung für die vollständige Entwicklung der vorgebildeten Knospen, die bei längeren Perioden sehr trüben Wetters vergilben und abfallen können.

Dendrobium: Arten der kühlen Sektion stehen weiterhin kühl und relativ trocken, bei D. nobile und ihren Formen und Varietäten kann die Knospenbildung beginnen. Die wärmebedürftigeren Arten und Hybriden verbleiben ebenfalls ruhend bei etwa +15–18 °C und geringer Feuchte.

Odontoglossum, Oncidium und verwandte Gattungen ruhen nach wie vor; Odontoglossum grande darf man keinesfalls spritzen, nur gelegentlich den Pflanzstoff etwas befeuchten.

Vanda: Für Vanda coerulea, V. tricolor und ähnliche viel Licht, mäßig Wärme, wenig Wasser in der gesamten Ruhezeit. Arten und Hybriden der warmen Sektion, wie V. sanderiana, sind gleichmäßig feucht zu halten und brauchen in den Wintermonaten regelmäßig 2 Stunden Zusatzlicht oder mehr, damit Blüherfolge sicher sind.

März:

Die im vorigen Monat andeutungsweise sichtbar gewordenen Zeichen der einsetzenden Vegetationsperiode werden nun allenthalben stärker spürbar. Es ist schwer zu entscheiden, ob die Wurzelbildung und die Triebentwicklung primär sind und durch entsprechende Pflegemaßnahmen gefördert werden oder ob umgekehrt diese Maßnahmen primär sind und die Entwicklung einleiten. Eine Steuerung ist in gewissen Grenzen möglich. Man kann die Bildung des Neutriebes verfrühen oder verzögern. Erhöhung der Feuchte der Luft und des Pflanzstoffes, stärkere Einwirkung von Licht und Temperatur geben die Anregung. Verlängerung der Ruhezeit durch wenig Feuchtigkeit und relativ niedrige Temperatur verzögern die Triebentwicklung. Man sollte Extreme vermeiden, weil der natürliche Rhythmus, welcher jeder Pflanze arteigen eingeprägt ist, erhalten bleiben muß, um Schäden zu vermeiden.
Sehr starke Temperaturgegensätze sind nicht mehr zu befürchten. Die natürliche Erwärmung durch Einwirkung des Sonnenlichtes nimmt zu und mindert die nachteiligen Auswirkungen jeglicher Art von künstlicher Beheizung. Trotzdem ist dieser noch große Aufmerksamkeit zu schenken, um nächtlicher Auskühlung zu begegnen. Die Steigerung der Lichtintensität erfordert, sofern die Pflanzen im Glashaus gepflegt werden, u. U. schon eine Schattierung an sonnigen Tagen. Für Pflanzenfenster in Südlage gilt dasselbe. Zu bedenken ist, daß die Pflanzen nach der langen Zeit stark reduzierten Lichtes besonders empfindlich sind und durch plötzlichen Überfluß Schaden leiden können.
Die Feuchtigkeit muß allmählich gesteigert werden. Gegenüber dem Gießen sollte man das Spritzen oder Vernebeln bevorzugen. Es ist eine Möglichkeit, die Wurzelbildung zu fördern. Die Pflanze hat das Bestreben, ihren Wasserhaushalt zu sichern. Daher wird sie bei Mangel an Feuchtigkeit mehr Wurzeln entwickeln, was insgesamt der ganzen Pflanze förderlich ist. Wasser sollte nicht nach 12 Uhr gegeben werden, besonders dann nicht, wenn eine stärkere nächtliche Abkühlung zu erwarten ist. Pflanzen aus allen drei Temperaturbereichen können jetzt – soweit erforderlich – umgetopft werden.

Cattleya/Laelia: Die bei diesen Orchideen meist verhältnismäßig großflächigen

Blätter sind jetzt besonders empfindlich gegen zu starke Sonneneinwirkung bei unbewegter Luft. Fühlen sie sich sehr warm an, so muß unbedingt Schatten gegeben oder gelüftet werden. Die Blatterwärmung ist nicht immer der Lufttemperatur gleich. Leider wissen wir noch wenig über dieses Verhältnis, welches aber sehr bedeutungsvoll für das Wohlbefinden der Pflanze sein kann. Günstige Wachstumsbedingungen fördern die Entwicklung der Neutriebe, von deren endgültiger Beschaffenheit der künftige Blüherfolg abhängt.

K: tags +13–16°, nachts +10–12°C,
T: tags +18–21°, nachts +16–18°C,
W: tags +21–23°, nachts etwa +21°C.

Cymbidium: Abgeblühte oder nichtblühende Pflanzen erhalten neben möglichst viel Licht höhere Luftfeuchtigkeit, aber auch schon genügend Frischluft. Umpflanzen sollte man nur, wenn unbedingt erforderlich. Eine Schonung der fleischigen Wurzeln ist sehr wichtig. Cymbidium reagieren häufig auf das Umpflanzen durch Nichtblühen in der nachfolgenden Blühperiode.

Paphiopedilum: In allen drei Temperaturbereichen sorgt man durch hohe Luftfeuchtigkeit und rechtzeitige Schattierung für günstigste Voraussetzungen zu neuer Wurzelbildung.

Phalaenopsis: Hohe Wärme, Luftfeuchtigkeit und bereits gemilderte Lichteinwirkung fördern Wurzel- und Blattentwicklung. Phalaenopsis sollten alljährlich verpflanzt werden. Die Zeitspanne hierzu ist nicht eng begrenzt, sondern kann bis August ausgedehnt werden, sofern die Umweltbedingungen günstig sind.

Dendrobium: Die Arten aus den monsunbeeinflußten Gebieten des asiatischen Festlandes blühen jetzt. Dendrobium phalaenopsis und sein Formenkreis einschließlich der Hybriden ist in diesem oder im nächsten Monat zu verpflanzen. Die Temperaturen und die Luftfeuchte müssen dann möglichst hoch liegen. Die sich neu bildenden Triebe sind sehr empfindlich gegen Spritzwasser und faulen, wenn es über Nacht bleibt, leicht aus.

Odontoglossum und Oncidium werden ebenfalls verpflanzt. Übermäßige Wärme und Feuchtigkeit ist zu vermeiden, man gibt aber möglichst viel Licht.

Calanthe: Die Knollen der laubabwerfenden Arten und Hybriden, die bisher völlig trocken geruht haben, zeigen neue Wurzelbildung und werden umgepflanzt. Sie benötigen nun viel Wärme, Licht und allmählich-gesteigerte Feuchtigkeit.

Coelogyne: Alle Arten werden – soweit erforderlich – umgepflanzt. Coelogyne cristata wird hierbei neu formiert, damit alle Triebe die Möglichkeit erhalten, in den humosen Pflanzstoff einzuwurzeln.

April:

Fast uneingeschränkt vollzieht sich nun der große Wandel. Wie in der frühlingshaften Natur setzen allenthalben auch bei den Orchideen, gleich unter welchen Be-

dingungen gepflegt, fast ausnahmslos der Neutrieb und verstärkte Wurzelbildung ein.
Die Lichteinwirkung verstärkt sich mehr und mehr; infolgedessen ist rechtzeitiger Beschattung besondere Aufmerksamkeit zu widmen. Die Luftfeuchtigkeit wird gesteigert, während die Ballenfeuchtigkeit noch mäßig zu halten ist. Infolge erhöhter Sonnentätigkeit werden die Temperaturen am Tage über die Durchschnittswerte steigen. Doch kann die Witterung sehr stark wechselnd sein, so daß die Heizung immer noch jederzeit einsatzbereit oder in Betrieb sein muß.

K: tags +16–18°, nachts um +13°C,
T: tags +18–21°, nachts +16–18°C,
W: tags +21–23°, nachts um +21°C.

Cattleya: Das Verpflanzen wird fortgesetzt. Nach Möglichkeit sollte mit Monatsende ein gewisser Abschluß bei dieser Arbeit erreicht werden, damit der Neutrieb sich voll ausbilden kann. Eine Ausnahme machen die Arten und ihre Hybriden, welche jetzt oder im Laufe der nächsten Zeit blühen, z. B. Cattleya gaskelliana, C. warscewiczii, C. schroederae u.a. Sie verbleiben weiterhin in Ruhe – sofern Knospen noch nicht sichtbar sind. Es ist oftmals schwierig, einen vorzeitigen Neutrieb zu verhindern, der den Blüherfolg in Frage stellt. Bei zu starker Belichtung nehmen die Pflanzen eine gelbliche Farbe an. Man muß dies durch genügend Schatten verhindern, den Lichtgenuß aber trotzdem möglichst ausgiebig zu gestalten versuchen.

Cymbidium: Pflanzen, die nicht umgetopft zu werden brauchen, leitet man zu kühlerer Kultur über. Sie erhalten in zunehmendem Maße Frischluftzufuhr in geminderten Temperaturen. Frisch verpflanzte Exemplare werden vorsichtig befeuchtet; nur die Luftfeuchte kann hoch sein.

Dendrobium: Wesentlich gilt das im März Empfohlene. In diesem Monat ist weiterhin umzupflanzen. Nochmals ist auf die Empfindlichkeit junger Triebe gegenüber nachts in ihnen verbliebenem Wasser hinzuweisen. Das Spritzen ist nur in den Vormittagsstunden zulässig.

Blockkultur: Die kleinwüchsigen Arten haben ebenfalls ihre Ruhezeit beendet. Wenn nötig, werden sie umgepflanzt oder mit frischem Pflanzstoff versehen. Die Pflege erfordert besondere Sorgfalt; häufiges Spritzen fördert wesentlich eine günstige Entwicklung.

Mai:

Der Idealzustand der Sommermonate beginnt. Fehler sind jetzt viel weniger möglich als in der Ruhe- und Übergangszeit. Heizung ist nur noch für temperiert und warm zu haltende Arten erforderlich. Bei günstiger Außentemperatur kann schon mehr oder weniger gelüftet werden. Die Frischluftzufuhr richtet sich nach dem Temperaturbereich und dem Zustand der Pflanzen, besonders der umgetopften. Nach Mitte des Monats kann man robuste Arten, wie Coelogyne, Bifrenaria, Odontoglossum grande, Stanhopea, Vanda tricolor u.a. an geschützte Stellen im Garten oder auf

Balkons überleiten. Auch die Besetzung nichtheizbarer Kleingewächshäuser ist nun möglich. Sie richtet sich nach den örtlichen Bedingungen und der Großwetterlage. Eventuell ist der Platzwechsel schon Ende April/Anfang Mai ratsam, wenn Temperaturstürzen durch Schutzmaßnahmen begegnet werden kann. Die Gewöhnung an die veränderten Lichtverhältnisse muß allmählich erfolgen. Zunächst gibt man reichlicher Schatten, um Verbrennungen der Blätter unter allen Umständen zu verhindern.

Cattleya/Laelia: Bei sonnigem Wetter wird 2–3mal täglich gespritzt. Erwachsene Pflanzen erhalten viel Frischluft. Durch Befeuchten von Wegen und anderen Flächen der Umgebung wird eine günstige Wachstumsatmosphäre erzeugt. Laelia, mindestens die starkwüchsigen, werden etwas härter als Cattleya gehalten, bekommen also mehr Licht und Luft, doch weniger Wärme.

Cymbidium: Sie lieben kühlen Untergrund, viel Frischluft, gleichmäßige Ballenfeuchtigkeit und leichten Schatten. Geschützte Stellen unter Baumschatten sind ein idealer Aufenthalt für die wärmere Jahreszeit. Bei länger anhaltenden Regenperioden ist allerdings Glasschutz empfehlenswert.

Paphiopedilum: Kaum eine andere Orchideengattung stellt so differenzierte Temperaturansprüche. Die drei Temperaturbereiche warm, temperiert und kühl müssen beachtet werden; eine Verallgemeinerung bringt Schäden nach der einen oder anderen Seite. P. insigne kann in der warmen Jahreszeit mit Erfolg im Frühbeetkasten – eventuell in Gemeinschaft mit Coelogyne cristata und Cymbidium gehalten werden. Alle Arten der Gattung brauchen jedoch reichlich Schatten, eine Notwendigkeit, die bis Oktober berücksichtigt werden muß.

Phalaenopsis: Reichlich Schatten sowie hohe Temperatur und Luftfeuchtigkeit sind Voraussetzung für eine günstige Entwicklung, welche durch regelmäßige Düngung gefördert wird.

Dendrobium: Warme Sektion = D. phalaenopsis, D. superbiens, D. biggibum u.a. sind sehr warm, hell und gleichmäßig feucht zu halten. Die Arten vom asiatischen Festland müssen warm und feucht stehen, brauchen aber viel Luft. Beide Sektionen sind durch Düngung stärkstens zu fördern; Gaben wöchentlich oder vierzehntägig, wie unter Düngung angegeben.

K: tags +16°, nachts +13–16 °C,
T: tags +21–27°, nachts +18–21 °C,
W: tags bis +32°, nachts +21–24 °C.

Schönwetterperioden bringen eine Steigerung der genannten Werte mit sich.

Juni–Juli:

Diese beiden Monate sind als Höhepunkte der Entwicklung zu betrachten. Das Umpflanzen ist beendet, lediglich die sommerblühenden Cattleya werden sofort nach Beendigung des Flors verpflanzt. Den Pflegearbeiten ist nun fortlaufend größte Aufmerksamkeit zu widmen. Nur besonders wärmebedürftige Arten und Jung-

pflanzen brauchen noch zusätzliche Heizung. Folgen nach längeren Schönwetterperioden extrem feuchte, kühle Tage, so ist vorsichtig zu gießen und zu spritzen; Dauerschatten entfernt man vorübergehend. Pflanzen in bester Entwicklung können nun gedüngt werden; Voraussetzung ist gute Bewurzelung. Man vergleiche das in dem Abschnitt „Die Ernährung“ eingehend Erläuterte.
Einige Schwierigkeiten kann an besonders heißen Tagen die Temperaturregelung für die kühl zu haltenden Orchideen bereiten. Häufiges Spritzen als eine Möglichkeit, die Wärme zu senken, führt u. U. zu übermäßiger Kompostfeuchtigkeit. Nur in Gemeinschaft mit reichlichem Schatten und starker Lüftung schafft man erträgliche Bedingungen für Cymbidium, Odontoglossum crispum und Hybriden, Odontoglossum grande, Masdevallia u. a.

Cattleya: Sehr früh in Entwicklung gekommene Pflanzen können Mitte bis Ende Juli bereits so weit vorgeschritten sein, daß der Jahrestrieb ausreift. Sofern die Blüte nicht in absehbarer Zeit zu erwarten ist, erscheint es fast unmöglich, die erforderliche Ruhezeit schon zu beginnen. Man muß einen nochmaligen Durchtrieb als unvermeidlich hinnehmen, ohne die Gewähr zu haben, daß er so groß wie normal wird und mit der Bildung einer Blütenscheide abschließt.

Paphiopedilum: Besonders wichtig ist ausreichender Schatten, der in diesen Monaten ständig bleiben kann. Durch stetes Feuchthalten der Umgebung, vor allem unter den Pflanzen, sorgt man für aufsteigende Feuchtigkeit, welche Paphiopedilum in Angleichung an heimatliche Verhältnisse besonders lieben.

Cymbidium: Sie sollten jetzt so viel Luft haben, daß die Blätter dauernd leicht bewegt werden.

Calanthe: Hohe Temperatur und viel Feuchtigkeit im Verein mit flüssiger Düngung fördern die Entwicklung der Bulben weitgehend.

August:

Der August, in bezug auf Wärme noch voll als Sommermonat zu werten, verändert doch schon in seiner zweiten Hälfte den Rhythmus pflanzlichen Lebens. Der Höchststand der Vegetationsperiode ist überschritten, unverkennbar reagieren schon viele Pflanzen auf die Abnahme des Lichtes und auf die kühler werdenden Nächte. In allen Temperaturbereichen erfolgt nun allmählich die Reife des Jahrestriebes. Es muß das Bemühen des Pflegers sein, dieses Stadium durch geeignete Maßnahmen voll wirksam werden zu lassen. Die Temperaturen sind z. T. durch Einwirkung der Großwetterlage ziemlich hoch. Also wird mindestens in der ersten Monatshälfte noch reichlich gegossen und gespritzt. Mit zunehmender Ausbildung der Jahrestriebe mindert man die Feuchtigkeit. Der Schatten wird verringert, man gibt vor- und nachmittags mehr Licht. Gelüftet wird in allen Temperaturbereichen noch ausgiebig. Die warme Abteilung und Jungpflanzenbestände erfordern schon wieder zusätzliche Heizung; der nächtliche Niederschlag von Feuchtigkeit könnte gefährlich werden.

Cattleya: Der Schatten darf nicht so rigoros vermindert werden, daß die Pflanzen eine gelbe Farbe erhalten; ein Schaden, der meist schwer wieder zu beheben ist.

Blühende Pflanzen schützt man vor nächtlicher Taubildung, da die Blüten sonst fleckig werden.

Miltonia: Die Arten dieser Gattung können ab Mitte August verpflanzt werden, sofern dies im Frühjahr nicht geschah.

Odontoglossum: Ende August/Anfang September ist neben den Frühjahrsmonaten die beste Verpflanzzeit für O. crispum einschließlich ihrer Hybriden und Gattungshybriden. Bis Oktober kann verpflanzt werden.

Vanda: Nach Möglichkeit gibt man erwachsenen, blühfähigen Pflanzen in zunehmendem Maße Licht bis zur völligen Gewöhnung an volle Sonne. Damit erreicht man eine Angleichung an heimatliche Umweltbedingungen und fördert die Knospenbildung.

September:

Das Großklima beeinflußt nun noch stärker als bisher den Rhythmus der Pflanzen und damit der Pflegemaßnahmen. Die Tage werden merklich kürzer; damit wird auch bei manchen Arten die Knospenbildung eingeleitet. Soll diese hinausgezögert werden, ist zusätzliche Belichtung als Tageslichtverlängerung empfehlenswert. Die einsetzende nächtliche Kühle bekommt den Arten bzw. Hybriden dieses Temperaturbereiches ausgezeichnet. Temperiert zu haltende Pflanzen können ohne Heizung verbleiben bis die Nachttemperaturen unter 15°C absinken. Die warme Abteilung muß unbedingt beheizt werden. Nachfolgende Tabelle zeigt wieder die Durchschnittswerte an:

K: tags +15–18°, nachts +12–13°C,
T: tags +21–23°, nachts +15–18°C,
W: tags bis +26°, nachts +21°C oder mehr.

Größte Beachtung verdient die Verminderung des Schattens, also die Gewöhnung der Pflanzen an möglichst viel Licht. Zu beachten ist, daß extrem warme Tage auch um diese Jahreszeit noch denkbar sind und entsprechende Auswirkungen auf ungeschützte Pflanzen haben können. Man spritzt wieder vorsichtiger, mit Bedacht auf das erforderliche Abtrocknen bis zum Eintritt der Dunkelheit. Die Ballenfeuchtigkeit wird in Anpassung an die Großwetterlage gemindert, liegt aber noch in mittleren Werten; keinesfalls sollte jetzt schon extrem trocken gehalten werden. Eine Überleitung der während des Sommers im Freien gehaltenen Pflanzen in entsprechende Verhältnisse muß spätestens bis Mitte/Ende des Monats erfolgen. Ausgesprochene Schlechtwetterperioden bedingen dies evtl. schon früher.

Cattleya/Laelia: Die Pflanzen sind je nach Beschaffenheit des Jahrestriebes mehr oder weniger feucht zu halten. Ist er abgeschlossen und sind Knospen der Herbstblüher noch nicht sichtbar, beginnt die Überleitung zur Ruhezeit durch allmähliche Verminderung der Feuchtigkeit. In Trieb befindliche Pflanzen werden weiterhin gleichmäßig feucht gehalten.

Cymbidium: Zur Erzielung der Knospenbildung müssen die Temperaturen von nun ab niedrig gehalten werden und dürfen nachts 13°C nicht übersteigen. Cymbidium sind sehr empfindlich gegen Nässe, man bewahre sie unbedingt in der Folgezeit davor.

Paphiopedilum: P. insigne muß nun ebenfalls besonders nachts bei Temperaturen um 13 °C gehalten werden, damit sich sicher Blüten bilden. Die Arten und Hybriden des temperierten Bereiches hält man 2–3 Wochen etwas kühler und trockener, um den Knospenanschluß zu bewirken.

Dendrobium: Der Jahrestrieb wird in beiden Sektionen fast oder voll ausgebildet. Für D. nobile und verwandte Arten beginnt allmählich die ausgeprägte Ruhezeit. D. phalaenopsis bzw. die jetzt fast ausschließlich gepflegten Hybriden beginnen mit der Knospenentwicklung. Zum verlustlosen Erblühen ist eine zusätzliche Belichtung empfehlenswert. Die Blüten dürfen keinesfalls feucht werden, sonst ist Fleckenbildung unvermeidlich.

Blockkultur: Kleinwüchsige Arten ohne Bulbenbildung müssen weiterhin feucht gehalten werden. Eine ausgeprägte Ruhezeit ist u. U. verderblich, da sie keine Möglichkeit zur Wasserspeicherung haben.

Oktober:

Das Temperaturgefüge dieses Monats sollte etwa nachstehende Werte aufweisen:
K: tags +16°, nachts +12–13 °C,
T: tags +18–21°, nachts +16–18 °C,
W: tags +24°, nachts +21 °C.

Die nun relativ höhere Luftfeuchtigkeit des Durchschnittsklimas beeinflußt auch die entsprechenden Verhältnisse unter Glas oder in Innenräumen. Eine künstliche Luftbefeuchtung ist nicht in dem Maße wie in den vorhergegangenen Monaten erforderlich. Der Feuchtigkeitsbedarf steigt jedoch wieder an, wenn sinkende Außentemperaturen eine erhöhte Beheizung bedingen, durch welche die Luftfeuchte gemindert wird. Das Gießen wird verringert; im Prinzip ist immer eine allmähliche Minderung anzustreben. Nie sollten Maßnahmen dieser Art plötzlich vorgenommen werden. Schatten ist nirgens mehr erforderlich. Alle Glasflächen sollten gesäubert werden, damit das Licht möglichst ungehindert einwirken kann. An milden Tagen kann noch reichlich gelüftet werden, jedoch ist jegliche Zugluft zu vermeiden.

Cattleya: Pflanzen mit sichtbarer Knospenbildung werden feucht gehalten. Für Winter- und Frühjahrsblüher beginnt die Ruhezeit, sofern die Jahrestriebe völlig ausgebildet sind. Allmählicher Wasserentzug leitet die Ruhezeit ein; man verhindert jedoch unter allen Umständen ein Schrumpfen der Bulben. Ist im Laufe der Herbstwochen bei blühfähigen Pflanzen ein nochmaliger Durchtrieb erfolgt, so gibt es nur zwei Möglichkeiten: Entweder man beläßt den Trieb, der sich nicht zu normaler Größe entwickelt und u. U. die Knospenbildung unterdrückt, oder man bricht ihn im ersten Stadium aus.

Laelia: Die bisher wie Cattleya behandelten Pflanzen können in der Ruhezeit noch kühler und luftiger gehalten werden.

Cymbidium: Sie verbleiben weiterhin kühl und luftig bei mäßiger Feuchtigkeit. Stagnierende Nässe führt zum Verlust der Wurzeln.

1 Ophrys fuciflora; **2** Cypripedium speciosum; **3** Angulocaste Olympus; **4** Miltonia Celle var. Feuerwerk; **5** Vuylstekeara-Hybride; **6** Trigoniolium seemannii

1 Gomesa crispa; **2** Epidendrum ciliare; **3** Dendrochilum cobbianum; **4** Dendrobium pierardii

1 Pleione maculata; **2** Trichopilia tortilis; **3** Macodes petola

1 Cephalanthera rubra; **2** Aceras anthropophora; **3** Cypripedium acaule; **4** Orchis mascula; **5** Gymnadenia conopea; **6** Epipactis palustris; **7** Orchis simia; **8** Anacamptis pyramidalis; **9** Ophrys apifera

Paphiopedilum: Gleichmäßige Ballenfeuchtigkeit und genügend Luftfeuchtigkeit sind Voraussetzung für einwandfreie Entwicklung der Blüten. Nachlässigkeit in der Behandlung führt innerhalb der nächsten Monate zu Befall mit Roter Spinne, wodurch Blattschäden entstehen.

Odontoglossum: O. grande darf nun nicht mehr gespritzt werden; gelegentliches Befeuchten des Pflanzstoffes ist ausreichend für die Existenz der Pflanzen. Bei Erscheinen der Blütenknospen ist die Feuchtigkeit wieder zu erhöhen. O. crispum und Hybriden verlangen kühl-feuchte Luft und Temperaturen um +12°C bei gleichmäßiger Ballenfeuchtigkeit. O. citrosmum muß nach Triebabschluß trocken gehalten werden, sonst blüht es nicht.

Dendrobium: D. nobile und Verwandte ruhen kühl und trocken. D. phalaenopsis ist weiterhin in Blüte; nach Beendigung beginnt die Ruhezeit mäßig feucht bei etwa +15–18°C.

Miltonia: Temperaturen gegenüber dem Sommer etwas erhöht; die Pflanzen sind etwa wie Cattleya zu halten.

Calanthe: Die Blätter beginnen abzusterben, mit zunehmender Knospenentwicklung bleibt die Feuchtigkeit gleichmäßig bis zum Abblühen. Dann ruhen die Knollen völlig trocken.

November–Dezember:

Der Klimaverlauf bestimmt die Behandlung weitgehend. Es sind die lichtärmsten Monate; nach Möglichkeit sollen Pflanzen in der Knospenentwicklung und Jungpflanzen zusätzlich Licht erhalten; man vergleiche die wiederholten Hinweise an anderer Stelle dieses Buches. Bei trübem Wetter und Nebel ist die Feuchtigkeit auf das Notwendigste zu reduzieren. Milde Tage mit Sonnenschein erfordern jedoch täglich einmaliges Spritzen in den Vormittagsstunden. Hohe Heizwärme bei kalter Witterung macht zweimaliges Spritzen nötig, um einen Ausgleich zu schaffen.
Der Temperaturverlauf entspricht etwa nachfolgenden Werten, die bei sehr niedrigen Außentemperaturen etwas reduziert werden können.

K: tags +15°, nachts –13°C,
T: tags +16–18°, nachts +16°C,
W: tags +21–23°, nachts +21°C.

Besonders in diesen für die Pflanzen schwierigsten Monaten muß man versuchen, die Umweltbedingungen möglichst günstig zu gestalten. Die einseitige Förderung eines der Wachstumsfaktoren ist zwecklos oder sogar schädlich. Nur bei einer sinnvollen Abstimmung der gestaltenden Kräfte wird der Pfleger zu Dauererfolgen kommen.
Besonderes Augenmerk ist jetzt der Schädlingsbekämfung zu widmen. Überhöhte Wärme, zu geringe Luftfeuchtigkeit und andere Behandlungsfehler begünstigen die Ausbreitung tierischer Schädlinge. Über die Bekämpfung lese man im Abschnitt „Schädlinge und Krankheiten“ nach.
Das Jahr endet mit einer Bestandsaufnahme, der Auswertung aller Beobachtungen und der kritischen Betrachtung erzielter Erfolge oder eingetretener Mißerfolge.

BESCHREIBUNG DER WICHTIGSTEN ORCHIDEENGATTUNGEN UND -ARTEN

Die nachfolgende Aufstellung ist verhältnismäßig umfangreich gehalten. Sie geht weit über die am leichtesten zu pflegenden Orchideen hinaus. Die Zahl derjenigen, welche ohne technische Hilfsmittel im Zimmer zu pflegen sind, ist relativ sehr klein. Ihre alleinige Aufzählung und Beschreibung würde Anlage und Umfang dieses Buches in keiner Weise rechtfertigen. Diejenigen Orchideenfreunde, welche ihre Pflanzen hinter Glas pflegen – also in Pflanzenfenstern, Vitrinen, Wintergärten oder im Gewächshaus, gleich welcher Größe –, überwiegen die Zimmergärtner weitaus. Infolgedessen ist die Nennung solcher Orchideen, die nur unter Glasschutz gedeihen, durchaus vertretbar und sogar unbedingt erforderlich. Die Technik bietet heute Möglichkeiten genug, selbst auf kleinem Raum Bedingungen zu schaffen, unter denen sich auch anspruchsvollere Orchideen wohl fühlen und gut entwickeln können. Wiederum zwingt die Notwendigkeit der Beschränkung auf einen gewissen Umfang zu einer Konzentration auf das Wichtigste. So ist es auch nicht möglich, auf die große Zahl der Züchtungen einzugehen. In ihrer Pflege bestehen meist kaum Unterschiede zu den Elternpflanzen, sofern sie in ihren Ansprüchen nicht stark gegensätzlich veranlagt sind.
Zur Vereinfachung sind in der Beschreibung Kurzbezeichnungen verwendet worden, welche eine rasche Übersicht ermöglichen sollen.

Schlüssel der Kurzbezeichnungen

Nach der Schwierigkeit in Haltung und Pflege sind die Pflanzen in drei Gruppen eingeteilt:

I: für Zimmerpflege geeignet bzw. leicht zu pflegen;
II: höhere Luftfeuchtigkeit und gleichmäßige Temperatur erforderlich; also Pflege hinter Glas im abgeschlossenen Luftraum Bedingung;
III: höchste Anforderungen an Unterbringung und Pflege.

Temperaturbereiche:

K = kühl: siehe Temperaturangaben im Monatskalender und in nachfolgender Beschreibung; viel Luft; Lichtansprüche verschieden.
T = temperiert: mäßig warm, luftig; Lichtansprüche verschieden.
W = warm: gleichmäßig hohe Temperatur, Frischluft nur in der warmen Jahreszeit, hohe Luftfeuchtigkeit; Lichtansprüche verschieden.

Heimatliches Vorkommen:

Die Länderbezeichnung hinter der Angabe des Temperaturbereiches gibt nur einen annähernden Begriff von den Umweltbedingungen am natürlichen Standort.

Blütezeiten:

Die Ziffern am Schluß der Artbeschreibung bezeichnen die Monate der annähernden Blütezeit, welche jedoch infolge äußerer Einflüsse differieren kann.

Wachstum:

V. = Vegetationsperiode
R. = Ruhe- bzw. Trockenzeit

Pflanzstoffe (siehe auch entsprechenden Abschnitt):

1 Standardmischung: Osmunda, Sphagnum, Buchenlaub 4:2:1
2a Osmunda, Kiefernrinde, Sphagnum, Buchenlaub 3:2:2:1
b Kiefernrinde, Sphagnum, Buchenlaub 2:2:1
c Polypodium, Sphagnum, Kiefernrinde, Buchenlaub 3:3:3:1
d Koks, Sphagnum 1:1
e Polypodium, Sphagnum (für Blockkultur) 3:1
f Torf, halbverrottete Lauberde 1:1, etwas Sand
g Osmunda oder Polypodium, Sphagnum, halbverrottetes Laub 2:2:2

Aerides

Epiphyten, fast ausschließlich tropisches Asien. Warm, feucht, viel Licht, keine ausgesprochene Ruhezeit, meist ziemlich groß werdend. 1, 2a–2c.

A. odoratum, II/III/W. Indien, Indonesien, Philippinen. Stamm aufrecht, zweizeilig dicht beblättert, Blätter 20 cm lang, 4–5 cm breit. Blütenstände in Trauben, Blüten weiß mit roten Spitzen, duftend. 7–9.

Angraecum,

Epiphyten, Afrika und Madagaskar. Warm, hohe Luftfeuchtigkeit, viel Licht, keine ausgesprochene Ruhezeit. 1, 2a–2c.

A. eburneum, III/W. Madagaskar. Stamm aufrecht, bis 1 m hoch. Blätter 40–50 cm lang, 5 cm breit. Blüten dicht in Trauben 8–15blumig, weißgrünlich, Lippe weiß. 10–11.

A. eichlerianum, II/W. Tropisches Westafrika. Stamm schmal, bis 1 m hoch. Blätter länglich-elliptisch. Blüten meist einzeln, gelbgrün, Lippe weiß. 6–9.

A. sesquipedale, III/W. Madagaskar. Stamm stark, bis 1 m hoch. Blätter bis 30 cm lang, 4–5 cm breit. Blüten 2–4 in Trauben, etwa 12 cm breit, elfenbeinweiß, Sporn 20–30 cm lang. 12–2.

Bifrenaria,

Epiphyten, Brasilien, Venezuela. V.: gleichmäßige Feuchtigkeit, viel Frischluft, leichter Schatten. R.: wenig Wasser, kein Spritzen, hell, 1, 2a–2c.

B. harrisoniae, I/T. Brasilien. Pseudobulben eiförmig, kräftig. Blätter länglich-elliptisch, bis 30 cm lang, derb. Blüten kurzgestielt, etwa 7 cm breit, gelblich, Spitzen rötlich, Lippe violett. 3–5.

Brassavola,

Epiphyten, Mittel- und Südamerika. V.: gleichmäßige Feuchtigkeit, Luft, viel Licht. R.: wenig Wasser, viel Licht; schwachwüchsige Arten nicht zu trocken halten. 1, 2a–2c.

B. digbyana, II/T. Honduras, Yucatan. Wuchs wie Cattleya, einblättrig, Blätter länglich, dickfleischig, derb, bis 20 cm lang. Blüten 10–12 cm breit, grünlichweiß, Lippe gefranst, groß, weiß. 5–8. Blüht nur bei starker Belichtung.

B. glauca, II/T. Mexiko, Guatemala, Pseudobulben kurz, einblättrig. Blätter etwa 15 cm lang, derb. Blüten einzeln, 8–10 cm breit, hell olivgrün bis weißgrün. 2–3. Blüht nur bei starker Belichtung.

B. nodosa, II/T. Westindien, Mittelamerika. Pseudobulben kurz, derb, einblättrig, Blätter pfriemlich, spitz, etwa 20 cm lang. Blüten kurzgestielt, grünlichgelb. 9–10. Reizende kleine Art, viel Licht. Blockkultur empfehlenswert (2e).

B. perrinii, II/T. Brasilien. Pseudobulben stengelartig, Blätter pfriemlich, bis 20 cm lang, drehrund. Blüten gelblich, Lippe weiß. 5–6. Schöne kleine Art, anspruchslos, viel Licht. Blockkultur empfehlenswert (2e).

Brassia,

Epiphyten, Mittel-Südamerika. V.: T, halbschattig, feucht, luftig; R.: ausgedehnt, trocken – aber nicht extrem, hell. 1, 2a–2c, evtl. auch 2g.

B. verrucosa, I/T/K. Mexiko, Guatemala. Pseudobulben oval, 7–10 cm hoch, zweiblättrig, Blätter linealisch, 20–30 cm lang. Blütenschaft 6–12blumig, Blüten mit schmalen, langen Sepalen und Petalen, Lippe weiß. 4–6. Sehr schöne, leicht zu haltende Art.

Bulbophyllum

II/III/T/W. Umfangreiche Gattung mit einer Verbreitung über den Tropengürtel dreier Kontinente. Ausschließlich Epiphyten von kleinerem Wuchs mit interessanter Blütenbildung. Blockkultur ist empfehlenswert (2e); Pflege in Töpfen ist möglich, wenn ein Stück Rinde beigegeben wird, an dem die z. T. kriechenden Rhizome wachsen können. V.: gleichmäßige Feuchtigkeit, hell, luftig. R.: Je nach Größe und Umfang der Pflanzen mehr oder weniger ausgeprägt, jedoch Vorsicht vor zu starkem Austrocknen. 1, 2a–2c.

Calanthe

Terrestrisch wachsend mit einer Verbreitung im tropischen Asien, z. T. auch Südafrika, Mexiko, Mittelamerika. Zu unterscheiden sind zwei Untergattungen: Preptanthe = laubabwerfend, Eucalanthe = immergrün. Preptanthe: Im März beginnt der Neutrieb, die bisher völlig ruhenden Bulben werden in humushaltigen Pflanzstoff, etwa halbverrottete Lauberde, Lehm, etwas Osmunda und Sphagnum eingetopft. Bei hoher Wärme, Luftfeuchtigkeit und geringer Kompostfeuchtigkeit beginnt die Wurzelentwicklung. Mit ihrer fortlaufenden Entwicklung wird wöchentlich gedüngt bis zu völliger Ausbildung der Bulben. Während dieser Zeit sollen die Blätter möglichst wenig gespritzt werden, um ihr vorzeitiges Absterben zu vermeiden. Mit Herbstbeginn verlieren die Pflanzen allmählich die Blätter; gleichzeitig erscheinen die Blütenstände. Während ihrer Entwicklung wird noch mäßig feucht gehalten. Mit dem Abblühen beginnt die absolute Ruhezeit bei völligem Wasserentzug und Temperaturen um 16–18 °C.

C. rosea, III/W. Heimat Moulmein. Pseudobulben eiförmig-länglich, 10–15 cm hoch. Blätter breit-lanzettlich, 25–35 cm lang. Schaft 30–40 cm hoch, vielblütig, Blüten dunkelrosa, etwa 5 cm breit. 9–10.

C. vestita, III/W. Hinterindien, Indonesien. Pseudobulben eiförmig, 10–15 cm hoch, Blätter lanzettlich, etwa 40 cm lang, Schaft 50–60 cm hoch, leicht übergebogen, vielblütig, Blüten 6 cm breit, weiß mit rotem Schlundfleck. 11–12.
Hybriden: **C. x Bryan,** ähnlich C. vestita, weiß mit rotem Schlundfleck;
C. x veitchii, dunkelrosa mit dunklem Schlundfleck.
Eucalanthe: Pflege gleichmäßig feucht, halbschattig, nur angedeutete Ruhezeit. Humoser, durchlässiger Pflanzstoff (2g), zusätzliche Düngung.

C. veratrifolia, III/W/T. Malaysien, Australien. 8–10 Blätter, elliptisch, bis 50 cm lang, Schaft etwa 80 cm hoch, dicht vielblütig, Blüten 4–5 cm breit, weiß mit orangegelbem Schlund. 4–5. Sehr schöne, seltene Art.

Cattleya

Infolge ihrer schönen Blüten zählen die Cattleya zu den bekanntesten und beliebtesten Orchideen. Die Pflege ist unter bestimmten Voraussetzungen nicht schwierig. In erster Linie ist in der Vegetationsperiode Luftfeuchtigkeit erforderlich. Die Haltung im Zimmer entfällt damit. Wenn auch gelegentlich Erfolge erzielt werden. Die Unterbringung im geschlossenen Pflanzenfenster oder unter gewächshausähnlichen

Bedingungen ist nötig. Ausschlaggebend ist die Einhaltung der Ruhezeit und die völlige Ausnutzung der Wachstumszeit. Betrachtet man die Einflüsse der Wachstumsfaktoren, so ergibt sich im Jahresverlauf etwa folgendes Bild:
Licht: März–April leichter Schatten, Mai–August Halbschatten, September leichter Schatten, Oktober–Januar volles Licht.
Temperatur: März–Mai warm, Juni–September temperiert, viel Luft, Oktober bis Februar temperiert, keine Lüftung.
Feuchtigkeit: März–September gleichmäßig feucht, jedoch keine stagnierende Nässe, viel spritzen. September–Oktober mäßig feucht, November–Februar mäßig trocken, jedoch Vorsicht vor dem Schrumpfen der Pseudobulben und Blätter.
Diese Angaben sind auf erwachsene, blühfähige Pflanzen bezogen, die in völlig einwandfreiem Zustand sind. Schwache oder wurzelkranke Exemplare vertragen keine extremen Verhältnisse. Jungpflanzen brauchen bis zum Eintritt der Blühreife stets gleichmäßige Feuchtigkeit, etwas höhere Temperaturen und stärkeren Schutz vor unmittelbarer Sonneneinwirkung von März bis September.
Unterschiedlich sind die Auffassungen über den Zeitpunkt des Umpflanzens. Nach alter Tradition soll es im Mai, ausnahmsweise ab Mitte April geschehen. Äußere Merkmale sind der Beginn neuen Wurzelwachstums und der Triebbeginn. Beides ist aber schon oft Ende Februar–Anfang März der Fall; man sollte dann nicht zögern und diese für die Pflanze oft oder meist recht einschneidende Maßnahme möglichst bald vornehmen. Die fortschrittliche Meinung geht dahin, das Umpflanzen vor Beginn der Triebentwicklung durchzuführen. Die unvermeidliche Störung wird damit gemindert.
Junge Pflanzen topft man alljährlich um. Mit Eintritt der Blühfähigkeit ist dies nur alle zwei Jahre nötig.
Rezepturen für Pflanzstoffe gibt es genügend. Man vergleiche den Abschnitt „Die Pflanzstoffe“. Die Standardmischung 1 und die Variationen 2a–2c sind sämtliche für Cattleya geeignet, versuchsweise 2d.
Die Technik des Verpflanzens ist in dem entsprechenden Abschnitt eingehend erläutert und braucht deshalb hier nicht nochmals detailliert erörtert zu werden. Gleiches gilt für die Weiterbehandlung.
David Sander empfiehlt in seinem Buch „Orchids and their cultivation“ für Cattleya folgende Temperaturen: nächtliche Mindesttemperatur +17 °C, tagsüber +18 bis +21 °C; in den Frühlingsmonaten nachts +18 °C, tagsüber +21–24 °C. Mit Herbstbeginn nachts +16 °C; zur Zeit der Reife der Pflanzen genügen +12–15 °C.
Gelbe Cattleya, wie C. dowiana und die daraus gezüchteten Hybriden bedürfen stets einer etwas höheren Temperatur; als Minimum ist +18 °C anzunehmen.

Die wichtigsten Arten

Cattleya aclandiae, III/T. Brasilien. Pseudobulben 5–8 cm lang, zweiblättrig. Sepalen und Petalen 5 cm lang, gelbgrün mit großen purpurbraunen Flecken, Lippe purpurrot mit goldgelbem Schlundfleck. 6–7. 2e.

C. bowringiana, II/T. Britisch-Honduras. Starkwachsend, Pseudobulben bis 60 cm hoch, zweiblättrig. Blütenstand bis 15blütig, Blüten 8 cm breit, rosa bis purpurviolett. 9–11.

C. citrina, III/K, viel Licht. Mexiko, 2000–2500 m ü. d. M. Pseudobulben eiförmig, nach unten wachsend, Blätter schmal, graugrün, silbrig bereift, bis 20 cm lang. Blüten zitronengelb, duftend. Blütezeit: Frühjahr. 2e. R.: etwa +12 °C, trocken, hell.

C. dowiana, III/W. Costa Rica. Pseudobulben spindelförmig, bis 30 cm hoch, einblättrig. Blütenstand 2–5blütig, nankinggelb, unterseits rötlich, Lippe purpurviolett mit goldgelben Adern. 7–9. Die Varietät C. dowiana var. aurea aus Kolumbien hat stärkere goldgelbe Lippenzeichnung, Petalen und Sepalen sind ohne rötliche Unterseite. 7–9.

C. guttata, II/T, viel Licht. Brasilien. Pseudobulben bis 80 cm hoch, schlank, 2blättrig; Blütenstand vielblütig, Blüten bis 10 cm breit, grün, rot punktiert, Lippe violett mit weiß. 10–11.

C. harrisoniae, II/T, viel Licht. Brasilien. Pseudobulben bis 40 cm hoch, schlank, zweiblättrig. Blüten etwa 10 cm breit, hellila, Lippe dunkler mit gelblichem Schlund. 7–10.

C. intermedia, II/T. Brasilien. Pseudobulben etwa 30–40 cm hoch, dünn, zweiblättrig. Blüten etwa 12 cm breit, hellila, Lippe purpurn. 5–6.

C. labiata, II/T. Brasilien. Pseudobulben spindelförmig, 25–30 cm hoch, einblättrig. Blätter bis 25 cm lang, derb. Blüten hell- bis dunkellila, Lippe purpurn, Schlund gelb. 9–11.

C. mossiae, II/T. Venezuela. Habitus wie C. labiata. Blüten bis 18 cm breit, hellila, Lippe dunkler, Schlund goldgelb, variabel. 5–6.

C. skinneri, II/T. Guatemala. Pseudobulben etwa 30 cm hoch, zweiblättrig. Blütenstand vielblütig. Blüten etwa 10 cm breit, hell- bis dunkellila, Lippe purpurn mit gelbem Schlund. 3–5.

C. trianae, II/T. Kolumbien. Habitus wie C. labiata. Blüten bis 18 cm breit, hellila, Lippe purpurn, Rand gewellt, Schlund orangegelb. 12–2.

C. warscewiczii, II/T. Kolumbien. Habitus wie C. labiata, etwas stärkerwachsend. Blüten bis 20 cm breit, hell-lila, Lippe purpurn mit zwei großen gelben Schlundflecken. 7–8.

Die wichtigsten Gattungsbastarde

Brassocattleya = Cattleya × Brassavola oder umgekehrt, stark wachsend, nur mäßig warm halten; bei zu hoher Temperatur überwächst zu früher Durchtrieb die Knospenbildung. Blüten meist groß, ansehnlich, z. T. mit stark gefranster großer Lippe. T.

Brassolaeliocattleya = Brassavola × Laelia × Cattleya oder umgekehrt. Etwa wie Brassocattleya, T; gelb W/T.

Laeliocattleya = Laelia × Cattleya oder umgekehrt. Wüchsig und ohne andere Ansprüche als die Eltern. Alle Farbtöne von Weiß, Gelb, Lila bis Rötlich und Rot: T; gelb W.

Sophrocattleya = Cattleya × Sophronitis oder umgekehrt. Ihre Pflege ist etwas schwieriger, z. T. ist der Wuchs schwächer und die Blühwilligkeit gemindert. Diese Nachteile werden durch die besondere Schönheit mancher Züchtungen ausgeglichen. Gleiches gilt für

Sophrolaeliocattleya = Sophronitis × Laelia × Cattleya und umgekehrt. T/W.

Rolfeara vereint Brassavola × Cattleya × Sophronitis. T/W.

Potinara ist die Bezeichnung der Kombinationen Brassavola × Cattleya × Laelia × Sophronitis. T.
Die Zahl weiterer Gattunsgbastarde mit Cattleya als einem Elternteil ist beträchtlich und nimmt ständig zu. Ihre Pflege ist oft nicht einfach, da die Pflanzen unter dem Einfluß mehr oder weniger gegensätzlicher Erbanlagen von den Eltern her besondere Ansprüche stellen, die man erst erkennen oder erfühlen muß.

Chysis

III/T/ Körbchen oder Blockkultur, 1. halbschattig. Epiphyten mit hängendem Wuchs, Pseudobulben spindelförmig, 3–5blättrig, Blätter länglich-oval, bis 20 cm lang; Blütenstand traubenförmig, 3–8blütig, bei **Ch. bractescens** weiß, **Ch. aurea** goldgelb. Mittelamerika.

Cirrhopetalum

II/III/T/Wk/Blockkultur, 2e, halbschattig. Sehr umfangreiche Gattung mit einer Verbreitung über den gesamten Tropengürtel der Erde. Sämtliche Arten epiphytisch wachsend, meist klein; Blütenbildung sehr interessant, deshalb bedeutungsvoll für den Liebhaber. Nahe verwandt mit Bulbophyllum, Abgrenzung noch umstritten.

Coelogyne

Die Heimat der Gattung sind die monsunbeeinflußten Gebiete Südostasiens, wo die Arten in verschiedenen Höhenlagen epiphytisch auf Bäumen oder terrestrisch auf feuchten, bemoosten Felsen wachsen. Die Eigenart des heimischen Standortes ist zu berücksichtigen. Der Pflanzstoff muß für die starkwachsenden Arten erdige Bestandteile – etwa halbverrottete Lauberde – neben Osmundfaser, Kiefernrinde oder ähnlichem enthalten. In der Vegetationsperiode viel Luft, mäßige Wärme, ausreichende Feuchtigkeit, zusätzliche Düngung und Halbschatten. Die Ruhezeit wird bei nicht zu starkem Wasserentzug und niedrigeren Temperaturen ziemlich lange ausgedehnt.

C. cristata, I/K/Töpfe oder Schalen, halbschattig. Himalaja in 1600–2300 m Höhe. Pseudobulben kugelig bis eiförmig, Blätter linealisch-lanzettlich, bis 20 cm lang; Blütenstand 5–9blütige Trauben, Blüten bis 10 cm breit, weiß mit gelben Kämmen auf der Lippe. 1–3. Häufig gepflegte Art; im Winter kühl, mäßige Trockenzeit. Während des Wachstums feucht, Standort im Frühbeet, auf dem Balkon oder am Fenster, auch an geschützten Stellen im Freien unter Bäumen.

C. massangeana, I/II/T/Töpfe oder Schalen, 2g, halbschattig. Pseudobulben eiförmig, bis 12 cm hoch, zweiblättrig. Blätter derb, bis 50 cm lang. Blütenstände in langen, zweizeiligen, vielblütigen Trauben. Blüten 5 cm breit, gelblichweiß, Lippe gelbbraun. 5–8. Gut geeignet für Zimmerkultur. Ähnlich ist **C. dayana.**
Kleine Epiphyten für Blockkultur (2e): **C. fimbriata, C. ovalis.** Ferner empfehlenswert für Topfkultur: **C. flaccida.**

Cymbidium

Wegen ihres ziemlich großen Umfangs und ihrer Vorliebe für helle und kühle Standorte kommen Cymbidium für die Pflege im Zimmer nicht in Betracht. Der Besitzer eines Kleingewächshauses aber kann die Anforderungen der Pflanzen weitgehend erfüllen, so daß ihre Besprechung für eine möglichst umfassende Darstellung unentbehrlich erscheint.
Cymbidium lieben gleichmäßige Feuchtigkeit. Sie dürfen niemals für längere Zeit trocken gehalten werden. Bei zu hoher Feuchtigkeit nehmen die Wurzeln Schaden, auch wird damit dem Cybidium-Virus, einer gefürchteten Krankheit, die Möglichkeit gegeben, sich verstärkt auszubreiten. Die Temperatur ist der ausschlaggebende Faktor für einen Erfolg, besonders für die Blütenbildung. Im Winter genügt eine Durchschnittstemperatur von +10–12°C, sie ist mit einsetzendem Wachstum zu erhöhen. Während der warmen Jahreszeit muß durch reichliches Lüften und stärkeren Schatten die Wärme weitgehend gemindert werden. Mit Reife des Jahrestriebes soll dies noch weiterhin geschehen, und zwar so weit, daß die Nachttemperaturen nicht +13°C übersteigen. Nur dann ist der Knospenabschluß gesichert; bei höherer Wärme blühen die Pflanzen nicht. Eine Beschattung ist von März bis August erforderlich, dann werden die Pflanzen durch allmähliche Lockerung des Schattens abgehärtet und zur Knospenbildung angeregt. Im Winter brauchen sie viel Licht.
Jungpflanzen benötigen höhere Temperaturen für zügiges Wachstum. Etwa +15°C im Durchschnitt genügen jedoch für die kühlere Jahreszeit, Sonneneinstrahlung bringt sowieso eine Steigerung.
Der Pflanzstoff kann weitgehend verschieden in der Zusammensetzung sein. Erfolge sind mit dieser oder jener Rezeptur zu erzielen. Zwei sind in dem Abschnitt „Pflanzstoffe“ unter 2f und 2fa angegeben. Das Klima der Erdteile und Länder, in denen Cymbidium kultiviert werden, ist wesentlich bestimmend für die Wahl des Pflanzstoffes, ebenso die persönliche Meinung des Pflegers.
Die fleischigen Wurzeln müssen bei erforderlichem Umpflanzen geschont werden, alle abgestorbenen entfernt man und nimmt gleichzeitig eine eventuell mögliche Teilung starker Pflanzen vor.

Cymbidium lowianum, II/K. Burma. Stamm verdickt, Blätter linealisch, bis 75 cm lang. Blütenschaft leicht überbogen, 10–20blütig, Blüten etwa 10 cm breit, grünlichgelb, Lippe gelb, Vorderlappen rot. 2–5.

C. tracyanum, II/K. Burma. Blätter linealisch, 60–65 cm lang. Blütenstand 7–12-blütig, Blüten bis 15 cm breit, grünlich- bis bräunlichgelb mit dunkelbraunen Linien, Lippe gelb mit brauner Zeichnung; wohlriechend. 10–11.

Andere Arten sind kaum noch in Kultur, sondern ausschließlich Hybriden, welche in bezug auf alle Eigenschaften sehr große Unterschiede aufweisen. Besondere Bedeutung werden in Zukunft die Miniatur-Cymbidium haben, welche in letzter Zeit durch Einbeziehung kleinbleibender Arten in die Züchtung erzielt wurden. Sie haben einen geringeren Platzbedarf und können etwas wärmer – etwa wie Cattleya – gehalten werden.

Dendrobium

Diese Gattung umfaßt mehr als 900 Arten mit einem Verbreitungsgebiet von Ceylon über Hinterindien, Indonesien bis Neuguinea und Nordaustralien. Demzufolge ist der Formenreichtum sehr groß. Es sind ausschließlich Epiphyten, meist von schlankem, mehr oder weniger hohem Wuchs, Blätter weich bis lederig-derb, immergrün, z.T. laubabwerfend. Blütenstand traubig, meist seitlich an den Enden der Pseudobulben, in der Art der Blütenbildung variierend. Dendrobium sind insgesamt sehr interessante und reizvolle Orchideen. Man unterscheidet zwei Gruppen. Die Arten vom asiatischen Festland bedürfen nach einer feuchtwarmen Entwicklungsperiode einer ziemlich ausgedehnten Ruhezeit bei kühlen Temperaturen um +10–13 °C. Der typische Vertreter ist D. nobile. Die zweite Gruppe umfaßt die Arten der malaiischen Inseln einschließlich Neuguinea und Nordaustralien. Die Temperaturen der Vegetationsperiode liegen extrem hoch bei gleichzeitiger hoher Luftfeuchtigkeit und viel Licht. Die Ruhezeit bringt bei Temperaturen um +18–20 °C eine mäßige Trockenheit, die verstärkt wird, wenn die Temperaturen niedriger liegen. Der Prototyp dieser Gruppe ist D. phalaenopsis.
Das Verpflanzen erfolgt nach Beendigung der Ruhezeit oder nach der Blütezeit mit Einsetzen des Neutriebes. Dendrobium lieben kleine Gefäße, Töpfe oder Lattenkörbchen; einige gedeihen am besten bei Blockkultur, wie z.B. das reizende D. aggregatum.
Als Pflanzstoff kommt die Standardmischung in Betracht; auf jeden Fall muß er sehr durchlässig und luftführend sein. In den Erwerbskulturen wird in zunehmendem Maße ein Torfsubstrat verwendet. Ausschlaggebend hierfür ist der niedrige Preis des Materials, ein Faktor, der für den Großverbrauch besondere Bedeutung hat. Da kein Vorteil für die Pflanzen damit verbunden ist, hat dieses Substrat keine Bedeutung für den Hausbedarf des Orchideenfreundes.
Die kritischste Zeit für die erfolgreiche Pflege ist die Triebentwicklung vom ersten Stadium bis zur Entfaltung der Blätter. Verbleibt in dem noch weichen Neutrieb über Nacht Wasser, so fault er mit Sicherheit aus. Man sollte während dieser Zeit generell nachmittags nicht mehr spritzen, um jeden Verlust möglichst zu vermeiden. Dies gilt besonders für Arten und Hybriden der warmen Sektion; die kühler zu haltenden sind weniger gefährdet.
Ausschlaggebend für eine erfolgreiche Dendrobium-Pflege ist die richtige Feuchte, besonders bei den in zunehmendem Maße gehaltenen Dendrobium phalaenopsis-Hybriden. Stagnierende Nässe ist ihr Tod. Wer es versteht, den Pflanzstoff öfter austrocknen zu lassen, um dann Wasser ausreichend für 2–3 Tage zu geben, und dies in ständigem Wechsel wiederholt, wird im Verein mit relativ hoher Luftfeuchte beste Erfolge erzielen.

Der Nährstoffbedarf raschwachsender Dendrobien, wie D. phalaenopsis-Hybriden und ähnlicher, ist groß und wird durch entsprechende Düngung gedeckt. Man vergleiche den Abschnitt „Die Ernährung".

Dendrobium als relativ weichblättrige Orchideen leiden stark unter dem Befall von Roter Spinne. Über deren Bekämpfung lese man im Abschnitt „Schädlinge und Krankheiten" nach. Empfehlenswert ist es, stets vorbeugend zu spritzen.

Einige der bekanntesten Arten:

Dendrobium aggregatum, II/T/Blockkultur, 2e. Nordindien. Pseudobulben bis 7 cm lang, kantig, einblättrig, Blatt etwa 6 cm lang. Blüten in 5–15blütigen Trauben, goldgelb, Schlund orange. 3–5. Sehr reizvolle kleine Art.

D. chrysotoxum, II/T. Burma, Yunnan. Pseudobulben zweiblättrig, spindelförmig, bis 12 cm lang. Blätter lanzettlich, bis 10 cm lang, lederig. Blütentraube 8–15blütig, goldgelb, honigduftend. 3–4.

D. fimbriatum, II/T. Himalaja. Pseudobulben bis 1,5 m hoch, dünn. Blätter lanzettlich, etwa 15 cm lang. Blütentraube 8–15blütig, hängend, Blüten dunkelgelb. Die Varietät

D. fimbriatum var. oculatum hat zwei schwarzbraune Schlundflecken. 3–5.

D. kingianum, II/K/Blockkultur oder Korb. Ostaustralien. Pseudobulben schmal, keulenförmig, etwa 10–15 cm lang, zweiblättrig. Blätter länglich, etwa 10 cm lang. Schaft aufrecht, 3–8blütig, Blüten rosa, etwa 3 cm breit. 4–5.

D. loddigesii, II/T/W/Blockkultur. China, Yunnan. Stämme schlank, dünn, bis 20 cm lang, Blätter lanzettlich, 5–7 cm lang; Blüten etwa 4,5 cm breit, rosa, Lippe fein gefranst, weiß mit orangegelbem Grund. 2–4. Besonders hübsche, kleine Art.

D. nobile, II/K/T. Himalaja, Yunnan. Stämme zylindrisch, bis 45 cm hoch. Blätter lanzettlich, bis 10 cm lang. Blüten seitlich, kurzgestielt, bis 7 cm breit, rosapurpur, nach der Basis heller, weiß mit rosa Rand und purpurnem Schlundfleck. Zahlreiche Varietäten, in Größe und Färbung abweichend. 3–5.

D. phalaenopsis, III/W. Queensland, Süd-Neuguinea. Stämme zylindrisch, bis 70 cm hoch. Blütenschaft schlank, 4–12blütig, bis 50 cm lang, Blüten bis 8 cm breit, hellila bis kirschrot, dunklere Lippe, Schlund dunkelpurpur. 9–10.

D. thyrsiflorum, II/T. Himalaja, Burma, Moulmein. Pseudobulben keulenförmig, 3–6blättrig, bis 40 cm hoch, Blätter elliptisch, lederig, bis 15 cm lang. Blüten in dichter, hängender Traube, goldgelb bis fast weiß, Lippe goldgelb. 2–5.

Überblick über die Züchtung

Infolge besonderer Eigenschaften hat man sich in bedeutendem Umfang züchterisch mit Dendrobium beschäftigt. Aus D. phalaenopsis sind in Verbindung mit D. biggibum, D. superbiens u.a. wundervolle Hybriden entstanden. Sie besitzen große runde Blüten auf starken Stielen von Weiß bis zu dunkelpurpurroten Farbtönen. Durch Einbeziehung von D. stratiotes entstanden Züchtungen mit spatelig geformten Petalen und Sepalen. Frühjahrsblühende Hybriden verschiedenster Abstammung, z.T. stärker wachsend als D. phalaenopsis-Abkömmlinge, sind gelb bis

bronzefarben. Sie verlängern den Flor bis Mai–Juni; ihre Rispen sind bis zu 3 Monaten haltbar.
In der kühlen Sektion wurde D. nobile zur Züchtung verwandt. Die Verbindung ihrer vielen Varietäten ergab reizvolle Veränderungen in Farbe, Form und Größe der Blüten. Die Wüchsigkeit der Stammform wurde nicht gemindert, sondern eher gefördert.

Dendrochilum

Die Gattung umfaßt etwa 130 epiphytisch-wachsende Arten von bescheidener Größe, beheimatet auf den Philippinen und Sunda-Inseln. Die dicht gedrängt stehenden Pseudobulben sind 3–5 cm hoch, einblättrig. Blätter schmallanzettlich bis breit-linealisch. Gesamthöhe der Pflanzen 15–30 cm. Blütenstände in zierlichen, meist hängenden zweizeiligen Trauben. Blüten klein, vorwiegend weiß bis grünlichweiß mit gelblicher Lippe; z.T. wohlriechend. Blütezeit verschieden, März bis August. Vermehrung durch Teilung. Pflege wie Cattleya, II/T, Pflanzstoff: Töpfe oder Körbchen.
Die häufigsten Arten: **Dendrochilum cobbianum,** 3–9; **D. filiforme,** 5–6; **D. glumaceum,** 3–4; **D. latifolium,** 3–4.

Epidendrum

Mehr als 750 Arten sind meist als Epiphyten von Florida bis Bolivien und Paraguay verbreitet, also z.T. subtropischer Abstammung. Infolgedessen sind viele Arten sehr anspruchslos und bei einigermaßen zusagenden Bedingungen leicht zu pflegen. Größe und Umfang der Pflanzen sind sehr unterschiedlich, ebenso Farbe und Größe der als Trauben oder Rispen erscheinenden Blütenstände. Epidendrum sind für Schnittzwecke ungeeignet, stellen aber Sammelobjekte für den Orchideenfreund dar.
In der Standardmischung wachsen sie gut, man pflegt sie in Töpfen oder Körbchen, Arten von bescheidener Größe auch in Blockkultur.
Die Temperaturansprüche sind unterschiedlich; sie liegen fast ausnahmslos im kühlen und temperierten Bereich. Epidendrum lieben viel Licht und Luft, in der Vegetationsperiode genügend Feuchtigkeit. Die Ruhezeit sollte dem Habitus der Pflanzen angepaßt sein. Nach dem Äußeren kann man drei Gruppen unterscheiden und daraus Rückschlüsse auf bestimmte Ansprüche ableiten.
Pseudobulben länglich, etwa von Cattleya-Charakter, nur kleiner, weniger umfangreich, sehr lichtbedürftig, kühl bis temperiert:

Epidendrum ciliare, II/T. Mittelamerika, Brasilien. Lockere 4–8blütige Rispe, gelblichweiß, Lippe weiß, stark geschlitzt. 11–1.

E. prismatocarpum, II/T. Costa Rica. Blütenstand bis 35 cm lang, Blüten 6–7 cm breit, schwefelgelb mit braunen Flecken. 6.

E. stamfordianum, II/T. Guatemala, Brasilien. Rispe bis 40 cm lang, vielblütig, Blüten gelb, purpurrot gefleckt, Lippe weiß mit Gelb. 2–5.
Pseudobulben rundlich-eiförmig, etwa 6–10 cm hoch, Blätter linealisch, länglich,

zungenförmig, etwa 20 cm lang. Gute Wachser, hell, luftig, genügend Feuchtigkeit in der Vegetationsperiode:

E. alatum, II/T. Guatemala. Rispe verzweigt, groß, Blüten 4 cm Durchmesser, gelbgrün, Lippe gelb mit Rosa, Duft. 5–6.

E. atropurpureum, II/T. Brasilien. Rispe 5–15blütig, Blüten 7 cm Durchmesser, dunkelrosa oder purpur, Lippe rosa mit dunklem Schlundfleck. 5–6.

E. cochleatum, I/T. Blütentraube aufrecht, Blüten kopfstehend, 5–8blütig, Blüten weißlichgrün, Lippe schwarzviolett mit gelblicher Zeichnung. 11–2.

E. fragrans, I/T. Brasilien, Westindien. Blüten umgekehrt in kurzgestielter, 2–5-blütiger Traube, gelblichweiß, Lippe muschelförmig, weiß mit violetten Längsstreifen, stark duftend. 3–5.

E. mariae II/T. Mexiko. Blütenstände 1–3blütig, aufrecht, etwa 7,5 cm lang, grünlichgelb, Lippe groß, weiß, Schlund grün. 5–7.

E. vitellinum, I/K. Mexiko. Blütenstand aufrecht, 10–20blütig, Blüten etwa 4 cm Durchmesser, leuchtend orangerot. 9–11. Eine reizvolle, unkomplizierte Art. Man hält sie kühl und relativ feucht.

Stämme verlängert, dünn, meterhoch, regelmäßig beblättert. Die Arten dieser Gruppe brauchen sehr viel Raum. Pflege temperiert bis warm; zu sicherer Blütenbildung ist sehr viel Licht erforderlich. Die Blütenstände sind sehr lange haltbar.

E. arachnaglossum, II/T/W. Kolumbien. Blüten dicht in sich allmählich verlängernder Traube, rot, Lippe orangegelb. 5–8.

E. elegans, II/T/W. Mexiko. Stämme etwa 20 cm hoch. Blüten 3–7, etwa 5–6 cm Durchmesser, dunkelrosa, Lippe rot mit breitem, tiefrotem Endfleck. 3.

E. ibaguense, II/T/W. Kolumbien, Peru. Blütenstand dicht, kopfförmig, vielblütig. Blüten orange, Lippe gelb, gefranst. 6.

E. paniculatum, II/T/W. Kolumbien bis Bolivien. Blütenstand vielfach verzweigt, hängend. Blüten zahlreich, 2,5–3 cm lang, rosalila, Lippe mit zwei hellgelben Flekken. 4–5.

In neuerer Zeit sind zahlreiche **Gattungsbastarde** entstanden, die z. T. sehr beachtlich sind und für den Orchideenfreund ideale Sammelobjekte darstellen. Die wichtigsten sind:

Brassoepidendrum = Epidendrum × Brassavola;
Epicattleya = Epidendrum × Cattleya;
Epilaeliocattleya = Epidendrum × Cattleya × Laelia;
Epilaelia = Epidendrum × Laelia;
Epiphronitis = Epidendrum × Sophronitis.

Die Lebensansprüche sind denen ihrer Eltern gleich; im Cattleya-Klima sind sie vorteilhaft zu pflegen.

Gongora

Von den etwa 25 bekannten Arten aus Mexiko bis Peru und Bolivien sind nur wenige in Europa bekannt. Die Pseudobulben sind eiförmig, gefurcht, meist zweiblättrig. An den hängenden Blütentrauben stehen die Blüten an bogenförmigem Stiel umgekehrt, also mit der Lippe nach oben.

Gongora armeniaca, II/T. Nicaragua. Blüten stark duftend, goldgelb mit hellerer Lippe. 5–9.
G. galeata, II/T. Mexiko. Blüten gelbbraun, Lippe dunkler, duftend. 5–8.
G. quinquenervis, II/T. Brasilien, Perù. Blüten gelblich, stark braunpurpurn gefleckt und gestreift, stark duftend. 6–8.
Wie aus den Hinweisen ersichtlich, werden Gongora temperiert gehalten. Man pflegt sie wegen der hängenden Blütenstände in Körbchen oder Töpfen aufgehängt etwa mit Cattleya zusammen, eventuell auch luftiger. Sie vertragen sehr gut einen Sommeraufenthalt im Freien, an geschützten Stellen im Baumschatten aufgehängt. Als Pflanzstoff dient die Standardmischung.

Jonopsis

Die Gattung umfaßt wenige Arten von kleinem, epiphytischem Wuchs. Sie sind im tropischen Amerika von Mexiko bis Brasilien verbreitet. In Betracht kommt hier nur eine Art:

J. paniculata, II/T. Brasilien. Pseudobulben 1,5 cm hoch. Blätter linealisch, fleischig, 10–15 cm lang. Rispe leicht übergebogen, bis 50 cm lang, vielblütig, Blüten weißlich-violett oder weiß mit violettem Lippenfleck. 10–11.
Pflege in Blockkultur oder in kleinen Töpfen, temperiert, hell, mittlere Feuchtigkeit, in der Ruhezeit mäßig trocken, kühl.

Laelia

Die nahe verwandtschaftliche Zugehörigkeit zu Cattleya ist äußerlich ohne weiteres ersichtlich. Nur die Anzahl der Pollinien, bei Laelia acht gegenüber Cattleya mit vier, trennt die beiden Gattungen. In der Pflege sind sie Cattleya etwa gleich zu halten, manche Arten vertragen bzw. wünschen mehr Licht, Luft und eine ausgeprägtere Ruhezeit. Dies ergibt sich aus dem Vorkommen in fast subtropischen Klimaten Südbrasiliens, Mittelamerikas und Mexikos. Infolgedessen sind einige für Zimmerkultur besonders geeignet, wenn die Lichtverhältnisse ausreichen. Als Pflanzstoff dient die Standardmischung.

Laelia anceps, I/II/T. Mexiko, 1000–2000 m hoch in feuchten Wäldern. Pseudobulben 10–12 cm hoch, meist einblättrig, Blätter länglich, lederig. Schaft etwa 30 bis 100 cm hoch, dünn, 2–5blütig. Blüten bis 12 cm breit, lilarosa, Lippe dunkellila mit gelbem Schlund. 12–1.

L. autumnalis (syn. L. gouldiana), II/T. Mexiko. Pseudobulben 6–8 cm hoch, zweiblättrig, Blätter länglich, 10–13 cm lang. Schaft bis 70 cm hoch, 3–6blütig, Blüten etwa 10 cm Durchmesser, intensiv purpurviolett, duftend. 11–1.

L. cinnabarian, II/T. Brasilien. Pseudobulben 15–25 cm hoch, einblättrig, Blätter linealisch, bis 25 cm lang. Blütenstand 3–7blütig, Blüten etwa 8 cm breit, orangerot. 2–5.

L. flava, II/T. Brasilien. Pseudobulben 3–4 cm hoch, einblättrig, Blätter 7–8 cm lang, länglich-elliptisch. Blütenstand 5–9blütig, bis 25 cm lang. Blüten hell-goldgelb, bis 6 cm breit. 5–6.

L. pumila, II/T. Brasilien. Pseudobulben bis 7 cm hoch, länglich, einblättrig, Blätter zungenförmig, bis 10 cm lang. Blüten einzeln, kurzgestielt, leuchtendviolett, im Verhältnis zur Pflanze groß. 9–10. Sehr hübsche, kleine Art. 2e.

L. purpurata, II/T. Brasilien. Pseudobulben keulenförmig, bis 60 cm lang, einblättrig, Blätter länglich, zungenförmig, dicklederig. Blüten 3–5, bis 16 cm breit, hellila, Lippe tütenförmig, purpurrot mit dunkleren Adern, Schlund gelb. Sehr veränderliche, starkwachsende Art; nur für größere Sammlungen geeignet. 5–7.

L. tenebrosa, II/T. Brasilien. Pseudobulben 20–25 cm hoch, einblättrig, Blätter zungenförmig, 20–25 cm lang; Blütenstand kurzgestielt, zweiblütig, Blüten bis 16 cm breit, gelbbraun, Lippe weißlich oder lilarosa mit purpurroten Adern. 5–6.
Aus den Verbindungen mit Cattleya, Brassavola, Sophronitis, Epidendrum u. a. sind viele, z. T. sehr schöne Hybriden entstanden. Die gelbblühenden Arten sind wesentlich an der Züchtung gelb- bis orangefarbener Laeliacattleya beteiligt. Laelia purpurata wurde – besonders im Beginn der Orchideenzüchtung – vielfach als Kreuzungspartner verwendet.

Lycaste

Einige der etwa 35 Arten dieser Gattung sind besonders für die Pflege im Zimmer geeignet. Es sind Epiphyten des Humusbereiches, sie stammen aus Mittel- und Südamerika, z. T. aus höheren Gebirgswäldern. Infolgedessen ist der Wärmebedarf mäßig, man hält sie im Winter temperiert bis kühl und ziemlich trocken, aber die Pseudobulben sollen nicht schrumpfen. In der Vegetationsperiode sorgt man für ausreichende Feuchtigkeit, düngt auch, jedoch mit Vorsicht und hält die Pflanzen halbschattig und luftig. Der Pflanzstoff wird durch die Beimengung von halbverrottetem Laub humusreicher gestaltet. 2g.

Lycaste aromatica, I/T. Mexiko. Pseudobulben eiförmig, etwa 6 cm hoch, 1–2blättrig, Blätter lanzettlich-elliptisch, bis 25 cm lang. Blüten auf etwa 10–15 cm hohen gebüschelten Stielen, orangegelb, Lippe rot punktiert, stark duftend. 4–5.

L. deppei, I/T. Mexiko. Habitus ähnelt L. aromatica, 3–4blättrig, Sepalen grünlich, rot gesprenkelt, Petalen elfenbeinweiß, Lippe weiß, rotgefleckter gelber Mittelteil. 2–4.

L. skinneri, I/T. Mexiko. Pseudobulben eiförmig, bis 8 cm hoch, 2–3blättrig, Blätter länglich-oval. Blüten langgestielt, bis 15 cm breit, hell- bis dunkelrosa, Lippe dunkler. 10–12.

Macodes

Diese Gattung bildet in Gemeinschaft mit *Anoectochilus, Haemaria* u. a. die Gruppe der sogenannten buntblättrigen Orchideen. Sie sind von niedrigem Wuchs mit kleinen hellfarbigen Blüten; allein die Blätter sind durch Färbung und Zeichnung schmuckvoll. Die Pflanzen wachsen im Tiefschatten der Regenwälder Südostasiens, brauchen also Wärme, hohe Luftfeuchtigkeit und sehr viel Schatten. Sie sind sehr empfindlich gegen kalkhaltiges Wasser und benötigen als Pflanzstoff Sphagnum mit etwas Lauberde und Lehm oder Rasenerde. Unterbringung in Töpfen oder Schalen unter einem Glassturz.

Macodes petola, III/W. Java, Malakka. Blätter breit-eiförmig an bis 10 cm hohen Stämmchen, 5–7 cm lang, hell-samtiggrün, Nervatur stark hervortretend, goldigschimmernd.

Masdevallia

Die mehr als 150 Arten wachsen z.T. epiphytisch in den feuchten Gebirgswäldern Mittel- und Südamerikas, besonders in den Anden. Der Wuchs ist niedrig, rasenbildend; manche Arten wachsen auch auf Felsen und am Boden. Die Blüten sind eigenartig geformt und gefärbt. In der Pflege sind Masdevallia sehr schwierig; sie brauchen niedrige Temperaturen, gleichmäßige Ballen- und Luftfeuchte sowie viel frische, kühle Luft. Die relativ weichen Blätter werden leicht von Thrips und Roter Spinne befallen. Pflanzstoff-Standardmischung mit höherem Sphagnum-Anteil. Pflege in Töpfen oder Schalen; möglichst selten verpflanzen. Die beste Zeit hierzu ist Februar und September. Vermehrung ist durch Teilung der Horste möglich.

Besonders interessante Arten: Masdevallia bella, M. chimaera, M. coccinea, M. rosea, M. tovarensis, M. veitchiana u. a.

Maxillaria

Kleinere bis kleine Pflanzen, meist epiphytisch wachsend, in mehr als 250 Arten im tropischen Amerika verbreitet. Sie sind – soweit erreichbar – dankbare Objekte für den Orchideenfreund, da sie wenig anspruchsvoll und je nach heimatlichem Vorkommen im kühlen oder temperierten Bereich zu pflegen sind. Eine ausgesprochene Trockenzeit verbietet sich infolge der Kleinheit vieler Arten. Durch kühleren Stand und mäßige Feuchtigkeit gibt man eine winterliche Ruhezeit; in der Vegetationsperiode brauchen sie ausreichend Feuchtigkeit, viel Licht und Luft, gelegentlich auch eine schwache organische Düngung. Unterbringung in Töpfen oder Körbchen; viele Arten wachsen nur in Blockkultur, Befestigung – wie üblich – mit Polypodium-Sphagnum, bei Topfkultur als Pflanzstoff Standardmischung. Einige Arten: **Maxillaria picta** (= die bekannteste), ferner **M. grandiflora, M. sanderiana, M. setigera, M. tenuifolia, M. variabilis** u. a.

Miltonia

Die etwa 20 epiphytisch wachsenden Arten sind in den Anden Südamerikas sowie in Brasilien beheimatet und stellen unterschiedliche Ansprüche. Es sind kleine, langsamwachsende Orchideen mit relativ großen, interessanten Blüten, jedoch nicht für den Schnitt geeignet, da sie sich nur an der Pflanze längere Zeit halten. Der geringe Platzbedarf macht sie zu idealen Sammelobjekten für den Orchideenfreund. Allerdings müssen sie äußerst aufmerksam gepflegt werden. Allgemein stellen sie ebensolche Ansprüche wie Cattleya, nur brauchen sie mehr Schatten. Dies bezieht sich auf die brasilianischen Arten; die kolumbianischen werden im Sommer kühl,

luftig und schattig gehalten, im Winter temperiert. Als Pflanzstoff dient die Standardmischung, Töpfe klein.
Der Habitus ist ziemlich gleichförmig, kleine, flache Bulben, 1–3blättrig, Blätter linealisch, schmal. Blütenstand aufrecht, Blüten flach.

Miltonia candida, II/T. Brasilien. Blütenstand 3–7blütig, bis 50 cm lang, Blüten 8–9 cm breit, grünlichgelb mit großen braunen Flecken, Lippe weiß. 8–11.

M. clowesii, II/T. Brasilien. Blütenstand 7–10blütig, bis 50 cm hoch, etwa 7 cm breit, gelb mit großen braunen Flecken, Lippe violettpurpur mit Weiß. 9–11.

M. cuneata, II/T. Brasilien. 5–8blütig, Blüten 6–7 cm breit, gelb mit braunen Flekken. 2–3.

M. endresii, II/T. Costa Rica. Blütenstand bis 30 cm lang, 4–6blütig, Blüten etwa 7 cm breit, weiß mit violetten Streifen, Lippe weiß mit violetten Flecken. 2.

M. flavescens, II/T. Brasilien. 6–12blütig, bis 35 cm hoch, Blüten hellgelb mit roter Lippenzeichnung. 6–10.

M. spectabilis, II/T. Brasilien. Meist einblütig, etwa 9 cm Blütendurchmesser, weiß, Lippe rotviolett mit dunklerer Mitte. 8.

M. vexillaria, III/T. Kolumbien. 2–6blütig, Blüten etwa 8 cm Durchmesser, rosa, Lippe weiß oder hellrosa mit dunkler Mitte. Sehr variable Art. 5–6.
Infolge intensiver Züchtungsarbeit gibt es herrliche Hybriden bis zu intensivem Rot oder mit interessanter Zeichnung. Noch verhältnismäßig wenig bekannt sind die Gattungshybriden, Verbindungen von Miltonia mit Brassia, Odontoglossum, Oncidium, Rodriguezia, Trichopilia u. a.

Odontoglossum

Der Name dieser Gattung hat einen guten Klang bei Orchideenfreunden. Eine der etwa 90 Arten – und zwar Odontoglossum grande – zählt zu den beliebtesten Orchideen, welche unschwierig zu pflegen sind. Eine weitere Art – O. crispum – hatte früher große Bedeutung als kühl zu haltende Orchidee von bezauberndem Reiz. Diese Art ist in ihrem natürlichen Vorkommen in Kolumbien fast völlig ausgerottet; ihre Schönheit wurde ihr zum Verderben. Die kolumbianischen Arten insgesamt sind infolge ihrer Ansprüche an die Umweltbedingungen – sie entstammen den feucht-kühlen Bergwäldern in Höhen von 2000–3000 m – schwierig zu pflegen. Demgegenüber sind die mittelamerikanischen Arten wenig anspruchsvoll und verdienen das Interesse in höherem Maße.
Odontoglossum sind von bescheidenem Umfang; die stets seitlich zusammengedrückten Pseudobulben haben eine Höhe von 3–10 cm und sind 1–2blättrig. Die Blüten erscheinen in Trauben oder Rispen und sind z. T. sehr ansehnlich. Man pflegt die stärker wachsenden Arten in Töpfen in der Standardmischung; die kleinwüchsigen gedeihen besser in Blockkultur; 2e.
Je nach Herkunft werden sie in kühlen oder temperierten Bereich untergebracht. Man hält sie halbschattig, in der Vegetationsperiode genügend feucht und luftig. Eine ausgeprägte Trockenzeit gibt es nicht, jedoch bedingt die relativ niedrige Temperatur im Winter eine stark gemäßigte Feuchtigkeit. SANDER gibt eine goldene

Regel für Odontoglossum crispum und ihre Hybriden und Gattungshybriden: Wenn die Temperatur unter 10°C liegt, darf weder gegossen noch gespritzt werden; liegt sie bei 10°C, dann gibt es etwas Wasser; ist sie aber über 15°C, dann sei freigebig mit Gießen und Spritzen.

Odontoglossum bictoniense, II/T/K. Zentralamerika. Pseudobulben eiförmig, zweiblättrig, bis 12 cm hoch, Blätter schmal-lanzettlich, bis 40 cm lang; Blütenstand aufrecht, bis 1 m hoch, vielblütig, Blüten 3–4 cm breit, gelblichgrün mit braunen Flecken, Lippe violett. 10–12.

O. cervantesii, II/T. Mexiko-Guatemala. Pseudobulben eiförmig, einblättrig, 3–5 cm hoch. Blätter lanzettlich-zungenförmig, 14–18 cm lang. Blütenstand 3–5blütig, bis 20 cm lang, Blüten 5–6 cm breit, duftend, weiß mit roten Querstreifen, Lippe weiß mit Gelb. 11–3.

O. crispum, III/K. Kolumbien. Pseudobulben eiförmig, 2–3blättrig, Blätter linealisch, bis 40 cm lang. Blütenstand dicht vielblütig, Blüten etwa 10 cm Durchmesser, Färbung variabel, weiß oder weißlichrosa, rotbraun gefleckt, Lippe weiß mit roten Flecken und gelber Mitte. 2–4.

O. grande, I/T/K. Costa Rica. Pseudobulben breitoval, 2–3blättrig, bis 8 cm hoch. Blätter elliptisch, bis 25 cm lang. Blütenstand 3–6blütig, Blüten bis 20 cm Durchmesser, gelb mit braunen Querbändern, Lippe weiß oder gelb mit Braun, Zeichnung variabel. 11–3.

O. maculatum, II/T. Mexiko. Pseudobulben einblättrig, eiförmig, 5–6 cm hoch. Blätter zungenförmig, bis 20 cm lang. Blütenstand bis 40 cm lang, Blüten 5–6 cm Durchmesser, braun mit Gelb, Lippe gelb, braungefleckt. 3–4.

O. pulchellum, I/K. Guatemala, Costa Rica. Pseudobulben zweiblättrig, eiförmig, 5–8 cm hoch. Blätter linealisch, schmal, bis 30 cm lang. Blütenstand 8–10blütig, Blüten etwa 3 cm breit, weiß, Lippenbasis rotpunktiert, hyazinthenartig duftend, 2–4.

O. rossii, I/T/K. Mexiko. Pseudobulben eiförmig, einblättrig, 4–6 cm hoch. Blätter lanzettlich, bis 12 cm lang. Blütenstand überhängend, 2–5blütig, Blüten bis 8 cm Durchmesser, weiß oder hellrosa, braungefleckt. 2–4.

Die Züchtungsarbeit erbrachte durch die Verbindung von Odontoglossum crispum mit anderen Gattungen hervorragende Erfolge. Die wichtigsten Gattungsbastarde sind:

Odontoglossum × Cochlioda = **Odontioda**;
Odontoglossum × Cochlioda × Miltonia = **Vuylstekeara**;
Odontoglossum × Miltonia = **Odontonia**;
Odontoglossum × Miltonia × Oncidium = **Colmanara**;
Odontoglossum × Oncidium = **Odontocidium**,

Die Farbskala umfaßt alle Abstufungen von Weiß über Gelb, Orange und Rosa bis zu intensivem Rot,-einfarbig oder mit variabler Zeichnung. Zum Teil ist durch die Einbeziehung anderer Gattungen die Empfindlichkeit gegen hohe Sommertemperaturen unseres kontinentalen Klimas gemindert.

Die Gattung umfaßt etwa 700 Arten mit einem sehr großen Verbreitungsgebiet, welches nördlich bis Mexiko und Westindien und südlich bis Bolivien und Paraguay reicht. In der Pflege erfordern die Pflanzen vorwiegend die Bedingungen des kühlen und temperierten Bereiches. Einige Arten sind mit Erfolg im Zimmer zu halten, sofern die relativ bescheidenen Ansprüche berücksichtigt werden. Die Größenunterschiede sind recht beträchtlich. Von Zwergen, die nur am Block zu pflegen sind – wie z. B. Oncidium pusillum –, bis zu umfangreichen Exemplaren von O. sphacelatum mit Blättern bis zu 60 cm Länge gibt es alle Abstufungen. Die Blütenstände sind nicht selten sehr hoch und stark verzweigt, stets jedoch in Rispenform; die meist zahlreichen Blüten sind relativ klein.
Allgemein sind Oncidium mit Odontoglossum erfolgreich zu pflegen. Detaillierte Angaben erübrigen sich. Durchschnittlich benötigen sie jedoch etwas mehr Wärme. Ruhezeit ziemlich ausgeprägt bei möglichst hellem Stand und mäßiger Luftfeuchtigkeit.
Alle Arten gedeihen in Pflanzstoff der Standardmischung gut; man gibt nicht zu große Gefäße. Besonders lichtbedürftige Arten – es sind diejenigen mit sehr derber, lederiger Blattstruktur – sind nahe dem Glase aufzuhängen.

Oncidium bicallosum, II/T. Guatemala. Bulbenbildung gering, Blätter derb, dickfleischig. Blütenstand 6–15blütig, bis 40 cm lang, Blüten 6 cm breit, außen grüngelb, innen leuchtend goldgelb, Lippe goldgelb, rotpunktiert. 8–10.

O. cavendishianum, II/T. Mexiko. Ähnlich O. bicallosum, kräftiger; Blütenstand bis 50 cm hoch, dicht vielblütig, Blüten etwa 5 cm breit, gelb, mit braunrot-gefleckten Sepalen, Lippe goldgelb. 1–3.

O. crispum, II/T. Brasilien. Pseudobulben eiförmig, zweiblättrig, Blätter schmallanzettlich. Blütenstand locker, vielblütig, Blüten 5–7 cm breit, braun mit gelbem Rand. 9–12.

O. forbesii, II/T/K. Brasilien. Habitus ähnlich O. crispum, Rispe meist nicht verzweigt. Blüten größer, kastanienbraun mit gelben Rändern, Lippe gelb, braunrot gefleckt. 9–11.

O. harrisonianum, II/T. Brasilien. Pseudobulben kreisrund, etwa 2,5 cm hoch, einblättrig, Blätter länglich-zungenförmig, 7–12 cm lang. Blütenstand aufrecht, 20 bis 30 cm hoch, 15–20blütig, Blüten etwa 1,8 cm Durchmesser, gelb, schwach rotgefleckt. Blockkultur, 2e. 10–11.

O. kramerianum, III/W. Ecuador, Kolumbien. Sehr ähnlich O. papilio, etwas kleiner im Habitus und kräftigere Farbe der kleineren Blüten.

O. leucochilum, II/T. Guatemala, Mexiko. Pseudobulben oval, zweiblättrig, Blätter linealisch, spitz, bis 30 cm lang. Blütenstand bis 2 m hoch, locker verzweigt, vielblütig, Blüten grünlich, dicht braungefleckt, Lippe weiß mit rosa Nervatur. 1–5.

O. ornithorhynchum, II/K. Mexiko, Guatemala. Pseudobulben eiförmig, zweiblättrig. Blütenstand überhängend, verzweigt, locker vielblütig, Blüten klein, rosa mit goldgelber Lippenzeichnung, stark duftend. 10–11.

O. papilio, III/W. Venezuela. Pseudobulben oval, einblättrig, Blätter fleischig, elliptisch, grün mit roten Flecken. Blütenstand 60–110 cm mit sich einzeln entwickelnden Blüten, bis 12 cm lang, braun mit gelben Flecken, Lippe gelb mit Braun. Blütezeit verschieden.

O. pusillum, III/T. Venezuela. Blätter lanzettlich, bis 4 cm lang. Blütenstand 1–2-blütig, etwa 1,3 cm lang, gelb, rotgefleckt, Lippe groß, goldgelb, rotpunktiert. 7–8. Blockkultur, 2e.

O. sphacelatum, III/T. Guatemala. Pseudobulben länglich, 10–15 cm lang, Blätter linealisch, 30–60 cm lang. Blütenstand 1–1,5 m hoch, verzweigt, locker vielblütig, Blüten etwa 3 cm breit, gelb, rotbraun gefleckt, Lippe goldgelb. 2–4.

O. splendidum, II/T/W. Brasilien. Pseudobulben kurz, 7–8 cm hoch, einblättrig, Blätter fleischig, derb, bis 30 cm lang. Blütenstand aufrecht, bis 1,2 m hoch, 9–20-blütig, Blüten etwa 6 cm breit, gelb, braungefleckt, Lippe bis 4 cm lang, 4,5 cm breit, goldgelb. 4–6.

O. varicosum, II/K. Brasilien. Pseudobulben länglich-oval, zweiblättrig, 8–10 cm hoch. Blätter linealisch, 15–20 cm lang. Blütenstand aufrecht, locker verzweigt, vielblütig, 0,80–1,5 m hoch, Blüten gelbgrün, Lippe groß, leuchtend goldgelb. 10–12. Die Form **var. rogersii** hat besonders große Blüten.
In neuerer Zeit sind eine ganze Anzahl Artkreuzungen entstanden, welche Interesse verdienen. Gleiches gilt für Gattungshybriden; die wichtigsten sind:

Oncidium × Brassia = **Brassidium**;
Oncidium × Miltonia = **Miltonidium**;
Oncidium × Odontoglossum = **Odontocidium**;
Oncidium × Rodriguezia = **Rodricidium**.

Die Pflege unterscheidet sich nicht von Oncidium.

Paphiopedilum

Gegenüber den etwa 55 Arten steht heute die große Zahl der Züchtungen stärker im Mittelpunkt des Interesses. Das Verbreitungsgebiet erstreckt sich auf das subtropische und tropische Asien von Indien über den malaiischen Archipel bis Neuguinea. Paphiopedilum wachsen terrestrisch, z. T. auch auf Felsen mit Humusdecke, selten epiphytisch. Sie lieben relativ hohe Luftfeuchtigkeit. Infolgedessen sind sie für die Zimmerpflege ungeeignet. Bei der großen Beliebtheit der „Frauenschuh-Orchideen“ ist dies schmerzlich; man muß sich jedoch damit abfinden – trotz gelegentlicher Erfolge. Im Pflanzenfenster wachsen sie jedoch gut, wenn die wesentlichen Ansprüche erfüllt werden. Dies sind eine gleichbleibende, nicht stagnierende Feuchtigkeit, hohe Luftfeuchtigkeit und reichlich Schatten. Die Temperaturansprüche sind differenziert und liegen je nach heimatlichem Vorkommen in allen drei Bereichen.
Eine ausgesprochene Ruhezeit gibt es nicht. Sie wird nur angedeutet durch etwas geminderte Ballenfeuchtigkeit in den Wintermonaten; trocken dürfen die Pflanzen jedoch nie werden.

Paphiopedilum bilden gegenüber epiphytisch wachsenden Orchideen relativ wenig Wurzeln und sind infolgedessen empfindlich. Wurzelkranke Pflanzen sind schwer in Ordnung zu bringen. Die Pflanzstoffe werden unterschiedlich verwendet, wobei Erfolge mit extrem anmutenden Bestandteilen möglich sind. Vor Experimenten sei jedoch gewarnt. Häufig wird Lehm als Zusatz empfohlen. Der englische „loam" steht bei uns kaum zur Verfügung; es ist eine Rasenerde besonderer Beschaffenheit, die wenig mit unserem landläufigen Begriff von Lehm zu tun hat. Die Standardmischung und ihre Varianten 2a–2c sind brauchbar, wenn der Anteil Sphagnum erhöht wird. Man gibt mäßig große Töpfe und verpflanzt in der Regel alljährlich. Es kann ziemlich früh in der Jahreszeit erfolgen, möglichst vor Beginn der neuen Wurzelbildung.

Paphiopedilum callosum, II/T/W. Thailand. Blätter bis 25 cm lang, 4–5 cm breit, hell graugrün mit dunklerer Zeichnung. Schaft 25–35 cm hoch, Blüte etwa 10 cm breit, Fahne aus grünlicher Basis weiß mit zahlreichen purpurnen Längsstreifen, Schuh braunpurpur. 3–6.

P. fairieanum, III/T. Assam. Blätter linealisch, hellgrün, bis 15 cm lang, 1,5–2,5 cm breit. Schaft 15–20 cm hoch. Blüten etwa 6 cm breit, Fahne weiß, violett gestreift, Schuh grünrot, purpur geadert. 7–9.

P. hirsutissimum, II/T. Assam. Blätter riemenförmig, oberseits dunkler marmoriert, etwa 15 cm lang, 1,5–2 cm breit. Schaft 15–20 cm hoch, Blüte etwa 12 cm breit, Fahne grün, violett überlaufen, Petalen wellig, Basis grün, Spitzen violett, braun punktiert. 4–6.

P. insigne, II/K. Himalaja, auf Felsen, 1800–2000 m hoch. Blätter linealisch, 15 bis 25 cm lang, 1,5–2,5 cm breit. Schaft etwa 20 cm hoch, Fahne aus grünem Grund weiß mit braunen Punkten, Schuh gelbgrün. 10–12. Blüht nur mit Sicherheit, wenn im September die Nachttemperaturen 13 °C nicht übersteigen. Es gibt zahlreiche Varietäten.

P. spicerianum, II/T. Assam. Blätter linealisch, bis 25 cm lang, 2–3 cm breit. Schaft etwa 20 cm hoch, Blüten etwa 6 cm breit, Fahne weiß mit purpurnem Mittelstreifen, Petalen stark gewellt, Schuh violettbraun, grün gerandet. 10–1.

P. venustum, II/T/K. Himalaja, 1000–1500 m hoch. Blätter breit bandförmig, 10 bis 15 cm lang, 4 cm breit, oberseits grüngrau marmoriert, Unterseite dunkelpurpur Schaft etwa 15 cm hoch, Blüte etwa 8 cm breit, Fahne weißlich, grün gestreift, Lippe gelbgrün mit grünen Adern. 11–1.

P. villosum, II/T/K. Burma. Blätter bandförmig, 25–40 cm lang, 4 cm breit. Schaft 25–30 cm hoch, Blüten etwa 15 cm breit, Fahne olivbraun, weiß gerandet, Petalen braungelb, Schuh braungelb mit helleren Adern. 11–5.

Wie bereits erwähnt, ist die Zahl der Paphiopedilum-Hybriden sehr groß. Die Ermittlung ihrer Pflegeansprüche ist oft nicht leicht, wenn die Eltern unbekannt sind. Als einziges äußeres Merkmal ist die Form und Färbung der Blätter ein Hinweis. Sind sie gefleckt, benötigen die Pflanzen auf jeden Fall höhere Wärme und besonders reichlich Schatten. Hybriden mit kürzeren, breiten Blättern hält man mittelwarm und solche mit relativ schmalen, längeren Blättern, die auf Abstammung von P. insigne hinweisen, kühl. Dies sind grobe Anhaltspunkte. Bei Bekanntsein der Eltern richtet man sich nach ihren Ansprüchen bzw. nimmt einen Mittelwert, wenn die Eltern aus verschiedenen Temperaturbereichen stammen.

Phalaenopsis

Die etwa 40 Arten dieser Gattung haben ausnahmslos gleichen Habitus und unterscheiden sich wesentlich nur durch die Größe und Färbung der weichen, fleischigen Blätter, die zu etwa 4 bis 5 an einem kurzen, kaum erkennbaren Stamm sitzen. Die Blütenstände in Rispenform sind unterschiedlich, mehr oder weniger groß, z. T. verzweigt und vielblütig. Größe, Form und Färbung der stets flachen Blüten sind bestimmend für ihre Wertung. Sie halten sich viele Wochen lang in Blüte; infolgedessen sind diese Orchideen besonders interessant für den Liebhaber. Bisher galten sie als empfindlich und schwierig; das sind sie aber nicht, wenn die hauptsächlichen Ansprüche – Temperatur um +20 °C und darüber, genügend Schatten und hohe Luftfeuchtigkeit – erfüllt werden. Eine Steigerung ist zu erreichen, wenn die Pflanzen in der lichtarmen Zeit – also von November bis Februar, – zusätzlich belichtet werden. Sie sind nicht unmittelbar im Zimmer, sondern hinter Glas zu halten.
Phalaenopsis bedürfen keiner Ruhezeit. Jedes stärkere Austrocknen muß vermieden werden. Ebenso empfindlich sind sie gegen übergroße Nässe. Diese kann gefährlich werden, wenn gleichzeitig größere Temperaturgegensätze unvermeidlich sind. Dann werden die Blätter plötzlich fleckig und fallen später ab. Manchmal geht die ganze Pflanze ein.
Der Pflanzstoff muß sehr luftdurchlässig sein; empfehlenswert ist die Standardmischung. Den hohen Sauerstoffbedarf der meist bandförmigen Wurzeln erkennt man daran, daß sie am besten außerhalb des Pflanzstoffes entwickelt sind. Sie verbinden sich meist unlösbar mit der Außenwandung der Pflanzgefäße. Die Pflanzen gedeihen gleich gut in Töpfen, Schalen, Körbchen oder am Block. Letztere Art erfordert jedoch besondere Aufmerksamkeit in der Feuchthaltung. Phalaenopsis kann man jederzeit, außerhalb der Blüte, verpflanzen. Es sollte jährlich geschehen. Für zusätzliche Ernährung sind sie sehr empfänglich; man hüte sich jedoch vor einer Überdüngung, da sie die Existenz der Pflanze gefährden kann.

Phalaenopsis amabilis, III/W. Sunda-Inseln. Blätter verkehrt-eiförmig-länglich, bis 30 cm lang und 12 cm breit. Blütenstand übergebogen, evtl. verzweigt, 40–70 cm lang, 6–15blütig, Blüten 6–8 cm breit, weiß mit etwas Gelb und roter Strichelung in der Lippe. 10–1.

Ph. sanderiana, III/W. Philippinen. Habitus wie Ph. amabilis. Blüten lilarosa, variierend. Blütezeit verschieden.

Ph. schilleriana, III/W. Philippinen. Blätter länglich, bis 30 cm lang, 10–12 cm breit, auf dunkelgrünem Grund silbergrau gefleckt. Blütenstand bis 1 m hoch, verzweigt, sehr vielblütig, Blüten etwa 5 cm breit, lilarosa, Lippe rötlich mit ankerartigem Fortsatz. 2–5.

Als weitere reizvolle, jedoch schwieriger zu haltende Arten sind zu nennen:

Ph. lueddemanniana, Ph. equestris, Ph. mannii, Ph. parishii u.a.

Die Züchtung hat in großem Umfang sehr schöne und in neuester Zeit besonders interessante Hybriden erbracht. In der Gruppe mit Phalaenopsis amabilis als Grundlage ist die Blütengröße und edle Form wesentlich gesteigert, auch die Haltbarkeit als Schnittblume. Nachkommen von Ph. sanderiana und Ph. schilleriana zeigen herrliche Töne in Rosa mit steigender Blütengröße. Ph. lueddemanniana in vielfacher Kombination vererbt in der Blüte die farbige Bänderung bzw. Fleckung, und aus der Einbeziehung anderer Arten in die Züchtung resultieren gelbe Farbtöne. Verbindungen mit der verwandten Gattung Doritis ergaben Doritaenopsis, kleinblütige Dauerblüher von Hell- bis zu intensivem Dunkellila.
Die Phalaenopsis-Züchtung stellt eine ungeahnte Bereicherung des Gesamtkomplexes Orchideen dar – mit Ergebnissen, welche durch Eleganz und Blütendauer unvergleichlich sind. Die Pflege der Hybriden ist derjenigen der Arten gleich.

Pleurothallis

Die etwa 400 oder 500 Arten dieser Gattung sind wohl ausschließlich Epiphyten, beheimatet im tropischen Amerika von Mexiko und Westindien bis Bolivien und Argentinien. Der Wuchs ist mehr oder weniger klein, sie sind horstbildend mit teilweise außerordentlich interessanten Blütenbau. Man pflegt sie am Block ohne nennenswerte Ruhezeit temperiert bis kühl, halbschattig, mit gleichzeitigem Schutz vor starker Austrocknung. Gelegentliche schwache Düngung in der Vegetationsperiode ist gesunden Pflanzen förderlich. Sie sollten möglichst lange ungestört bleiben, also nicht zu oft geteilt werden.

Rodriguezia

Wie die vorige ebenfalls kleinwüchsig mit gleichen Ansprüchen. Zu nennen ist
Rodriguezia decora mit gelblichweißen, rotgefleckten und
R. secunda mit roten Blüten. Heimat: tropisches Amerika, bevorzugt Brasilien.

Sophronitis

Für die Freunde kleinwüchsiger Epiphyten bietet diese 7 Arten umfassende, in Brasilien beheimatete Gattung eine besondere Attraktion in
Sophronitis coccinea. Ihre Pseudobulben sind nur 3 cm hoch, die Blätter etwa 7 cm lang und dicklederig. Die im Verhältnis zur Pflanze sehr großen, bis 8 cm breiten Blüten sind leuchtend scharlachrot. Man pflegt die Pflanzen am Block kühl bis temperiert entsprechend ihrem Vorkommen im Orgelgebirge Brasiliens in Höhen um 1000 bis 1500 m. 11–2. Durch die Kreuzung mit Cattleya und Laelia entstanden die rotblühenden **Sophrocattleya, Sophrolaelia, Sophrolaeliocattleya,** welche in den modernsten Züchtungen das wohl Kostbarste auf diesem Gebiet darstellen. Eine weitere reizvolle Art ist
Sophronitis cernua mit kleinen gelbroten Blüten. 11–1.

Stanhopea

Die Gattung umfaßt etwa 50 Arten, welche epiphytisch-wachsend in Mexiko, Zentralamerika, Kolumbien und Peru vorkommen. Sie sind starkwüchsig und gleichen sich im Habitus sehr, wodurch die Unterscheidung im nichtblühenden Zustand schwierig ist. Die Pseudobulben sind eiförmig, gefurcht, einblättrig, die Blätter groß, elliptisch, gestielt, lederig-derb. Stanhopea haben die Eigenschaft, ihre Blütenstände nach unten zu entwickeln; sie sind 2–10blütig, die Blüten selbst sehr kompliziert gebaut, von wachsartiger, glänzender Beschaffenheit und starkem Duft. Ihre Haltbarkeit beträgt nur 3–4 Tage. Am bekanntesten sind

Stanhopea tigrina, ferner **St. eburnea, St. insignis** und **St. oculata,** sämtliche Kategorie I/T. Infolge der nach unten wachsenden Blütenknospen müssen sie in Körben gepflegt und aufgehängt werden. Man gibt Standardmischung oder 2g; eine Düngung ist in der Vegetationsperiode angebracht. Starke Exemplare können in der warmen Jahreszeit im Freien unter Bäumen aufgehängt mit Erfolg gepflegt werden, sonst temperiert mit ausgeprägter Ruhezeit. Die Blüten erscheinen je nach Art von Juni bis Oktober und sind durch Form, Farbe und Duft ein Inbegriff tropischen Blühens.

Trichopilia

Etwa 15 Arten sind mittel- und südamerikanischer Herkunft. Sie wachsen epiphytisch. Der Gegensatz des bescheidenen Umfanges der Pflanzen zur Größe der Blüten ist bemerkenswert. Die Pseudobulben sind länglich, rundlich oder oval, einblättrig, Blätter etwa 12–20 cm lang, meist elliptisch-länglich. Man hält alle Arten temperiert, halbschattig mit mäßiger Feuchtigkeit und nicht zu strenger Ruhezeit. Pflege in Töpfen, Standardmischung oder am Block, 2e.
Die bekannteste Art:
Trichopilia tortilis, III/T. Guatemala, Mexiko. Pseudobulben schmal, 4–8 cm hoch, 1–1,5 cm breit. Blätter länglich-elliptisch, 10–15 cm lang, 3–4 cm breit. 1–2blütig, Blütenblätter korkzieherartig gedreht, braun, grüngelb gerandet, Lippe tütenförmig, weiß, innen braunrot getüpfelt. 12–2.

Vanda

Der Vollständigkeit halber sei diese Gattung hier mit aufgeführt, obgleich einige Sonderansprüche die Haltung relativ schwierig gestalten. Der ziemlich umfangreiche Wuchs läßt überdies eine Anschaffung nur dann als empfehlenswert erscheinen, wenn genügend Platz vorhanden ist.
Eine Gruppierung nach den Temperaturansprüchen folgt nachstehend als Übersicht:
I/II/T./R: +8–10°C als Minimum, Durchschnitt +12–15°C, wenig Feuchtigkeit. V: warm, feucht, viel Licht. Herkunft meist aus Nordost-Indien, **Vanda coerules** als die bekannteste in blauem Farbton, ferner **V. amesiana, V. kimballiana, V. tricolor.**
II/T./R: +18°C, wenig Feuchtigkeit. V: warm, feucht, viel Licht. Bekannteste Art: **Vanda teres,** mit stielrunden Blättern und interessant geformten violettrosa Blüten.
III/W./R: +20–24°C, mäßig feucht. V: sehr warm, feucht, viel Licht. Schönste Art der Gattung: **Vanda sanderiana,** sehr großblütig und besonders prächtig gefärbt.

Als Pflanzstoff kommt die Standardmischung in Betracht. Zu hoch gewordene Pflanzen können abgesetzt werden, d.h. man schneidet den Stamm im unbeblätterten Teil durch und pflanzt das Oberteil unter Schonung der Luftwurzeln neu ein.
Vanda coerulea ist schon zeitig züchterisch bearbeitet worden; die herrliche blaue Farbe vererbte sich jedoch nicht so intensiv wie angestrebt. In Südostasien und besonders auf Hawaii sind wundervolle Züchtungen aus V. sanderiana entstanden mit unvergleichlich schönen Farbtönen in Rosa, Gelb, Orange und Rot, oft mehrfarbig und sehr großblütig.
Der ausschlaggebende Faktor für sicheres Blühen ist bei sämtlichen Arten und Hybriden ausreichend Licht. Um gute Blüherfolge im europäischen Klima zu sichern, schreiben die hawaiischen Züchter für ihre Hybriden eine zusätzliche Belichtung von mindestens zwei Stunden täglich vor. Ohne Zusatzlicht erfolgt keine Knospenbildung, oder sie kommt nicht über die erste Entwicklung hinaus.
Die Kombinationen mit anderen Gattungen sind sehr zahlreich, am interessantesten diejenigen mit Phalaenopsis, die *Vandaenopsis* benannt sind. Darüber hinaus sind z.Z. weitere 13 einfache oder mehrfache Gattungsbastarde in vielen Variationen bekannt.

Zygopetalon

Etwa 20 epiphytische Arten, vorwiegend aus Brasilien stammend, bilden diese Gattung; nur zwei Arten sind bekannter gegenüber den übrigen, welche nicht in Erscheinung treten. Sie lassen sich unter Berücksichtigung einfachster Ansprüche relativ leicht auch im Zimmer pflegen. Das Haupterfordernis ist kühler, halbschattiger Stand und ausreichende Feuchtigkeit, auch im Winter; also keine Ruhezeit. Als Pflanzstoff kommt 2g in Betracht. Die Gefäße sollen nicht zu klein sein.

Zygopetalon crinitum, I/T. Brasilien, Orgelgebirge. Pseudobulben breit-eiförmig, 2–3blättrig, Blätter bis 35 cm lang, bis 4,5 cm breit. Blütenstand bis 50 cm hoch, 5–7blütig, Blüten grün, braun gefleckt, Lippe weiß, blauviolett geadert. 10–12.

Z. mackaii, I/T. Brasilien. Ähnlich Z. crinitum, Blüten mit größerer, violettblaugefleckter Lippenplatte. 11–2.
Interessant ist die Gattungshybride Zygopetalon × Lycaste = **Zygocaste.**

ORCHIDEEN IM GARTEN

Der Hauptteil dieses Buches ist der Pflege von Orchideen aus tropischen und subtropischen Gebieten gewidmet. Fast 700 Gattungen mit etwa 20000 oder mehr Arten wachsen in weiten Gebieten der Erde, darunter auch in der gemäßigten Zone bis zum Polarkreis. Die europäische Flora birgt 182 Arten, im deutschen Raum sind 55 Arten beheimatet. Es liegt nahe anzunehmen, daß sich Pflanzenfreunde viel mehr mit den einheimischen Orchideen befassen als mit den wahrscheinlich anspruchsvolleren Vertretern einer fernen, fremden Welt. Leider – möchte man fast sagen – ist es gerade umgekehrt. Wir wissen viel von tropischen Orchideen und ihrer Pflege, aber verhältnismäßig wenig von den einheimischen und insgesamt in Europa beheimateten Gattungen und Arten. In mancher Hinsicht ist dies rein psychologisch bedingt. Die meisten – oder richtiger fast alle – europäischen Orchideen haben kleine, unauffällige Blüten, deren Schönheit und Eigenart erst die Betrachtung mit der Lupe enthüllt. Sie sprechen also in dieser Hinsicht den Beschauer weniger an als ihre attraktiveren exotischen Verwandten. Trotzdem gibt es viele Menschen, die ihr Interesse besonders für die einheimischen Orchideen bekunden. Aus dem Studium ihrer Standorte und Lebensgewohnheiten als einem Teil der möglichen Verbindungen mit diesen Kleinoden der Natur erwächst der Wunsch, im eigenen Garten Orchideen zu pflegen. Ein anderer Beweggrund mag auch die Liebe zum eigenen Garten sein und das Bemühen, ihn mit den seltensten und kostbarsten Pflanzen zu schmücken. Oft mögen sich auch beide Beweggründe vereinen.

Die Realisierung solcher Wünsche ist jedoch nicht einfach. Man wird sagen, alles was in der Natur gedeiht, muß erst recht im Garten wachsen, weil im Schutze eines Gartenraumes – also unter meist günstigeren Bedingungen – Pflanzen bessere Entwicklungsmöglichkeiten haben als in der freien Natur. Dies mag auf andere Gewächse zutreffen – Orchideen bilden eine Ausnahme. Alle Umweltfaktoren des natürlichen Standortes müssen bei der Pflege im Garten und schon bei der Pflanzung berücksichtigt werden. Die Erfahrung lehrt, daß viele Arten streng an das Vorhandensein bestimmter Bodenverhältnisse gebunden sind; andere erscheinen wiederum nicht wählerisch und gedeihen an den unmöglichsten Stellen.

Bei kritischer Bewertung von Ergebnissen bei der Pflege von Orchideen im Garten kommt man zu der Erkenntnis, daß Dauererfolge unverdientes Glück infolge zufällig erfüllter Ansprüche oder die Auswirkungen intensivsten Bemühens sind.

Es liegt nahe, nach den Ursachen zu forschen, welche die Orchideen unsererHeimat, die Vertreter der Orchideenfamilie Europas oder, noch weiter gefaßt, insgesamt die Orchideen der gemäßigten Zonen zu mehr oder weniger anspruchsvollen Gewächsen

machen. Die Ansprüche – besonders diejenigen an Wärme und Windschutz – gehen auf die Umweltbedingungen der Urheimat zurück, aus der die Pflanzen nach Mitteleuropa einwanderten.
Verfolgen wir diese Wanderwege, so erkennen wir, was die Ansprüche verursacht, und können die Erkenntnisse auswerten.
Betrachten wir die Entwicklungsgeschichte unserer Erde, so stellen wir fest, daß im Zeitalter des Diluviums und seiner Folgezeit pflanzliches Leben in Mitteleuropa in hartem und erbarmungslosem Ringen um bescheidenste Existenzmöglichkeiten stand. Nur Pflanzen mit bescheidensten Ansprüchen waren existenzfähig; Orchideen waren nicht im entferntesten dabei.
Der Zug wärmeliebender Pflanzen aus dem Süden über die große Barriere der Alpen nach dem Norden begann etwa 5000 v.u.Z. Der Einzug von Gewächsen des atlantischen Florenbereiches – also aus der westlichen Hemisphäre – begann um 3000 v.u.Z. in Gegenden Mitteleuropas mit ausgeglichenem Klima ohne Extreme eines harten Winters und trockenen Sommers.
Innerhalb dieser beiden vorgenannten Zeiträume wirkte sich der ungeheure Drang des allgewaltigen grünen Lebens nach Ausbreitung auch auf die Orchideen aus. Die Gattungen und Arten aus den südrussischen und ungarischen Steppen finden den Weg nach Nordwesten längs der Elbe und Oder und auf beiden Seiten der Donau.
In noch jüngerer Zeit – etwa nach 3000 v.u.Z. – beginnt der Zuzug aus dem Süden. Aus dem großen Orchideenreservoir des Mittelmeergebietes – z.T. schon mit Übergängen zu subtropischem Klima – entwickeln sich Wanderstraßen entlang der Rhone, über die Burgundische Pforte und das Moseltal. Die härteren Arten finden besonders in den Gebieten mit Weinklima zusagende Lebensbedingungen, aber sie stellen Ansprüche an die Standorte, die der Umwelt ihrer Urheimat angeglichen sein müssen.
Im Verhältnis zu den langen Zeiträumen, in denen sich die Gesamtvegetation auf unserer Erde entwickelte, erscheinen die genannten wenigen Jahrtausende, in denen verschiedene Orchideen in Mitteleuropa heimisch wurden, als kaum faßbar. Man meint, sie müßten schon eine viel längere Zeit Bestandteil der heimischen Flora gewesen sein. Doch beweist die verhältnismäßig geringe Zahl der bodenständig gewordenen Gattungen und Arten, wie schwierig es für sie war, die nördlichen Gebiete zu erobern; Zahlen sprechen eine deutliche Sprache. Der Streit über die Gesamtzahl der Orchideen in der ganzen Welt ist noch nicht entschieden. Die Angaben schwanken zwischen 15000 und 30000. Konkret sind jedoch folgende Zahlen: Europa beherbergt 182 Arten, davon kommen 55 im deutschen Raum vor. Norddeutschland erreichten auf der großen Wanderung 30 Arten, die Küsten der Nord- und Ostsee beherbergen 21 Arten. Die Zahlen werden immer geringer, je weiter nördlich man Orchideen sucht; eine Art – Calypso borealis – hat als einzige den Polarkreis erreicht.
Manchem Leser mögen solche Angaben uninteressant erscheinen und ohne Bezug zu dem, was er konkret zu erfahren wünscht: Angaben über die Möglichkeiten der Pflege im Garten. Aus dem Wissen um die Herkunft wird jedoch grundlegend offenbar, daß eine umfassende Verbreitung in der Natur nicht möglich war und in der Gegenwart und in Zukunft noch weniger denkbar erscheint.

Wie steht es aber mit der Pflege im Garten? Bleiben wir zunächst einmal bei den Standortbedingungen. Die Ansprüche an sie sind schon bei den bekanntesten einheimischen Orchideen infolge der Verschiedenartigkeit des Klimas und der Bodenverhältnisse in ihrer Urheimat sehr differenziert. Von trocken-heißen Hanglagen bis zu beständig feuchten, relativ kühlen, sonnenabseitigen Stellen sind viele Varianten gegeben. Wir wissen um den Sonnenreichtum und die Wärme des mediterranen Raumes – also der Mittelmeerländer. Ähnliche Verhältnisse finden sich in den südrussischen und ungarischen Steppen. Haben wir die Möglichkeit, die Bodenverhältnisse denen der Heimatgebiete anzunähern, so ist für den Dauererfolg doch unser oft stark atlantisch ausgeprägtes Klima bestimmend. Es bringt häufig genug einen späten oder sehr kühlen Frühling, nasse und kühle Vorsommer oder sonnenarme, in der Gesamttendenz zu kühle Sommer. Ebenso ist das Winterklima unausgeglichen; es gibt häufigen Wechsel zwischen Frost und Tauwetter, ungenügende Schneedecke oder starke Kahlfröste. Solche durchaus negativen Einflüsse auszuschalten oder zu mildern, liegt nur sehr bedingt in unserer Macht. Sie können jedoch den inneren Rhythmus der Pflanzen so stören, daß sie gehemmt und geschwächt werden. Daraus resultiert dann die häufig zu beobachtende Erscheinung, daß die Knollen mehrere Jahre ruhend im Boden verbleiben, die Pflanzen unter günstigen Bedingungen jedoch plötzlich wieder wachsen und blühen. Die Bildung der Knollen und ihre Reife ist ein bestimmender Faktor für die Existenz der Pflanzen. Betrachten wir die Umweltbedingungen und den Lebensrhythmus unserer einheimischen Orchideen, so erkennen wir, daß den meisten Arten relativ wenig Zeit bleibt, um alle Entwicklungsphasen rechtzeitig zu durchlaufen. Gewiß, bei anderen mit ihnen vergesellschafteten Gewächsen geschieht es in vielleicht noch kürzeren Zeiträumen; aber aus Beobachtungen subtropisch-tropischer Orchideen wissen wir, daß ihnen allen eine relativ sehr langsame Entwicklung eigen ist. Ihre Verwandten aus der gemäßigten Zone machen davon keine Ausnahme. Das Wachstum kommt erst mit Beginn wärmeren Wetters in Gang, etwa im April. Die Blüte muß aber so rechtzeitig erfolgen, daß der Samen mit Sicherheit noch ausreift. Gleichzeitig müssen so viel Reservestoffe in den Knollen eingelagert werden, daß sie die Existenz der Pflanze gegebenenfalls auf Jahre garantieren. Die Reife der Knollen erfordert bei den Zuwanderern aus dem Süden und Südosten einen möglichst trocken-warmen Sommer. Sie benötigen gut durchlüftete Standorte in warmer Hanglage mit günstiger Wasserführung, um zum Entwicklungsoptimum zu kommen. Werden alle diese Bedingungen erfüllt, so ist ein sehr früher Triebbeginn möglich, der fast unerläßlich erscheint für die Aufgaben, die der Pflanze gestellt sind, und die sie erfüllen muß. Es ist interessant zu wissen, daß manche Arten – z. B. Cypripedium calceolus – mit Beendigung der Blütezeit beginnen, neue Wurzeln und Triebe zu entwickeln. Dies führt zur Bildung von Winterblättern; der Neutrieb wird also damit so weit vorgebildet, daß mit Beginn warmen Frühlingswetters die oberirdischen Organe schon funktionsfähig sind und das weitere Wachstum zügig vorangeht. Deshalb verdienen auch die Winterblätter höchste Beachtung, ihr natürlicher Schutz, eine Decke pulverigen Schnees ist ausreichend, muß aber – falls nicht vorhanden – mit anderen Mitteln ersetzt werden.

Doch nicht alle Orchideen lieben trocken-warme Standorte. Orchis-Arten – wie z. B. Orchis maculata, O. incarnata, O. latifolia, O. palustris u. a. – möchten feuch-

ten bis sumpfigen Boden, während O. pallens, O. militaris u.a. wieder wärmere, trockene Plätze bevorzugen. Es bestehen also selbst innerhalb einer Gattung recht unterschiedliche Ansprüche, was die Schwierigkeit einer Übersicht zwecks Auswertung für die Pflege noch erhöht.
Eine Präzisierung möglicher Standorte mag für den Fernerstehenden verwirrend erscheinen. Sie beweist jedoch, unter welchen unterschiedlichen Bedingungen bodenbewohnende Orchideen Mitteleuropas wachsen.
Nach SUNDERMANN „Standorte europäischer Orchideen" lassen sich die Standorte in folgende Typen einteilen:

Gebirgswiesen, die zwar reichlich Niederschläge erhalten, aber keine Staunässe aufweisen.

Trockene Wiesen (oder Busch-Formationen) der Mittelgebirge und des Flachlandes auf basischen Böden (Halbtrockenrasen); dazu gehören auch die Trockenrasen und die Garrigues des Mittelmeergebietes.

Trockenwälder (insbesondere Kiefern-Steppenwälder) auf basischen Böden oder kalkhaltigen Sand.

Wechselfeuchte bis trockene schwach basische Wiesen (Busch-Formationen, Waldränder), insbesondere der Mittelgebirge.

Wechselfeuchte bis trockene Laub- und Mischwälder auf basischem Gestein (Kalk-Buchenwälder).

Sphagnum-Moore („Hochmoore", dieser Begriff ist hier im weiteren Sinne anzuwenden. Es sind vor allem Zwischenmoore gemeint, die durch das Auftreten von Sphagnum-(Torfmoos-)Arten gekennzeichnet sind).

Staunasse Quell- und Sumpfwiesen (Sumpfdotterblumen-Wiesen).

Flach-(Niederungs-)Moore (Sumpfwiesen in der Verlandungszone nährstoffreicher Gewässer oder kalkhaltige Quellsümpfe).

Moorige Nadelwälder (mit Torfmoosen).

Damit an solchen Standorten Orchideen wachsen können, müssen die Beschaffenheit und Wasserführung des Bodens auf längere Zeit konstant bleiben. Dies ist für die relativ lange Entwicklungszeit Bedingung. Veränderungen sind möglich durch Eingriffe des Menschen (Kultivierungsmaßnahmen, Beeinflussung des Grundwasserstandes u.a.) oder durch natürliche Veränderungen der Gesamtvegetation infolge Störungen des Wasserhaushaltes und anderer Ursachen.
Die Beschaffenheit des Bodens ist ein wesentlicher, aber – wie später dargelegt wird – nicht der allein ausschlaggebende Faktor für das Gedeihen von Orchideen. Aus der oben zitierten Gliederung der Standort-Typen geht schon hervor, wie stark differenziert der Boden ist bzw. sein kann. Die Skala reicht von trockenen Wiesen bis zu Sumpfwiesen und Niederungsmooren. Betrachtet man die Extreme, so fällt auf, daß die Vegetationsphase auf die Umwelt organisch abgestimmt ist. Die Bewohner der Mittelmeergebiete bevorzugen als Standort sogenannte Trocken- und Halbtrockenrasen mit einer ausgeprägten Regenzeit in der Vegetationsperiode und einer langen Trockenzeit, die nach der Blütezeit einsetzt, welche in den Monaten

März–April liegt. Die Bewohner von Sumpfwiesen haben infolge guter Anpassung an die eigentlich ungünstigen Bedingungen den Vorteil, daß keine üppige Begleitflora schnellwachsender Pflanzen vorhanden ist. Aus diesen zwei Beispielen geht hervor, daß der Wasserhaushalt des jeweiligen Standortes bedeutungsvoll ist. Innerhalb des gesamten Komplexes der in Betracht kommenden Orchideen gibt es eine beschränkte, eine weitgehende oder gar keine Anpassungsfähigkeit an den Feuchtigkeitsgehalt des Bodens. Gegenüber dem heimatlichen Standort veränderte Klimaeinflüsse ergeben eine mehr oder weniger negative Reaktion, die u.U. zu Totalverlusten führen kann.
Sehr wichtig für die Entwicklung der Pflanzen ist der Säuregrad des Bodens, der sogenannte pH-Wert. Auch hier bestehen weitgehend differenzierte Ansprüche. Die in Betracht kommenden Arten erfordern neutrale oder schwach basische Böden im Bereich von etwa pH 7–8,5. Eine andere Gruppe bevorzugt schwach saure bis neutrale Böden = pH 5,5–7. Nur wenige wachsen auf ausgesprochen saurem Boden bei pH-Wert von 3,5–5,5. Es braucht wohl nicht erwähnt zu werden, daß bei einer Pflege im Garten eine Angleichung an die Forderungen der jeweiligen Art erfolgen muß.
Die Angabe genauer Werte ist schwierig. Durch die z.T. sehr stark entwickelte Anpassungsfähigkeit vieler Arten liegt der pH-Wert innerhalb verschiedener Standorte u.U. in beträchtlichen Grenzen. SUNDERMANN („Die Orchidee", 1961) gibt hierzu folgende Beispiele: Gymnadenia conópea pH 7,0–8,0; Ophrys insectifera 6,5–8,0; Orchis latifolia 5,5–8,0; Epipactis helleborine 4,5–8,0. Daraus ergibt sich auch in bezug auf den Gesamtkomplex, daß bei der Festlegung des pH-Wertes ein gewisser Spielraum berücksichtigt werden muß, also niemals ein Wert allein Gültigkeit haben kann.
Nachstehende Übersicht gibt in Stichworten den Lebensraum der wichtigsten, hier in Betracht kommenden Freiland-Orchideen an. Soweit einigermaßen bekannt, sind die Ansprüche an den Säuregrad (pH-Wert) des Bodens angegeben. Wo dies nicht der Fall ist, können durch Vergleiche mit annähernd ähnlichen Standortverhältnissen ungefähre Werte leicht ermittelt werden.

Aceras anthropophorum: Standort ausschließlich auf Kalkböden an sonnigen Waldrändern und sonnigen Hügeln zwischen lichtem Gebüsch. pH 7–8,5

Anacamptis pyramidalis findet sich auf trockenen Wiesen und sonnigen Hängen ausschließlich in Kalkboden. pH 7–8,5

Cephalanthera damasonium ist kalk- und wärmeliebend und besiedelt Laub- und Nadelwälder sowie Waldränder.

C. longifolia stellt keinerlei besondere Ansprüche; man findet sie in höheren Lagen auf nassen Wiesen und in Wäldern.

C. microphylla, auf Wiesen, zwischen Gebüsch und in Buchenwäldern; Bedingung Kalk und Humus.

C. rubra, ihr Lebensraum sind lichte Wälder, Waldränder und auch sonnige Hänge. Sie liebt Kalk und Wärme. pH 7–8,5

Coeloglossum viride findet sich auf Bergwiesen, Waldlichtungen und Alpenmatten; keine streng begrenzte Bodenart. pH 5,5–7

Cypripedium acaule: auf kalkfreiem Boden in lichten Wäldern, auf sandigen Ebenen im lichten Baumschatten.

C. arietinum: in lockeren Nadelwäldern und moosigen Sümpfen.

C. calcoelus bevorzugt lockeren Schatten in lichten Wäldern, stets auf Kalk, auch in Sumpfboden. pH 7–8,5

C. cordigerum: Hochgebirge um etwa 3000 m, zwischen lockerem Gebüsch; nicht in Kalkboden.

C. guttatum: in feuchten, lichten Birkenwäldern, auf Mooren und sumpfigen Plätzen.

C. macranthon: in Gebüsch und in den Wäldern.

C. parviflorum: kalkmeidend, in feuchten Moosgründen.

C. pubescens: in feuchten, moorigen Wäldern und auf feuchten Wiesen, kalkmeidend.

C. reginae: unter mäßiger Beschattung auf Mooren oder sumpfigen Wiesen des Uferwaldes, kalkfeindlich.

C. speciosum: wächst auf Wiesen in Humus auf völlig kalkfreiem Boden.

C. ventricosum: kalkliebend, im Gebüsch und in Wäldern.

Epipactis atropurpurea gedeiht in den Dünen wie auch in lichten Laub- oder Nadelwäldern auf trockenen Kalkböden.

E. helleborine bevorzugt feuchte, schattige Wälder, kann aber auch im sonnigen, trockenen Boden wachsen. pH 5,5–7–8

E. microphylla lebt in Buchenwäldern, braucht Humusboden und Kalk.

E. palustris ist nicht anspruchsvoll und gedeiht in nassen Wiesen, an Ufern von Seen und Teichen, auf Heideböden. pH 7–8,5

Goodyera repens: in Nadelwäldern in Humus und Moos. pH 5,5–7

Gymnadenia albida gedeiht in hohen Lagen, nur gelegentlich in tieferen Gebieten; kühle, mittelfeuchte Standorte.

G. conopea: trockene oder feuchte Wiesen, in lichten Wäldern und Waldrändern auf Kalkboden. pH 7–8,5

G. odoratissima bevorzugt Fichten- und Föhrenwälder, Alpenmatten, wächst aber auch in feuchten Wiesen.

Himantoglossum hircinum findet sich nur an sehr warmen Standorten auf Trockenwiesen, unter lichtem Gebüsch auf Kalkboden. pH 7–8,5

Listera cordata bevorzugt dunklen Fichtenwald, nasse bis sumpfige Stellen. pH 3,5 bis 5,5

L. ovata wächst im Laubwald, am Waldrand, auf Wiesen ohne stark differenzierte Bodenansprüche.

Nigritella nigra ist eine Orchidee der Alpenmatten mit Kalkuntergrund.

Orchis coriophora findet man vorwiegend auf mäßig feuchten bis trockenen Wiesen.

O. globosa wächst auf Wiesen mäßiger Feuchte in Höhenlagen zwischen 400 und 2000 m.

O. incarnata, in Kalkboden auf nassen Wiesen und ähnlichen Standorten. pH 7–8,5

O. latifolia, feuchte Standorte auf Kalkboden. pH 5,5–7–8

O. maculata, gedeiht sowohl auf kalkreichen wie auf kalkarmen, trockenen oder feuchten Böden. pH 7,5–8

O. mascula, in Gruppen auf Bergwiesen und in lichten Laubwäldern auf Kalk. pH 7 bis 8,5

O. militaris, ihr Lebensraum sind Wiesen mit kalkhaltigem Boden. pH 7–8,5

O. morio gedeiht sowohl und zwar vorwiegend auf trockenen, grasigen Bergwiesen wie auch in feuchten Lagen.

O. pallens, im lichten Laubwald und an sonnigen Wiesenhängen auf Kalkboden.

O. palustris, auf sehr feuchtem, sumpfigen Boden in tiefen Lagen.

O. purpurea liebt ausschließlich Kalkboden, Wärme und mäßigen Schatten; sie finden sich an sonnigen Waldrändern und in lichten Buschwäldern. pH 7–8,5

O. sambucina bevorzugt Urgestein und höhere Lagen.

O. simia, warme Standorte mit Grasnarbe auf Kalk. pH 7–8,5

O. traunsteineri, wächst auf feuchten, moorigen Wiesen.

O. tridentata: warme, grasige Berghänge und trockene Wiesen.

O. ustulata bevorzugt Kalkboden; Standort: Waldränder, grasige Hänge, aber auch feuchte Wiesen. pH 7–8,5

Ophrys apifera liebt – wie alle Ophrys-Arten – Kalk und lebt an Waldrändern, an grasigen Hängen und u. U. auch auf feuchten Wiesen. pH 7–8,5

O. fuciflora: grasige Hänge, Trockenrasen, in lichten Föhrenwäldern, stets auf Kalk. pH 7–8,5

O. insectifera ist ausschließlich an Kalkboden gebunden; sonnige Hänge und lichte Laub- und Nadelwälder sichern ihre Existenz. pH 7–8,5

O. sphecodes findet sich an sonnigen Hängen, in Trockenrasen auf Kalk. pH 7–8,5

Platanthera bifolia: Laub- und lichte Nadelwälder sowie auf trockenen oder nassen Wiesen.

P. chlorantha auf Kalkboden in Wäldern und auf Wiesen.

Serapias vomeracea findet sich an Berghängen, aber auch in feuchten Wiesen.

Ein weitere Eigenschaft des Bodens ist sein Nährstoffgehalt. Allgemein werden nähstoffarme Böden bevorzugt. Die Abneigung besonders gegen anorganische Nährstoffe ist bekannt. Sie sind z.T. die Ursache des Rückganges unserer einheimischen

Orchideen an Standorten, die landwirtschaftlich genutzt und infolgedessen gedüngt werden.
Schließlich ist noch die Konsistenz des Bodens von Bedeutung, d.h. ob er vorwiegend oder ausschließlich aus Sand, Lehm oder Humus besteht. Bei der Pflege im Garten ist in den meisten Fällen eine Korrektur erforderlich, also die Herstellung eines geeigneten, auf die Ansprüche der jeweiligen Art abgestimmten Pflanzbettes. Nur ist zu betonen, daß man sich schon bei dem Gedanken an die Pflege von Orchideen im Garten von den herkömmlichen Begriffen von Bodenkultur frei machen muß. Eine von der Pflanzung und Pflege von Gartenstauden üblicher Art abgeleitete Verallgemeinerung ist unmöglich.
In unmittelbarem Zusammenhang mit der Bodenbeschaffenheit steht die Abhängigkeit der Pflanzen von den Wurzelpilzen, die Mykotrophie. Die Symbiose als eine Lebensgemeinschaft der Orchideen mit mikroskopisch kleinen Pilzen wurde in diesem Buche bereits eingehend beschrieben. Gleich den subtropisch-tropischen Gattungen bestehen auch für die Orchideen der gemäßigten Zonen – also einschließlich unserer einheimischen Arten – die gleichen Verhältnisse. Sie sind nur etwas abgewandelt, da es sich hier ausschließlich um erdbewohnende Pflanzen handelt, nicht um Epiphyten. Das Prinzip ist jedenfalls gleich, und die Notwendigkeit der Pilzsymbiose bei der Keimung und ersten Entwicklung ist unbestritten. Wissenschaftlich noch nicht eindeutig geklärt ist die unbedingte Abhängigkeit erwachsener Pflanzen von den Wurzelpilzen. Darüber bestehen zur Zeit noch beträchtliche Meinungsverschiedenheiten; eine Stellungnahme hierzu ist schwierig. Doch erscheint es für die erfolgreiche Pflege von Bedeutung, inwieweit die Arten abhängig vom Vorhandensein der Wurzelpilze sind, ob mykotroph oder amykotroph, wie es in der Fachsprache bezeichnet wird.
Die Angelegenheit erscheint so bedeutungsvoll, daß ihr einige prinzipielle Erwägungen gewidmet werden sollen.
Betrachtet man den Gesamtkomplex Gartenstauden, so ist natürlich eine mehr oder minder große Wuchsfreudigkeit feststellbar, ebenso wie bestimmte Ansprüche an die Umwelt, von deren Erfüllung dann Gedeih oder Verderb abhängt. Keine andere Pflanzenfamilie innerhalb des Staudenreiches erscheint jedoch so diffizil wie eben gerade die Orchideen. Diese Empfindlichkeit ist jedoch innerhalb der Arten nicht gleich, sondern weitgehend differenziert. Es liegt nahe, sich darüber Gedanken zu machen. Die Symbiose zwischen Orchideen und Wurzelpilz ist eine feststehende Tatsache; ohne seine Aktivität erscheint die Samenkeimung unmöglich. Selbstverständlich sind die Orchideenpilze an zusagende Umweltbedingungen gebunden und nur dann existenzfähig, wenn sie diese vorfinden. Es sind niedere Lebewesen, relativ unkompliziert, aber infolge ihrer Kleinheit sehr hinfällig und durch äußere Einflüsse leicht zerstörbar. Ein solcher Einfluß kann beispielsweise das Verpflanzen einer Orchidee von einem anderen Standort in den eigenen Garten sein. Sehr wahrscheinlich bringt die Pflanze in anhaftenden Bodenteilen und natürlich auch in den Wurzeln oder Knollen Pilzhyphen von ihrem vorherigen Standort mit. Entscheidend dürfte nun sein, ob die Wurzelpilze zusagende Lebensbedingungen finden, um sich zu vermehren und im ständigen Kreislauf des Gebens und Nehmens – wie er in einer Symbiose begründet ist – ihre Funktionen zu erfüllen. Kritisch betrachtet sind dann die Wurzelpilze und die Sicherung ihrer Existenz das Primäre, damit sich

die Orchideen entwickeln. Um Erfolge im Garten zu haben, müßten wir daher versuchen, den Wurzelpilzen zusagende Lebensbedingungen zu schaffen. Infolge ihrer besonderen Ernährungsverhältnisse spielt die Beschaffenheit – die Struktur und Zusammensetzung – der Bodenschicht, welche organische Stoffe enthält, die größte Rolle, weil nur diese den Pilzhyphen Entwicklungs- und Verbreitungsmöglichkeiten bietet.

Bodenprofile zeigen meist eine dunkle Oberschicht; sie ist das Zersetzungprodukt organischer Stoffe und wird als Humusschicht bezeichnet. Unter ihr, in oft mehrfacher Gliederung, liegt die mineralische Schicht, die aus Sand, Ton, Lehm oder Gestein besteht. Innerhalb des Grenzbereiches beider Schichten, begünstigt durch zusagende Feuchtigkeitsverhältnisse, ist das Hauptverbreitungsgebiet des Pilzmyzels; ihm kommt also besondere Bedeutung zu.

Bei der Vorbereitung zur Pflanzung ist es unerläßlich, eine Angleichung an die natürlichen Standortverhältnisse zu treffen. Die Humusschicht bedarf besonderer Aufmerksamkeit; in ihr liegt der Gegensatz zu der Bodenbeschaffenheit für die üblichen Gartenpflanzen. Man präpariert den Humus aus einer Mischung von Laub, Moos, Wurzeln, Ästen und Zweigen, also locker, luftig und mit guter Wasserführung. Üblicher Humus – etwa ein guter Kompost – ist bereits zu stark verdichtet und infolgedessen von ungünstiger Wasser- und Luftführung, für Orchideen also nicht zusagend. Die Zersetzung der organischen Stoffe erfolgt verhältnismäßig rasch. Dieser Prozeß muß sich aber in weiterer Entwicklung ständig wiederholen. Am Standort der Orchideen befindliche andere krautige Pflanzen werden nicht ausgerissen, sondern nur abgeschnitten, so daß ihr unterer Teil wiederum schon als organisches Zersetzungsprodukt der Bodenverbesserung dient. Das Ziel jeden Pflegers von Gartenorchideen sollte in erster Linie sein, die tierische und pflanzliche Kleinlebewelt, die man als das Edaphon bezeichnet, zu erhalten und zu fördern. Eine Hilfsstellung geben die Regenwürmer; sind sie reichlich vorhanden, so sorgen sie für eine ausreichende, natürliche Bodenlockerung. Die Bodenbeschaffenheit, in der Orchideen gut gedeihen, muß aus einem Zusammenwirken biologischer Kräfte hervorgegangen sein, welche sich ergänzt haben und eine Einheit bilden. Ihre Gestaltung ist durchaus möglich und von Menschenhand beeinflußbar. Daher sollen neben der erwähnten organischen Substanz auch stets holzige Teile zugegeben werden. Lignin, neben Zellulose ein Hauptbestandteil des Holzes, fördert die Vermehrung und Ausbreitung der Bodenpilze. Durch diesen Vorgang kann Stickstoffmangel entstehen, dem durch eine Düngung mit stickstoffhaltigen organischen Mitteln begegnet werden muß. Hier wird der aufmerksame Leser wahrscheinlich meinen, einem Widerspruch zu begegnen, weil immer wieder darauf hingwiesen wird, daß Freilandorchideen nicht gedüngt werden dürfen. In diesem Falle ist jedoch die Düngung mehr zur Förderung der Pilzorganismen gedacht, dient also nur indirekt der Orchideenernährung. Damit ist schon begreiflich, daß diese Düngung sehr mild sein muß. Das abgebaute Substrat von Champignonkulturen ist besonders geeignet, stickstoffreich ist auch Luzernemehl. Hornmehl oder Vogelmist als weitere mögliche Stickstoffquellen müssen schon mit größter Vorsicht angewandt werden, da die Stickstoffanreicherung kritisch werden könnte.

Die Gestaltung einer biologisch ausgeglichenen, lebendigen Humusschicht ist insgesamt also die erste Voraussetzung für eine geplante Pflanzung und ihre Erhaltung.

Die Übertragung von Pflanzen mit Erdballen in der Erwartung, daß sich die in den Wurzeln und der Erde befindlichen Organismen am neuen Standort vermehren, ist nur dann erfolgreich, wenn die Bodenbeschaffenheit der Ausbildung der Kleinlebewesen – des Edaphons – entspricht.

Die bereits erwähnten unteren mineralischen Bodenschichten – bestehend aus Sand, Lehm, Ton oder Gestein – sind in ihrer ursprünglichen Beschaffenheit nicht immer geeignet. Erste Voraussetzung ist eine gute Durchlässigkeit für Wasser. Der Untergrund soll eher trocken als zu naß sein. Man gibt in etwa 50 cm Tiefe eine 10 cm hohe Schicht Kalkstein oder eine Mischung anderen Gesteins mit Kalkstein. Darüber kommt eine Schicht aus Ästen und Holresten in 10 cm Höhe, die regulierend nach oben und unten wirken soll. Dann folgt eine Schicht kalkfreien, ungedüngten Gartenbodens mit einem Anteil von Ton. Dieser ist in mehrfacher Hinsicht wichtig, da er eine beständig fließende Nährstoffquelle darstellt und ein Speicherungsvermögen für Nährstoffe auf lange Zeit besitzt. Ton hat die Eigenschaft, den Wasserhaushalt der Pflanzen auch in längeren Trockenzeiten zu sichern. Nützlich und wichtig ist ferner die bakterienhemmende Wirkung von Ton. Orchideenwurzeln haben eine sehr zarte Oberschicht, die sehr anfällig gegen Fäulnis ist. Das Faulen verursachen Bakterien, wenn sie nicht durch Ton gebunden und unschädlich gemacht werden. Als Abschluß über diese drei Schichten kommt nun die organische Substanz, deren Zusammensetzung bereits eingehend beschrieben wurde. In sie werden die Orchideenpflanzen sorgfältig eingesetzt. Der beste Zeitpunkt hierfür wird nicht immer einzuhalten sein, da die Beschaffung von Pflanzenmaterial oft mehr als problematisch ist. Entgegen den Verhältnissen bei anderen Gartenpflanzen ist die beste Pflanz- oder Umpflanzzeit für Orchideen während oder gleich nach der Blüte. Die schönste unserer einheimischen Orchideen – Cypripedium calceolus – und ihre verwandten Arten, also insgesamt die Frauenschuhe, beginnen mit Beendigung der Blütezeit neue Wurzeln und Triebe zu entwickeln und setzen das bis spät in den Herbst hinein fort. Ein spätes Umpflanzen würde zu Beschädigungen der Wurzeln führen, muß also vermieden werden. Die Bewohner der Halbtrockenrasen – wie z. B. die Hundswurzzunge, Anacamptis pyramidalis, u. a. – wachsen im Winterhalbjahr. Nur dann haben sie genügend Feuchtigkeit durch Niederschläge, die bereits im Frühjahr nicht mehr ausreichend wären, um eine gute Entwicklung zu gewährleisten.

Innerhalb der Gattung Orchis, der Knabenkräuter, bestehen ziemlich gegensätzliche Ansprüche. Orchis pallens, das Bleiche Knabenkraut, wächst auf Waldwiesen in tiefgründigem Boden ohne Staunässe. Andere Umweltbedingungen fordern das Mannsknabenkraut, Orchis mascula, und das mit ihm vergesellschaftete Kleine Knabenkraut, Orchis morio. Sie wachsen auf Wiesen, die im Frühjahr mehrere Wochen überschwemmt sind, also u. U. längere Zeit unter Wasser stehen. Dies ist jedoch als Ausnahme anzusehen, die allerdings zu berücksichtigen ist. Insgesamt lieben Orchideen während der Wintermonate keinen trockenen Boden. Von gewisser Bedeutung kann in diesem Zeitraum Nebelbildung sein, die besonders den Arten mit Winterblättern sehr zusagt. Die etwas unterschiedlichen Ansprüche der Frauenschuh-Arten sollen nachfolgend kurz skizziert werden, da sie infolge ihrer großen, ansehnlichen Blüten besonderes Interesse erwecken.

Cypripedium calceolus: Heimat: Europa und Sibirien. Günstigster Standort im Halbschatten unter locker beblätterten Bäumen oder Sträuchern. Boden tiefgründig, stark kalkhaltig, während des Wachstums reichlich feucht. Kein Winterschutz erforderlich.

C. candidum: Heimat: westlicher Teil Nordamerikas in Bergen von 900–2000 m Höhe mit kühlem, feuchtem Klima. Pflanzung erfordert einen schwach kalkhaltigen, mineralischen Untergrund mit einer Oberschicht organischen Materials wie Laub, Sphagnum, Birkenrinde und Osmundafaser. Winterdecke erforderlich; besonders wichtig ist Schutz vor Tauwetter und Winterregen.

C. guttatum: Heimat: Über drei Kontinente hinweg, größter Lebensraum aller Cypripedium-Arten. Standort am Rand von Sümpfen, in feuchten, lichten Birkenwäldern, auf Mooren. Viel Licht, feuchte, kühle Luft, feuchter Standort. Schutz vor Tauwetter im Winter.

C. macranthum: Heimat: Ukraine, Sibirien, China, Mandschurei, Korea, Japan. Verhältnismäßig leicht wachsend. Bodenvorbereitung: Pflanzgrube etwa 30 cm tief, Substrat Lauberde, Sphagnum, Holzteile, kalkreicher Lehm. Während des Wachstums reichlich feucht halten. Winterschutz gegen vorzeitige Erwärmung des Bodens durch Tauwetter besonders wichtig.

C. parviflorum: Heimat: Östliches Nordamerika, in feuchten Moosgründen, und
C. pubescens: Heimat: Östliches Nordamerika, in feuchten, moorigen Wäldern und auf feuchten Wiesen. Bodenansprüche für beide Arten: mit Humus angereicherter Lehm vermischt mit Sphagnum, Kiefernrinde und kleinen Aststücken. In der Wachstumsperiode gibt man reichlich Feuchtigkeit. Beide Arten sind völlig winterhart, also Schutzvorrichtungen überflüssig. Kompakte Humusschicht führt zu Totalverlust. Auflockerung – wie vorstehend beschrieben – ist sehr wichtig.

C. reginae: Heimat: östliches Nordamerika von Kanada bis Nordkarolina. Wegen der sehr weichen Blätter ist windgeschützter Standort an sehr feuchten Stellen in Nachbarschaft von Bäumen oder Sträuchern erforderlich. Bodenansprüche: Substrat aus Lauberde mit Zusatz von Sumpfboden aus feuchten Wiesen oder Teichen, Sand, Rinde, Aststücken und Farnwurzeln. Vergesellschaftung mit Farnen empfehlenswert, da ihre Wurzeln das Substrat ständig verjüngen.

Die Wahl der Standorte im Garten muß sich nach den Ansprüchen der vorgesehenen Arten richten. Diesen Anforderungen müssen sich andere Vorstellungen – etwa rein ästhetischer Art – unterordnen. Geschützte, windstille Plätze sind erste Voraussetzung für alle Orchideen. Häufige und starke nächtliche Taubildung ist ein weiterer wichtiger Faktor. Vernebeln von Wasser in den Abendstunden kann jedoch ausreichender Ersatz für fehlende oder ungenügende Taubildung sein. Die Luftfeuchtigkeit sollte auch tagsüber relativ hoch sein. Dies ist teilweise erreichbar durch die Wahl geeigneter Begleitpflanzen. Als solche kommen krautige oder strauchartig wachsende Pflanzen in Betracht, die neben der Schmuckwirkung die Aufgabe haben, ein zusagendes Kleinklima für die Orchideen zu schaffen und – sofern erforderlich – Schatten zu spenden. In bezug auf die Lichtansprüche bestehen natürlich gemäß den sehr unterschiedlichen heimatlichen Bedingungen beträchtliche Differenzen. Die Bewohner von Wiesen bedürfen sinngemäß bei der Haltung im

Garten volle Sonne. Halbschatten brauchen die Arten, welche an Waldrändern oder in Gesellschaft höherer Begleitpflanzen wachsen. Die Wahl solcher schattenspendender Gewächse muß sehr sorgfältig erfolgen. Stauden, Farne, Koniferen, Rhododendron und Sträucher anderer Art sind ideale Begleitpflanzen, wenn sie insgesamt schwach und langsam wachsen. Trotzdem erfordern sie dauernd die ordnende Hand des Betreuers. Sie sollen stets Nebensache sein und durch Schnitt oder Auslichten im Rahmen ihrer gewünschten Funktion bleiben. Sind in der Nähe von Orchideenstandorten im Garten größere oder große Bäume mit starker, weitreichender Wurzelbildung, so besteht die Gefahr, daß der Boden durch zu starken Wasserentzug für die Orchideen zu trocken wird. Es empfiehlt sich, schon vor der Pflanzung Schutzmaßnahmen zu treffen, die eine Ausbreitung der Wurzeln verhindern. Zu diesem Zweck hebt man in etwa 50–70 cm Entfernung von der Basis der Bäume oder Sträucher mit starker Wurzelbildung einen schmalen, etwa 60 cm tiefen Graben aus. Durch senkrechtes Einstellen von Glasscheiben verhindert man das Eindringen der Wurzeln in den Orchideenbereich. Der Graben wird mit Sand oder Kies wieder zugeschüttet, aber nicht mit Erde bedeckt, um ein Überwachsen unerwünschter Wurzeln zu verhindern.
Orchideen im Garten haben einen großen Feind. Nacktschnecken stellen den jungen Trieben und den Blättern in höchstem Maße nach und können die schönsten Erfolge systematisch gefährden oder das Gedeihen insgesamt in Frage stellen. Die sicherste Bekämpfung ist immer noch das Ablesen der Schnecken in den Abendstunden nach Einbruch der Dunkelheit unter Verwendung einer Taschenlampe. Es ist gewiß eine mühevolle Arbeit, aber andere empfohlene Bekämpfungs- oder Ködermittel haben meist wenig oder keine Wirkung.
Schnecken und Kellerasseln fressen auch die Knollen an. Dies äußert sich im Zurückgehen der Pflanzen, leider oft zu spät. Bemerkt man eine Schwächung, so kann ein Umpflanzen nach vorhergehendem genauem Absuchen möglicherweise noch Rettung bringen. Steht es sehr schlecht, so lohnt auf jeden Fall eine Überleitung in Blumentöpfe bis zum eventuellen Wiedererstarken.

Vermehrung von Freilandorchideen

Orchideen der gemäßigten Zonen sind ausschließlich bodenbewohnend und bilden unterirdische Überwinterungsorgane, in denen sich nach dem Absterben der oberirdischen Stengel das Leben der Pflanze fortsetzt. Man unterscheidet bei Orchideen solche, die einen mehr oder weniger verzweigten Wurzelstock in Form von Rhizomen bilden, und andere, welche Knollen entwickeln, und zwar dergestalt, daß nach Ausreifen der neuen Knolle die vorhergehende abstirbt. Damit scheidet die Möglichkeit einer Teilung völlig aus. Die Orchideen mit Knollenbildung blühen verhältnismäßig zeitig im Frühjahr, oft noch vor der völligen Entwicklung ihrer Begleitflora. Nach einer relativ sehr kurzen Vegetationsperiode von etwa 2 Monaten sterben die oberirdischen Teile wieder ab.
Von längerer Dauer sind die oberirdischen Vegetationsorgane der Orchideen mit rhizomartigem Wurzelstock; ihre Blätter bleiben bis in den Spätsommer hinein aktiv. Die Erwägungen, durch Teilung des Wurzelstockes eine Vermehrung zu

erzielen, sind naheliegend. Bei unserem einheimischen Frauenschuh, Cypripedium calceolus, ist dies bedingt möglich. SADOVSKY berichtet über seine Versuche, bei denen er die oft bis 40 cm langen Rhizome durchschnitt und in einer Mischung von Sphagnum, Nylonfasern und Lehm an geschützten Stellen in Garten auspflanzte. Diese Teilstücke wurzelten sich innerhalb von 10 Monaten ein und blühten nach 2 Jahren. Zur kommerziellen Auswertung dieser Vermehrungsmöglichkeit durch die Erwerbsgärtner wäre jedoch ein sehr großer Bestand nötig, der z. Z. nirgends vorhanden ist. Theoretisch ist eine solche Bestandsbildung natürlich durchaus möglich. Sie wird in Zukunft auch einmal erfolgen. Die nordamerikanischen und asiatischen Frauenschuharten werden jetzt in größerem Umfang nach Europa importiert und mit mehr oder weniger großem Erfolg in den Gärten angesiedelt. Solange solche Quellen der Natur fließen, besteht noch keine unmittelbare Veranlassung, die vegetative Vermehrung bis in alle Einzelheiten zur erforschen und auszuwerten. Und doch wird auch einmal diese Notwendigkeit kommen – dann, wenn die Naturvorkommen ausgebeutet sind und die Gefahr des Aussterbens einer oder mehrerer Arten unmittelbar droht.

Naheliegend ist die Vermehrung aus Samen als die Möglichkeit, Pflanzen in fast unbegrenzter Zahl zu erzeugen. Bei den tropischen Orchideen ist dies in vollem Umfang durchführbar, bei den einheimischen – wie überhaupt bei Orchideen der gemäßigten Zonen – nicht oder vielleicht (richtiger gesagt) noch nicht. Gewiß, es sind kleine Erfolge gelungener Aufzucht aus Samen zu verzeichnen. Unter günstigen Bedingungen, insbesondere besten Bodenverhältnissen, ist die Keimung ausgefallenen Samens in unmittelbarer Nähe oder in nicht zu weiter Entfernung von der Mutterpflanze möglich. Es bedarf jedoch größter Aufmerksamkeit, die sich entwickelnden jungen Pflanzen über die Jahre ihres Wachstums bis zur Blühreife zu bringen. Besonders schwierig erscheint die Notwendigkeit, die Existenz der jungen Pflanzen in das richtige Verhältnis zur Begleitflora zu bringen. Dies kann tatsächlich problematisch sein, an anderer Stelle u. U. aber so leicht, daß niemand etwas dazu zu tun braucht.

Eine Keimung des Samens am Standort der Mutterpflanze im Garten setzt unter allen Umständen das Vorhandensein der geeigneten Wurzelpilze voraus; ohne sie ist jede Keimung unmöglich. Die relativ kurze Entwicklungszeit, im Jahresverlauf nur wenige Wochen oder bestenfalls Monate, bedingt ein sehr langsames Wachstum, immer wieder unterbrochen durch die Ruhezeit. Es ist ein gleichförmiger Rhythmus, dem jüngste wie alte Pflanzen gleichermaßen unterliegen. Zweifellos sind Versuche der Aufzucht aus Samen sehr interessant und sehr nützlich, selbst wenn die Voraussetzungen dafür bescheiden sind. Nach und nach wird aus solchen tastenden Versuchen sicher einmal eine wissenschaftlich fundierte Methodik entstehen.

Eine Parallele zu den Möglichkeiten der Aussaat auf Nährböden, wie bei den tropischen Orchideen nun bereits zur Perfektion entwickelt, besteht noch nicht. Keimungsversuche auf Nährböden – u. a. auch bei Cypripedium calceolus – waren bzw. sind erfolgreich verlaufen. Das Problem liegt in der Übertragung der jungen Pflanzen aus den Saatgefäßen in die Gefahren der natürlichen Umwelt, also in den Garten. Bei Cypripedium calceolus verläuft die Keimung in einem Zeitraum von mehr als einem Jahre sehr langsam, ebenso die Weiterentwicklung. Die Schwierig-

keit liegt bei der Aufzucht auf Nährböden hauptsächlich darin, die außerordentlich zarten Jungpflanzen über Jahre lebensfähig zu erhalten. Dies ist erst recht verständlich, wenn man den Entwicklungsrhythmus in der Natur berücksichtigt. In dem Werk „Lebensgeschichte der Blütenpflanzen Mitteleuropas", Band 1, Orchidacea (1936) hat ZIEGENSPECK seine Forschungen über die Keimung und Entwicklung europäischer Orchideen veröffentlicht. Für Cypripedium calceolus hat er folgende Werte ermittelt: Keimungsprozeß in der bei Orchideen üblichen Art, Abschluß des ersten Jahres mit der Bildung einer winzigen rübenartigen Wurzel, im zweiten Jahre eine zweite Wurzel. Mit Beendigung der Vegetationsperiode des dritten Jahres ist ein Sproß gebildet, der mit Beginn des vierten Lebensfrühlings an der Erdoberfläche erscheint, das erste Blättchen entwickelt und eine Größe von etwa 6 cm erreicht. Im Alter von 11 Jahren werden die Laubblätter als 8–10 cm lang und 4–5 cm breit angegeben. Im Alter von 15–17 Jahren werden die Pflanzen blühfähig. So weit die Ergebnisse der Untersuchungen von Ziegenspeck; sie gestatten einen Einblick in das Walten der Natur, welches uns oft genug schwer faßbar erscheint, in diesem Falle jedoch ganz besonders Rätsel aufgibt.
Diese ungeheure langfristige Entwicklungstendenz beweist eindeutig die Schwierigkeiten einer künstlichen Aufzucht – gleich in welchem Umfang. Gefahren bestehen auch für Keimungsergebnisse am Standort von blühfähigen Pflanzen im Garten. Man wird diesen Schilderungen entgegenhalten, daß es in der Natur kein Hindernis gibt, weil immerwährend neue Pflanzen entstehen, und der Ausbreitungsmöglichkeit keine Grenzen gesetzt sind außer solchen, die durch den Eingriff der Menschen entstehen. Die Antwort darauf kann nur eindeutig dahingehend lauten, daß selbstverständlich Hindernisse bestehen, wir sie aber nicht sehen und rechnerisch ermitteln können. Die Relation – gebildeter Samen zur Zahl der daraus entstandenen lebensfähigen Pflanzen – ist unbekannt und wird es bleiben.
Prognosen für die weitere Entwicklung der Aufzuchtmethoden auf diesem Gebiet zu stellen, erscheint fast abwegig. Trotzdem möchte ich sagen, daß manches, was vor kurzer Zeit auf allen Gebieten unseres Wissens noch unmöglich erschien, heute schon Selbstverständlichkeit ist. Hoffen wir also, daß auch im Interesse einer umfassenden Verbreitung von Orchideen im Garten die generative Vermehrung zu entsprechenden Erfolgen kommen möge.
Die vorstehenden Ausführungen über die Schwierigkeiten der vegetativen und generativen Vermehrung verleiten fast zwangsläufig zu der Frage nach den Möglichkeiten der Beschaffung von Pflanzenmaterial. Naheliegend erscheint die Übernahme von Pflanzen von ihren natürlichen Standorten, also ein Ausgraben und die Überleitung in den Gartenraum. Sämtliche wildwachsenden Orchideen stehen jedoch bei uns unter *Naturschutz*! Sie dürfen weder gepflückt noch ausgegraben werden. Die entsprechenden Verordnungen und Gesetze verbieten auch die Entnahme von Pflanzenmaterial von Flächen, deren Pflanzenbewuchs durch Bauvorhaben oder andere menschliche Eingriffe der völligen Vernichtung preisgegeben ist.
Leider bleiben die Bemühungen um den Schutz und die Erhaltung einheimischer Orchideen oft genug durch räuberische Eingriffe mehr oder weniger unbelohnt – trotz der Verbote und ausgesetzten Strafen. So ist es verständlich, daß seitens der Naturschützer jede Publikation über die Pflege von Orchideen im Garten ungern gesehen wird. Die Meinung, daß mit der Popularisierung dieser Pflanzen ihre Ge-

fährdung immer weiter zunimmt, mag berechtigt erscheinen. Ihr Bestand ist allseits hart bedroht, ihre Rückzugsgebiete werden zunehmend kleiner. Fortschreitende Industrialisierung, Wohnsiedlungen, Kultivierungsmaßnahmen auf Ödländereien, Ausbringung von Dünger, Schädlingsbekämpfungsmitteln und Herbiziden aus der Luft und andere Ursachen bedrohen ihr gegenüber anderen Gewächsen sehr sensibles Leben. Demgegenüber mag das Ausgraben von Pflanzen das kleinste Übel sein. Aber der größte Teil der auf diese Weise der Natur und damit der menschlichen Allgemeinheit geraubten Bestände geht dabei zugrunde, weil sie im Garten keine zusagenden Bedingungen finden. Dies ist schmerzlich!
Im Interesse der Erhaltung dieser Kleinode der Natur ist es jedoch zu wünschen, daß sich möglichst viele Pflanzenfreunde mit ihnen beschäftigen können. Ihr Kreis kann durch die intensiven Beobachtungsmöglichkeiten sehr viel Nutzen stiften und zur Sicherung der Existenz im Aussterben befindlicher oder davon bedrohter Arten beitragen.
Die einzige legale Möglichkeit ist die Beschaffung von Pflanzen aus Ländern, wo sie noch nicht unter Naturschutz stehen. Ein solcher Import ist möglich, leider aber aus verschiedenen Gründen noch nicht für alle Freunde dieser edlen Gewächse. Die Eingewöhnung ist nicht leicht und erfordert sehr viel Aufmerksamkeit, da die Knollen oder Rhizome meist völlig frei von Erde sind, ihnen also auch keine Orchideenpilze anhaften.
Abschließend sei gesagt, daß die vorstehenden Ausführungen keinesfalls von der Orchideenpflege im Garten abschrecken wollen. Es besteht jedoch Anlaß, auf die Schwierigkeiten hinzuweisen. Nach der Veröffentlichung dieses Buches sehe ich die Erfolgsmeldungen bereits voraus, die beweisen wollen, daß es sehr viel leichter und sicherer als beschrieben geht. Sie sollen im voraus bereits beantwortet sein. Selbstverständlich kann Pflanzung und Pflege sehr viel einfacher als hier dargelegt zu besten Erfolgen führen, aber dies werden immer Ausnahmen bleiben, die im Rahmen einer solchen Veröffentlichung und in Anbetracht der tatsächlichen Schwierigkeiten unberücksichtigt bleiben müssen.
Alle diese Ausführungen über einen der schwierigsten Teile der gesamten Orchideenpflege können nur Anregungen und Hinweise sein. Über Erfolg oder Mißerfolg entscheiden vor allem ein großes Einfühlungsvermögen und eine gute Beobachtungsgabe.

Übersicht über die für die Pflege im Garten in Betracht kommenden Orchideen:

Bletilla

sind in China und Japan auf Bergwiesen beheimatet und lieben gut feuchten Standort in humosem, etwas lehmigem Boden; Schutzdecke etwa 15 cm aus Torf und Laub.
B. striata: 20–50 cm hoch, Blütezeit Mai–Juni, purpur bis violettpurpur.

Cypripedium,

als Frauenschuh bekannt, hat mit 30 Arten ein Verbreitungsgebiet in Mitteleuropa, Asien und Nordamerika. Die Pflanzen lieben einen halbschattigen, gleichmäßig feuchten und windgeschützten Standort.

C. calceolus: Heimat Europa und Sibirien auf feuchtem, kalkhaltigem Boden am Rande lichter Laubwälder, 25–40 cm hoch, Blüten bis 10 cm Durchmesser. Äußere und innere Blütenhüllblätter braun, Lippe goldgelb. Blütezeit: Mai–Juni. Schönste deutsche Orchidee.

C. guttatum: Heimat Sibirien, Nordchina, Japan bis Alaska und Britisch-Kolumbien, an sumpfigen Plätzen. 10–20 cm hoch, Blüten 4–5 cm Durchmesser, weiß, Lippe rot gefleckt. Blütezeit April–Mai.

C. macranthum: Heimat Sibirien, 30–40 cm hoch, Blüten bis 10 cm Durchmesser, hellpurpur, Lippe dunkelrot, innen heller, mit dunklerer Netzaderung. Blütezeit Mai–Juni.

C. parviflorum: Heimat östliches Nordamerika, von Neufundland bis Georgia, in feuchten Moosgründen. 30–40 cm hoch, äußere Blütenhüllblätter schokoladenbraun, innere vier- bis sechsmal gedreht, braun, Lippe goldgelb. Blütezeit Mai–Juni.

C. pubescens: Heimat östliches Nordamerika. 40–50 cm hoch, Blüten bis 16 cm Durchmesser, grünbraun, Lippe leuchtend gelbgrün, oft rot geadert. Blütezeit Mai–Juni.

C. reginae: Heimat östliches Nordamerika. Bis 60 cm hoch, Blüten etwa 8 cm Durchmesser, weiß, Lippe fast kugelig, rosa, Blütezeit Mai–Juni.

Epipactis, die heimischen Sumpfwurzarten; sie entwickeln keine Knollen, sondern einen Wurzelstock, und entstammen unterschiedlichen Standortverhältnissen.

E. helleborine (syn. E. latifolia): Heimat Europa, an feuchten Stellen in schattigen Wäldern. 20–90 cm hoch, Blüten 10–15 mm, grünlichviolett. Blütezeit Juli–August.

E. palustris: Heimat Europa, in nassen Wiesen und an Seeufern, auf Heideböden und in Dünentälern. 20–50 cm hoch, Blüten rötlichgrün, innere Perigonblätter weiß mit Rot. Blütezeit Mitte Juni–Mitte Juli.

Ophrys,

in etwa 30 Arten hauptsächlich in Südeuropa und Kleinasien verbreitet. Sie zeigen in ihren Blüten schon eine gewisse exotische Note. Die südeuropäischen Arten erhalten eine Winterdecke aus trockenem Laub, welches mit Fichtenreisig festgelegt wird. Um jegliche Frostschäden zu verhindern, ist jedoch die Topfkultur vorzuziehen. Bei Eintritt der kälteren Witterung werden die Töpfe aus dem Boden genommen und an einem geeigneten Platz eben frostfrei und dunkel gehalten. Die Pflege ist nicht leicht und bedarf großer Aufmerksamkeit. Sie wird jedoch durch dankbares Blühen gelohnt.

Im deutschen Raum beheimatet:

O. apifera, Bienenragwurz: Heimat Mitteleuropa, West- und Südeuropa bis Nordafrika, auf kalkhaltigem Boden, an grasigen Hängen, gelegentlich auch auf nassen Wiesen. Höhe 20–25 cm, Blüten grün mit Rosa, Lippe purpurbraun mit gelben Flecken. Blütezeit Juni–Juli.

O. muscifera, Fliegenragwurz: Heimat Südeuropa, Nordbalkan, Sowjetunion. 15–50 cm hoch, Blüten grünlich, Lippe schwarzpurpur mit bläulichem Fleck. Blütezeit Mai–Juni.

O. sphecodes (O. aranifera), Spinnenragwurz: Heimat Mittel-Westeuropa, Südeuropa. 10–45 cm hoch, Blüten gelbgrün, Lippe purpurbraun, sammethaarig, gelb gerandet. Blütezeit April–Mai. Standort: feuchte Waldwiesen.

Südeuropäische Arten:

O. bertolonii: Heimat Norditalien, Istrien. 15–40 cm hoch, Blüten rosa, Lippe schwarzpurpur, behaart, zwei bläuliche Flecke, gelbbraun umrandet. Blütezeit April–Mai. Standort: steinige Grashänge im Hügelland.

O. lutea: 15–50 cm hoch, Blüten gelbgrün, Lippe gelbbraun, behaart, mit zwei gelbgerandeten bläulichen Flecken. Blütezeit April–Mai. Standort: Grasland.
Für die genannten Arten ist ein verhältnismäßig trockener, halbschattiger Standort empfehlenswert.

Orchis,

eine Gattung mit etwa 50–60 Arten in Europa, Asien, Nordafrika und Nordamerika, als Knabenkraut bekannt. Sie bedürfen einer Winterdecke aus Fichtennadeln oder Laub mit Reisigschutz.

O. maculata, Geflecktes Knabenkraut: Heimat Europa, Mittelmeerraum. Höhe 20–60 cm, Blätter dunkelgrün, schwärzlich gefleckt. Blüten hellrosa in dichter ovaler Ähre. Blütezeit Juni–Mitte Juli. Standort: trocken bis feucht, in kalkarmem oder kalkreichem Boden.

O. morio, Schwarzbraunes Knabenkraut: Heimat Mitteleuropa, nördlich bis Skandinavien, südlich bis Norditalien; Nordostasien bis China. Höhe 5–25 cm. Blüten violettrosa, in 4–10blütiger Traube. Blütezeit Mai–Juni. Standort: sonnige Wiesen.

O. purpurea, Purpurrotes Knabenkraut: Heimat Zentral- und Südeuropa, Mittelmeerraum, Kleinasien, Süden und Mitte der Sowjetunion. Höhe 25–80 cm. Blüten purpurbraun mit weißer oder hellrosa, braunrot getüpfelter Lippe. Blütezeit April–Ende Mai. Standort: Laubwälder oder trockene Wiesen auf kalkhaltigem Boden.

Pleione,

eine im unteren und mittleren Himalaja-Gebiet und China mit etwa 15 Arten verbreitete Gattung. Infolge dieser Herkunft ist ein sicherer Schutz im Winter in unserem Klima erforderlich.

P. limprichtii: Heimat Himalaja. Höhe 8–10 cm. Blüten groß, leuchtend violett. Blütezeit: April–Mai.

LITERATURNACHWEIS

DANESCH: Orchideen Europas. Bern 1962

MEYER/BEYER: Orchideen. Dietikon, 1966

MÖLLER: Orchideen im eigenen Garten: Pflanze u. Garten, Darmstadt 1968

PAPE: Krankheiten und Schädlinge der Zierpflanzen und ihre Bekämpfung. Berlin u. Hamburg 1964

RÜNGER: Licht und Temperatur im Zierpflanzenbau. Berlin und Hamburg 1964

SADOVSKY: Orchideen im eigenen Garten. München 1965

SCHLECHTER: Die Orchideen. Berlin 1927

SCHOSER: Pflanzenkultur mit dem Pflanzenstrahler OSRAM-L-„Fluora". Berlin–München 1966

AOSB/American Orchid Society Bulletin. Cambridge 1960–1969

„DIE ORCHIDEE" – Zeitschrift der Deutschen Orchideen-Gesellschaft. 1950–1969

BILDNACHWEIS

Bildmaterial wurde zur Verfügung gestellt von:

Dr. M. Schwabe, Braunschweig-Lehndorf Seite 17, 45, 48/3, 76/1, 85, 88, 97/6, 125/2, 128/1/5/7, 137/4/6/8/9, 156, 165, 168.
Dieter Täuber, Vieselbach Seite 18, 87, 126, 127.
Kuno Krieger, Dortmund-Eving Seite 58/2/3.
Prof. Borris, Greifswald Seite 155/1.
Theodor Haber, Datteln/Westf. Seite 128/6.
Dr. M. Kron, Ebeleben Seite 137/6.
Alle übrigen Aufnahmen stammen vom Verfasser.

SACHREGISTER

Kursiv gedruckte Zahlen verweisen auf Foto-Abbildungen